LA MALÉDICTION DES KENNEDY

Edward Klein

LA MALÉDICTION DES KENNEDY

Traduction d'Hubert Tézenas

Document

Titre original : *The Kennedy Curse*

© Edward Klein, 2003

© Presses de la Cité, 2003, pour la traduction française
ISBN 2-258-05761-2

INTRODUCTION

Une maison maudite

> *C'était une maison maudite [...]. Une fatalité sem-*
> *blait accabler la famille, poussant les hommes à*
> *pécher en dépit d'eux-mêmes, répandant la souffrance*
> *et la mort sur les innocents comme sur les coupables.*

> Edith Hamilton,
> *La Mythologie*

« Je voudrais avoir des enfants, mais chaque fois que j'aborde le sujet avec Carolyn, elle me tourne le dos et ne veut plus entendre parler de faire l'amour. »

L'auteur de cette phrase est John F. Kennedy Jr. Assis au bord d'un immense lit, le combiné téléphonique calé au creux de l'épaule, « John-John » se confie à un ami. La scène se passe en fin d'après-midi, le 14 juillet 1999 — deux jours avant l'accident d'avion qui lui coûtera la vie —, et les rayons obliques du soleil baignent sa suite de l'hôtel Stanhope, un luxueux établissement de la Cinquième Avenue qui fait face au Metropolitan Museum of Art de New York.

« Ce n'est pas seulement un problème de sexe, explique John-John à son ami (qui m'a relaté la conversation quelques jours plus tard, alors que son souvenir était encore tout frais). Avec Carolyn, il m'est impossible de discuter de *quoi que ce soit*. Nous sommes devenus des étrangers complets... »

Les mots restent un instant prisonniers au fond de sa gorge, et son ami sent qu'il lutte pour retrouver son sang-froid. Tout à coup, un torrent d'amertume et de frustration se déverse sur la ligne.

« J'en ai par-dessus la tête ! Il faut que ça change ! Sinon, nous allons droit au divorce ! »

Mille jours s'étaient écoulés depuis que John-John avait passé la bague au doigt de Carolyn Bessette sur une île sauvage, au large des côtes géorgiennes, et, tout au long de cette période, le secret de leurs difficultés conjugales était resté bien gardé. Mais John et Carolyn vivaient désormais séparés — lui au Stanhope, elle dans leur loft de TriBeCa, un quartier branché de Manhattan —, et le couple était à deux doigts de la rupture.

John-John aurait été bien en peine de comprendre pourquoi son mariage avait ainsi tourné au vinaigre, d'autant que tout avait commencé dans un climat d'espérance et de douceur. Facétieux de nature, il s'était empressé de reprendre à son compte le désir de Carolyn de garder le secret sur leur projet de mariage. « C'est moi qui ai le contrôle là-dessus, pas John, confia-t-elle à une amie. Personne ne saura où, ni quand nous nous marions. »

Depuis le début, le choix d'une robe de mariée était pour Carolyn un vrai casse-tête. Devait-elle la commander à Calvin Klein, qui, jusqu'à une date récente, l'avait employée dans son service publicitaire ? Valait-il mieux faire appel à la créativité de son ancien colocataire, le talentueux styliste noir Gordon Henderson ? Ou avait-elle plutôt intérêt à faire confiance à Narciso Rodriguez, un ex-collaborateur de Calvin Klein passé au service du grand couturier parisien Nino Cerruti ? La robe et son créateur étaient assurés de bénéficier d'une publicité mondiale, et Carolyn était consciente que son choix aurait des répercussions majeures.

Ce ne fut que quinze jours avant le mariage qu'elle prit enfin sa décision. Elle demanda à Narciso Rodriguez de lui dessiner deux robes, une pour le déjeuner de répétition et une autre pour le mariage, plus une troisième pour Caroline Kennedy Schlossberg, qui devait être sa dame d'honneur.

Gordon Henderson, le meilleur ami de Carolyn, tomba de haut. Il avait rêvé de lui faire sa robe — et de devenir ainsi une étoile de la mode.

En guise de lot de consolation, Carolyn le chargea de dessiner le costume de John-John et d'orchestrer les détails du mariage. Les préparatifs furent organisés dans le plus grand secret, à la manière d'une opération militaire. Seuls quelques proches amis et parents furent invités sur l'île de Cumberland. Tout se déroula bien jusqu'à ce que Carolyn, au moment de se changer, s'aperçoive qu'elle n'arrivait pas à enfiler sa robe de mariée — une robe longue de crêpe de soie, couleur perle, d'une valeur de 40 000 dollars. Coupée en biais, elle était, comme beaucoup de tenues de ce type, extrêmement difficile à passer. Malgré tous ses efforts, il lui fut impossible d'entrer dedans.

Sous pression, Carolyn céda à l'hystérie et se mit à hurler sur tous ceux qui l'entouraient. Henderson l'entraîna doucement dans une salle de bains, lui mit un foulard autour de la tête, et réussit à lui faire enfiler sa robe. Ensuite, dans un état d'anxiété profonde, Carolyn s'assit pour qu'on lui refasse son maquillage et sa coiffure.

Ses talons aiguilles s'enfoncèrent profondément dans le sable de la plage tout au long de sa marche vers la minuscule chapelle de bois de la Première Eglise baptiste africaine. Ainsi Carolyn, sublime créature d'un mètre quatre-vingts, blonde et fine comme les blés, arriva-t-elle deux heures en retard à son propre mariage.

La petite salle de la chapelle n'était éclairée que de cierges. La pénombre était telle que le père Charles J. O'Byrne, un jeune prêtre jésuite de l'église Saint Ignace de Loyola de Manhattan, où avait été célébrée en 1994 la messe funèbre de Jackie Kennedy-Onassis, dut s'aider d'une lampe de poche pour lire les textes liturgiques. John-John avait choisi pour témoin Antony Radziwill, son cousin et meilleur ami. A la fin de la cérémonie, il le rejoignit pour lui confier qu'il vivait le plus beau jour de sa vie.

Le mariage fit les gros titres de la presse un peu partout : le mythe Kennedy venait de renaître. Cet homme, qui aurait pu épouser n'importe quelle femme au monde, en avait choisi une qui n'était ni riche, ni célèbre, ni issue d'une noble famille, ni même distinguée par une grande réussite professionnelle. Carolyn, en revanche, avait un charisme certain — une beauté exceptionnelle, un sens du style unique, et une intelligence acérée.

Les médias s'empressèrent de présenter ce mariage comme une version moderne de l'histoire de Cendrillon, avec Carolyn dans le rôle de la roturière réussissant à conquérir l'amour d'un prince charmant. Hélas, ce conte de fées allait se transformer en cauchemar — avec un engrenage de violences domestiques, d'infidélités et d'histoires de drogue — au point de paraître assez vite condamné au naufrage.

Quand John et Carolyn revinrent de leur lune de miel à l'automne 1996, les journalistes campaient devant leur loft de TriBeCa, au 20 North Moore Street. Cette meute tapageuse effraya Carolyn et, soucieux de la protéger, John-John alla trouver les reporters et techniciens pour les prier d'être un peu plus discrets et de donner à sa femme une chance de s'adapter à son nouveau rôle de célébrité.

Sa requête ne trouva aucun écho. Le siège de North Moore Street ne fit que s'intensifier dans les semaines suivantes. Des journalistes fouillaient les poubelles du jeune couple, en quête de traces de leur vie sexuelle. Des paparazzi pourchassaient John et Carolyn où qu'ils aillent, n'hésitant pas à donner des coups sur la carrosserie de leur auto pour les forcer à se retourner vers l'objectif, ce qui leur permettait ensuite de les aveugler d'un éclair de magnésium.

D'ordinaire, seules les superstars du calibre de Madonna avaient droit à ce type de supplice. Carolyn se retrouva tout à coup catapultée en orbite dans une autre galaxie. Des photos d'elles fleurissaient partout dans les kiosques. Le monde de la mode se pâmait d'excitation. Patrick McCarthy, du *Women's Wear Daily*, l'érigea en nouvelle icône du style moderne et digne héritière de Jackie Onassis, sa regrettée belle-mère. Anna Wintour, de *Vogue*, et Liz Tilberis, de *Harper's Bazaar*, rêvaient de l'avoir en couverture. Quant à Ralph Lauren, qui songeait à l'engager pour faire d'elle sa muse attitrée, il donna à ses proches collaborateurs la consigne suivante : « Chaque fois que vous dessinez, créez, ou vendez quelque chose, pensez à Carolyn Bessette. »

John-John, lui, était rompu à ce genre de traitement. Son côté narcissique s'en réjouissait. Pour attirer l'attention, il adoptait souvent des postures exhibitionnistes, se montrant torse nu dans Central Park ou se laissant photographier sur un yacht au côté de Carolyn en string. Ayant grandi sous les feux de la rampe, John-John associait la célébrité au pouvoir. Et comme beaucoup de superstars, il redoutait plus que tout le sentiment de vide qui accompagne l'anonymat.

Pour Carolyn, c'était une tout autre affaire. Plus les mois passaient, moins elle parvenait à supporter la curiosité et l'exploitation de son image personnelle qui allaient de pair avec sa glorification publique. Quand un photographe l'approchait dans la rue, elle baissait les yeux et rentrait la tête dans les épaules. « Elle finira par ressembler au bossu de Notre-Dame », lâcha un jour Calvin Klein, son ancien employeur. Et en effet, sur beaucoup de clichés, on aurait dit une créature traquée.

Pour éviter les paparazzi, Carolyn chercha refuge chez Gordon Henderson, dans West Village. « Elle ne se sentait pas chez elle dans leur appartement de North Moore Street, raconte un ami. Elle le détestait. Elle n'aimait pas le quartier. Et c'était John-John qui l'avait décoré — et mal. C'était très froid, comme le premier loft d'un jeune célibataire. »

Il était clair pour ses amis que Carolyn était en train de craquer. Elle manifestait les symptômes classiques de la dépression. Quelques mois après son mariage, elle commença à s'enfermer chez elle, à céder à des crises de larmes et, selon l'expression de la chroniqueuse mondaine Liz Smith, « à

11

pleurer sur son sort d'épouse de l'homme le plus célèbre du monde ».

« La vie mondaine de John était énorme — avec des dizaines d'amitiés et de relations —, mais Carolyn était incapable d'assumer ça, m'a expliqué un de ses proches. Elle ne voulait pas sortir. Elle tournait le dos aux amis de John, ne venait pas aux dîners, refusait d'aller chez les gens ou de fréquenter leurs soirées. Elle a coupé beaucoup de ponts. »

Fille de parents divorcés, trop longtemps séparée de son père, Carolyn était ultrasensible au moindre signe de désertion masculine. De son point de vue, John-John l'avait abandonnée pour se consacrer à *George*, le magazine qu'il avait fondé. Un jour, elle lui envoya à son bureau un fax disant : « S'il te plaît, rentre à la maison tout de suite, j'ai besoin de toi. » Elle reprochait par ailleurs à John-John d'avoir repris ses vieilles habitudes de célibataire — comme soulever de la fonte dans une salle de musculation jusque tard le soir, faire des virées en kayak avec des amis, et (pensait-elle) sortir avec des filles dans son dos.

Un soir, à son retour au loft, John trouva Carolyn assise par terre dans le salon, hirsute, l'œil vague, en train de sniffer de la cocaïne avec une bande d'amis de la mode — des dessinateurs, des stylistes, des modèles masculins, quelques publicitaires. Sans lui demander la permission, Carolyn remettait les clés du loft à certains de ses amis pour qu'ils puissent entrer et sortir à leur guise.

« Tu n'es qu'une camée ! » lui lança John-John, selon une des personnes présentes ce soir-là.

Ces amis de la mode savaient que Carolyn était une grosse consommatrice de drogues dures.

« Elle et moi, nous sommes sortis dîner un soir que John était cloué à la maison par la grippe, se souvient un proche qui travaillait à la rédaction du magazine *George*. Elle a fait au moins six allers et retours aux toilettes, et quand elle revenait à la table, elle avait des traces blanches autour des narines. Puis nous sommes allés de bar en bar, et elle a voulu venir chez moi, mais j'ai dit non parce que je sentais que ça durerait toute la nuit. Je l'ai finalement déposée chez elle à trois heures du matin. Le lendemain matin, John-John entre dans mon bureau et me demande : "Pourquoi as-tu ramené ma femme si tard ?" Et j'ai répondu : "Tu ferais peut-être mieux de te demander, John, pourquoi ta femme n'avait pas envie de rentrer."

» Carolyn était un cheval fou, poursuit la même source. Elle pouvait être ordurière et adorait l'irrévérence. Elle passait son temps à traiter John de "pédale". »

Leurs querelles dégénéraient souvent, et John-John confia à des amis qu'il se sentait pris au piège d'une relation de plus en plus violente. Un jour, il dut même se précipiter aux urgences avec un nerf endommagé au poignet droit. Il chercha à mettre sa blessure sur le compte d'un banal accident domestique, mais ses amis ne furent pas dupes : pour la plupart d'entre eux, Carolyn était à l'origine de la blessure.

Tous deux possédaient un tempérament de feu, mais apparemment Carolyn l'emportait toujours en situation de conflit. En apprenant que John avait revu Daryl Hannah, son ancien amour, sans lui en parler, elle tomba dans une rage folle.

Ceux qui la connaissaient bien la voyaient mal renoncer un jour à son mari. Son sentiment d'insécurité générait un besoin de contrôle et de manipulation ; sa dépendance à la cocaïne la rendait paranoïaque. Elle était jalouse de la sœur de John-John, Caroline Kennedy Schlossberg, et aussi du cofondateur de *George*, Michael Berman — à dire vrai, elle était jalouse de toute personne représentant une menace pour le pouvoir incontesté qu'elle tenait à exercer sur John.

« Carolyn n'aimait pas Michael Berman, raconte un ami. Elle ne le voyait pas comme un homme d'avenir et le soupçonnait de s'être lié à son mari par intérêt. Elle a tout fait pour empoisonner leurs relations. Je l'ai entendue dire à John : "Je ne crois pas que Michael soit un vrai ami. S'il est si proche de toi, c'est uniquement parce que tu t'appelles John F. Kennedy Jr." »

Ce furent plutôt les constantes intrusions de Carolyn dans les opérations éditoriales de *George* qui détériorèrent les relations de John-John avec Michael Berman ; elles furent en partie la cause du départ de ce dernier. Du coup, le magazine, qui à l'origine était une idée de Berman, ne fut pas long à se retrouver au bord du gouffre.

« Le divorce entre Michael Berman et JFK Jr. a été lourd de conséquences pour *George*, explique Jean-Louis Ginibre, directeur éditorial de la branche Etats-Unis du groupe de presse Hachette-Filipacchi, qui finançait et distribuait *George*. Avec le départ de Berman, quelque chose s'est perdu. »

Carolyn inscrivit aussi Caroline Kennedy Schlossberg sur sa liste noire après avoir entendu dire que la sœur de John avait fait des déclarations perfides sur leur mariage à Cumberland. Maniaque de la ponctualité, Caroline avait notamment critiqué la mariée pour son retard de deux heures à la chapelle et son choix de porter des talons de dix centimètres alors que son trajet devait s'effectuer par la plage. Depuis, Carolyn et Caroline se parlaient à peine, et John-John était gêné aux entournures avec une sœur qu'il adorait.

Au moment de son mariage, il rêvait d'avoir un garçon. Il avait même déjà choisi le prénom : Flynn. Mais jamais Carolyn ne se montra disposée à fonder une famille.

« Je déteste vivre dans un bocal, confia-t-elle à un ami. John se sent peut-être à l'aise là-dedans, mais pas moi. Comment ferais-je un enfant dans un monde pareil ? »

Qu'est-ce qui avait pu attirer John dans une relation aussi destructrice ?

Plusieurs explications circulaient dans les mois qui ont précédé sa mort violente. Nombre de ses amis m'ont déclaré qu'ils le suspectaient d'avoir épousé Carolyn Bessette parce qu'il cherchait à remplacer sa défunte mère, dont il avait dépendu toute sa vie.

J'ai d'abord été tenté de balayer cette explication d'un revers de main en la considérant comme un exercice type de psychologie sauvage. Mais après y avoir mûrement réfléchi, je suis parvenu à la conclusion que les amis de John ont sans doute raison. Comme ils le soulignent, son besoin restait aussi profond que celui du petit garçon qui, à trois ans, avait salué militairement le cercueil de son président de père après l'assassinat de celui-ci à Dallas. Et comme John-John lui-même l'a un jour confié au téléphone à un ami : « Je suis attiré par les fortes femmes, comme ma mère. »

Sauf que Carolyn n'était pas seulement forte. Elle pouvait se montrer exigeante, dominatrice, et même, selon ses meilleurs amis, carrément garce. D'aucuns avaient l'impression que si John fermait les yeux sur ses défauts, c'était parce qu'il était aveuglé par son glamour à la Jackie. A sa façon, anguleuse et moderne, Carolyn était effectivement aussi chic que Jackie ; elle s'habillait avec une élégance discrète que John-John prisait plus que tout. Comme Jackie l'éthérée, Carolyn affectait un petit air de mystère, d'inaccessibilité, qui rendait fous les journalistes et alimentait une frénésie populaire que John trouvait agréable, voire excitante. Et, comme Jackie, Carolyn aimait contrôler la situation, ce qui donnait à son mari le sentiment d'être protégé et aimé.

Dès l'instant où il posa les yeux sur Carolyn, elle devint pour lui une obsession. « Il vivait, il respirait pour Carolyn, m'a confié un de ses amis, traduisant le sentiment de beaucoup d'autres. Il ne pouvait pas s'empêcher de la toucher. Il caressait constamment ses cheveux, qu'elle avait teints en blond platine. »

Carolyn acceptait la vénération de John comme un dû — comme si c'était lui qui avait de la chance de l'avoir pour femme, et non l'inverse. Son attitude réservée la distinguait des autres femmes que John-John avait fréquentées dans le passé — les Madonna, les Sarah Jessica Parker, les Sharon Stone, les Daryl Hannah, et bien d'autres moins connues. La plupart d'entre elles s'étaient jetées à son cou, ce qui ne pouvait que lui inspirer des soupçons quant à leurs motivations profondes. Carolyn, à l'inverse, semblait indifférente à sa célébrité, et au final, ce fut sans doute cette attitude de froid détachement qui, combinée à sa beauté, le captiva et le maintint si longtemps sous le charme.

15

Elle possédait aussi une autre qualité susceptible de plaire à John, qui avait une sainte horreur de paraître ringard.

« C'est la fille la plus branchée que j'aie jamais rencontrée, témoigne Jean-Louis Ginibre. Elle est toujours dans le coup. Très brillante. Toujours au courant de tout. Elle est capable de se focaliser dix ou vingt minutes d'affilée sur un interlocuteur en s'impliquant totalement dans la relation. C'est quelqu'un de très intense, qui marche au contact, au feeling, et peut hypnotiser son vis-à-vis. »

Jacqueline Kennedy Onassis, qui de son temps avait réussi à en hypnotiser plus d'un, est décédée d'une forme de cancer du système lymphatique avant d'avoir eu l'occasion de rencontrer la future épouse de son fils. Ce qui, d'ailleurs, n'a pas empêché un certain nombre de personnes de se demander : « Qu'aurait-elle pensé du mariage de John-John avec Carolyn ? »

Ayant été l'ami de Jackie pendant près de vingt ans, j'ai eu maintes occasions de discuter avec elle de nos enfants respectifs. Ces conversations m'inclinent à penser que, si elle avait été là, elle aurait désapprouvé le choix de son fils. Je suis même certain qu'elle aurait fait tout ce qui était en son pouvoir pour contrecarrer ce mariage.

Avec son sens aigu de l'évaluation des caractères, Jackie aurait vite décelé, derrière le masque lisse de Carolyn Bessette, ce qu'elle était vraiment — une coquette, une séductrice psychologiquement instable, mais fermement décidée à mettre le grappin sur le prince héritier de la dynastie. Elle aurait à coup sûr senti dans sa chair qu'en épousant une jeune femme de ce type, John se condamnait à souffrir.

Jackie était obsédée, de façon presque pathologique, par la sécurité de ses enfants. Elle avait constamment l'impression que John et Caroline étaient en danger de mort. Son anxiété était d'ailleurs compréhensible : elle avait déjà perdu trois enfants (dont un mort-né, une fausse couche, et son fils Patrick qui n'avait vécu que deux jours), deux maris (John Kennedy et Aristote Onassis), un beau-fils (Alexandre, le fils d'Onassis), et un beau-frère (Robert Kennedy). Elle était arrivée à la conclusion que, sur je ne sais quel plan mystique, elle était personnellement responsable de ces tragédies.

« J'ai parfois le sentiment d'être une nouvelle Mary Typhoïde », m'a-t-elle notamment confié. Et, un autre jour : « Si j'avais su que John mourrait assassiné, jamais je n'aurais appelé notre fils John F. Kennedy Jr. »

Je n'ai jamais trop su comment accueillir ces réflexions, qui, je l'avoue, me laissaient perplexe.

« Vous ne croyez tout de même pas à une malédiction familiale », me contentais-je en général de répondre.

Mais Jackie était mortellement sérieuse lorsqu'elle parlait de ses funestes prémonitions. Il était clair à mes yeux que, même si elle adorait ses deux enfants, John-John était l'objet de ses attentions — et de ses inquiétudes — les plus profondes. Même s'il tenait plutôt des Bouvier[1] sur le plan de l'aspect physique, l'ADN des Kennedy était inscrit dans ses cellules, ce qui donnait à sa mère un motif légitime d'inquiétude. Elle le jugeait immature, inapte à percevoir le fonctionnement du monde réel. John était distrait, toujours en retard, perdait régulièrement son portefeuille et ses cartes de crédit. Il était maladroit et sujet aux accidents. A cause de sa tendance naturelle à tout perdre, il avait mis ses clés au bout d'une chaînette et, lorsqu'il jouait à faire tournoyer celle-ci autour de son index, il lui arrivait souvent de se faire mal à l'œil.

Caroline, en revanche, était le portrait craché de son père : elle avait ses cheveux, ses yeux, son sourire, son teint. Mais elle avait aussi hérité la prudence de sa mère, son désir de préserver la vie privée des siens, sa recherche permanente de l'excellence. Lorsque Jackie me parlait de Caroline, c'était toujours pour évoquer ses succès.

Caroline la rendait fière ; John la faisait rayonner.

« Ma fille a un tempérament très analytique, me disait-elle. Elle prépare un livre sur la vie privée. Caroline a toujours été beaucoup plus concentrée, beaucoup plus appliquée que John, qui a tendance à s'éparpiller. C'est un bon garçon, mais il se

---

1. La famille de Jackie Kennedy. (*NdT*)

met régulièrement dans le pétrin. Par rapport à sa sœur, il a une personnalité plus ouverte. Mais cela implique qu'il est plus sensible aux stimulations, et donc plus susceptible d'être entraîné dans la mauvaise voie. Je me tue à lui dire qu'il doit veiller à ne jamais rien faire qui puisse salir le nom de la famille. Mais je ne suis pas sûre qu'il m'écoute. On ne peut jamais savoir ce qu'il va entreprendre, ni quelle catastrophe risque de lui arriver. »

Jackie craignait que John ne s'attire de graves ennuis lorsqu'elle ne serait plus là. Et ce fut exactement ce qui arriva.

La mort se montra clémente envers Jackie en lui épargnant le pire cauchemar qu'il puisse être donné de vivre à un parent — la perte d'un enfant. Si elle avait vu son seul fils périr dans un accident d'avion alors qu'il se rendait au mariage de sa cousine Rory, je suis persuadé que la nouvelle l'aurait tuée.

Et si d'aventure elle avait réussi à survivre à cet atroce coup du sort, sans doute aurait-elle été doublement accablée par le caractère familier du drame. Car une fois de plus, dans des circonstances qui auraient dû fournir une occasion de joie et de célébration, un membre de la famille la plus célèbre des Etats-Unis était cruellement frappé par le destin.

Comme Jackie n'était pas sans le savoir, Robert F. Kennedy avait déjà fait allusion à l'idée d'une malédiction familiale. Après l'assassinat de son frère John en 1963, Bobby — qui ne put jamais se départir tout à fait du soupçon que ses ennemis avaient voulu se venger de lui en éliminant son frère — se mit à lire des tragédies grecques antiques, peut-être pour y trouver un peu de consolation.

« Dans les pièces d'Eschyle et de Sophocle, écrit Evan Thomas, son biographe, [Robert] Kennedy découvrit les notions de fatalité et d'*hubris* — d'orgueil démesuré, d'arrogance. Il en vint à se demander si la famille Kennedy n'était pas allée trop loin, si elle n'avait pas trop forcé le destin. Dans son exemplaire de *The Greek Way*, le célèbre essai d'Edith Hamilton sur les Grecs, il avait par exemple souligné une phrase d'Hérodote : "Toute arrogance engendrera une riche moisson de larmes. Les dieux font payer aux hommes un lourd tribut pour leur excès de fierté." [...] Les Kennedy étaient la maison des Atrides, illustre et maudite, et Robert tendait à se reconnaître en Agamemnon. »

Suite à l'accident d'avion de son frère Ted en 1964, Bobby déclara : « Quelqu'un là-haut ne nous aime pas. » Et en 1968, après que Bobby lui-même eut été assassiné, son fils Michael eut le commentaire suivant : « C'est comme si le destin s'était retourné contre nous. On ne peut plus ignorer qu'un schéma récurrent est en œuvre. »

Un an plus tard, le sénateur Edward Kennedy fut le premier membre du clan à proférer le mot « malédiction » en public. Il déclara à un public de téléspectateurs que, parmi les « pensées irrationnelles » qui lui avaient traversé l'esprit après son tragique accident de Chappaquiddick, il s'était posé la question de savoir « si, oui ou non, une affreuse malédiction pesait sur les Kennedy ».

Il fut révélé par la suite que les « pensées irrationnelles » du sénateur Kennedy provenaient d'une source éminemment saine d'esprit : elles étaient nées sous la plume de Theodore Sorensen, l'ancien responsable de la rédaction des discours du président John F. Kennedy. Le discours de Ted Kennedy sur l'accident de Chappaquiddick fut écrit par Sorensen, et cette référence à une « affreuse malédiction » fut approuvée par plusieurs membres de la famille et par leurs proches conseillers.

Il est donc possible d'avancer que les Kennedy eux-mêmes — plutôt que leurs détracteurs — furent les premiers à croire vraiment à l'existence d'une malédiction.

Trente ans jour pour jour séparent la noyade de Mary Jo Kopechne, à Chappaquiddick, du crash fatal de John-John au large de Martha's Vineyard. Pendant ces trois décennies, la curiosité de l'opinion concernant la malédiction des Kennedy a été périodiquement réveillée par des événements sans lien apparent : l'accident de Jeep de Joseph Kennedy II, qui laissa une de ses amies d'adolescence, Pamela Kelly, paralysée à vie, en 1973 ; la mort par overdose de David Kennedy, en 1984 ; le procès pour viol de Willy Kennedy Smith, en 1991 ;

le scandale de la liaison de Michael Kennedy avec la baby-sitter mineure de ses enfants, puis la mort brutale de celui-ci sur une piste de ski d'Aspen, dans le Colorado, en 1997.

Mais ce ne fut qu'en 1999, avec le crash de l'avion privé de JFK Jr., qui entraîna dans la mort trois jeunes êtres vibrants d'énergie, que la plupart des gens s'interrogèrent sérieusement sur la nature de cette malédiction et sur ses origines.

« Les assassinats de John et de Robert Kennedy furent, à tout le moins, proportionnels à l'immense impact de leur vie publique, écrivit notamment le magazine *Time*. Mais quand leurs enfants meurent prématurément, c'est un peu comme si le destin les enlevait pour le plaisir. »

Le choc causé par la mort de JFK Jr. à l'été 1999 m'a encouragé à revenir sur mes conversations avec Jackie, qui se sont étalées sur près de vingt ans. Et en passant en revue mes carnets de journaliste, j'ai été saisi une nouvelle fois par l'inébranlable conviction avec laquelle Jackie voyait John-John et Caroline — et, au-delà, tous les Kennedy — comme les victimes d'une fatalité inexplicable.

Comme bien d'autres, j'ai toujours eu peine à admettre l'idée que les Kennedy étaient les cibles d'une malédiction *surnaturelle*. Peut-être parce que je suis journaliste, je préfère me concentrer sur des faits tangibles — et susceptibles d'être expliqués par les lois de la nature ou d'autres forces connues. Par définition, le surnaturel n'entre pas dans cette catégorie ; on ne peut ni le prouver, ni l'infirmer.

Mais après le crash de John-John, il ne semblait plus possible, même pour le rationaliste le plus fervent, de croire que toutes ces souffrances n'étaient le fruit que du hasard. Quand une famille présente une telle liste d'autodestructions, sur un grand nombre de décennies, le bon sens pousse nécessairement à envisager qu'un schéma récurrent — irréductible à la malchance ou à la simple coïncidence — puisse être à l'œuvre.

Tout se passe comme si, chaque fois qu'un Kennedy était sur le point d'atteindre un objectif ou de réaliser une ambition, il se retrouvait condamné à le payer au prix d'une tragédie personnelle. Prenons l'exemple de Joseph Kennedy, qui passa sa vie à lutter pour installer un de ses fils à la présidence : à peine y fut-il parvenu qu'une attaque cérébrale le condamna à un mutisme définitif. Il y eut ensuite le cas du plus célèbre de ses rejetons, John F. Kennedy, qui se démena pendant trois ans pour apprendre son rôle de président ; au moment où il semblait enfin sur le point de devenir un dirigeant politique doublé d'un commandant en chef compétent, il tomba sous les balles d'un assassin. Et quand son propre fils, JFK Jr., épousa la femme de ses rêves, ce ne fut que pour l'entraîner avec lui dans la mort.

Bien entendu, toutes les familles sont confrontées à l'adversité, certaines beaucoup plus que d'autres. Peut-être l'exemple le plus cruel de tragédie familiale aux Etats-Unis est-il celui de la famille Sullivan, qui pendant la Seconde Guerre mondiale perdit d'un coup cinq frères dans le naufrage de l'USS *Juneau* — un drame dont, un demi-siècle plus tard, Steven Spielberg allait s'inspirer pour son film *Il faut sauver le soldat Ryan*.

Certains membres de riches familles, disposant des ressources et du temps nécessaires pour entreprendre des activités inaccessibles à d'autres, paraissent davantage exposés aux catastrophes que la plupart des petites gens. En Italie, le magnat de l'automobile Gianni Agnelli, héritier d'une des familles les plus fortunées d'Europe, perdit son père dans un crash aérien alors qu'il avait quatorze ans ; dix ans plus tard, lui-même frôla la mort dans un accident de voiture ; il vit son frère Giorgio mourir à l'âge de trente-cinq ans ; sa tante, Ancieta Nasi, mourut en couches, laissant cinq enfants dans la peine ; il dut aussi consoler son frère, Umberto, quand le fils aîné de celui-ci, Giovanni, succomba à un cancer ; et il fut accablé de douleur lorsque son propre fils toxicomane, Edoardo, mit fin à ses jours.

Mais le triste parcours de la famille Agnelli semble bien pâle en comparaison de l'histoire tragique du clan Kennedy. Jamais le sort ne s'est aussi furieusement acharné sur aucune autre famille moderne. Comme Bobby Kennedy lui-même l'a découvert après l'assassinat de son aîné, il faut remonter aux anciens Grecs et aux Atrides — c'est-à-dire à des personnages aussi légendaires qu'Agamemnon, Clytemnestre, Oreste, et Electre — pour trouver une maison soumise à un enchaînement aussi ahurissant de calamités.

Dans les plus anciennes traditions, la malédiction est le produit de forces soit humaines, soit surnaturelles. On trouve des exemples des deux types de fatalité dans l'Ancien Testament. Sur le plan humain, quand Noé se fâche contre son fils Ham, il lui jette un mauvais sort. Sur le plan surnaturel, Jéhovah châtie un pharaon rétif en lui envoyant dix fléaux. On peut trouver des histoires similaires dans le Nouveau Testament : Jésus maudit un figuier qui ne donne pas de fruits, l'apôtre Paul frappe un sorcier de cécité.

Des millions de gens, de par le monde, croient au pouvoir surnaturel des mauvais sorts. Selon un sondage Gallup sur les habitudes de prière des Américains, cinq pour cent d'entre eux — soit environ quatorze millions de personnes — admettent volontiers qu'il leur est déjà arrivé de prier pour que quelque chose de mal arrive à quelqu'un d'autre. « La prévalence de la prière destinée à nuire a indiscutablement augmenté, écrit le Dr Larry Dossey dans *Le Surprenant Pouvoir de la prière*. Certaines de ces prières semblent impossibles à distinguer des imprécations et autres sortilèges — qui sont des tentatives d'influencer les pensées ou les actes d'une victime contre sa volonté. »

A ce jour, nombre de Grecs restent persuadés que Jackie Kennedy apporta dans ses bagages la malédiction des Kennedy lorsqu'elle épousa le richissime armateur Aristote Onassis. Ils rappellent qu'à l'époque où la jeune veuve américaine rencontra Onassis, son fils Alexandre et lui étaient en excellente santé, et l'argent coulait à flots dans les coffres de la famille. Et pourtant, « dans l'année qui suivit son mariage avec Jackie, quatre de ses navires subirent des avaries majeures, relève le biographe d'Onassis, Nicholas Gage. Les proches d'Onassis, ses amis intimes et ses principaux collaborateurs, se mirent à chuchoter entre eux que le vieil homme avait perdu la main, et certains furent prompts à blâmer le "sortilège Jackie". » Sept ans plus tard, Onassis et Alexandre étaient tous les deux morts, et les affaires de la famille avaient gravement périclité.

L'hypothèse implicite qui se cache derrière la notion d'une malédiction des Kennedy est que le clan serait puni pour sa richesse mal acquise et ses abus de pouvoir. Selon une opinion répandue, « ce que l'on prend d'un côté, on le perd de l'autre ». Joseph P. Kennedy, le rugueux patriarche de la famille, aurait passé avec le diable un pacte de type faustien, dont ses descendants paieraient le prix depuis lors.

« Rien dans l'univers n'est coïncidence, affirme le rabbin Meir Yeshurun, du centre kabbaliste de Boca Raton, en Floride. Quelqu'un de la famille [Kennedy] a fait quelque chose pour exposer la famille à l'énergie négative qui punit les Kennedy depuis des décennies. »

Selon une anecdote qui circule dans certains cercles mystiques juifs, peu de temps avant l'éclatement de la Seconde Guerre mondiale, Joseph Kennedy, qui était alors ambassadeur des Etats-Unis à Londres, serait revenu aux Etats-Unis à bord d'un paquebot transportant aussi Israel Jacobson, un pauvre rabbin loubavitch, et ses six étudiants, qui tous fuyaient le régime nazi.

Antisémite notoire, Kennedy se plaignit au capitaine de ce que des juifs barbus et vêtus de noir avaient dérangé les passagers de première classe en priant le jour de la grande fête juive de Roch Hachanah. Kennedy exigea que le capitaine empêche les juifs de poursuivre leur cérémonie devant les autres passagers. En représailles, du moins c'est ce que veut la légende, le rabbin Jacobson lui aurait jeté un mauvais sort le condamnant, lui et tous ses descendants mâles, à une fin tragique.

« Je ne crois ni aux mauvais sorts, ni à quelque autre forme de prédestination, a écrit l'éditorialiste William Safire, du *New York Times*, à l'occasion de la mort de John-John. Forcer le tombeau de Toutankhamon n'a jamais porté malheur à personne. Compte tenu des lois de la génétique, nous sommes libres de façonner l'essentiel de notre destin. »

L'opinion de Safire est majoritaire. Et pourtant, il est un fait curieux : ceux-là mêmes qui raillent la notion de destin, ou de fatalité, éprouvent souvent quelque peine à écarter la notion de malédiction. Peu après que le fils de Robert Kennedy, Bobby Junior, eut été condamné à deux ans de probation suite à une affaire de drogue, son cousin Christopher Lawford écrivit : « Si vous envisagez l'histoire des Kennedy d'un seul bloc, des débuts de notre grand-père à ce qui vient d'arriver à Bobby Jr., vous vous apercevrez que c'est une histoire de karma, de gens qui, à force de briser les règles, ont été brisés par elles. »

La foi dans les malédictions est profondément enracinée dans la psychologie humaine. Enfants, la plupart d'entre nous s'entendent expliquer par nos parents que nous vivons dans un monde juste, gouverné par des lois morales immuables, et que nous serons punis si nous faisons quelque chose de mal. Cette croyance finit par être tellement ancrée dans notre conscience que, parvenus à l'âge adulte, nous trouvons presque impossible d'admettre l'idée d'un univers aléatoire et amoral.

« Une malédiction dynastique fournit la preuve que rien n'est dû au hasard, a commenté le quotidien londonien *The Guardian* après le crash fatal de John-John. Si la tragédie des Kennedy est inscrite dans l'ordre naturel des choses, il en va de même pour leur droit au pouvoir et à l'argent. Chaque mot prononcé ou écrit sur la "malédiction" du clan vient renforcer la croyance selon laquelle cette famille serait, par un décret divin, différente du commun des mortels. »

Bien entendu, les Kennedy ne se sont jamais contentés d'être simplement *différents* du commun des mortels. Avec cette façon qu'ils ont d'affronter l'existence sabre au clair, ils doivent toujours être les *meilleurs*.

« Papa a toujours eu un sens aigu de la compétition, se rappelle Eunice Kennedy Shriver, la cinquième des neuf enfants de Joseph Kennedy. Il passait son temps à nous répéter que la deuxième place ne valait rien. »

« Il détestait qu'on arrive deuxième derrière quelqu'un d'autre, il exigeait qu'on se prépare mieux que l'adversaire et qu'on fasse plus d'efforts que lui, confirme K. LeMoyne

Billings, un ami de John Kennedy. Toute autre attitude relevait, dans son esprit, de la stupidité. »

Quand un enfant Kennedy échouait à être le premier, il ou elle était envoyé(e) manger seul(e) à l'office. Et le nombre de victoires remportées par chacun d'eux ne comptait pas ; la victoire — et l'approbation parentale qui l'accompagnait — devait être encore et toujours reconquise.

Joseph Kennedy n'attendait pas seulement de ses enfants qu'ils surpassent les autres à tout prix ; il exigeait aussi qu'ils n'éprouvent aucun sentiment susceptible de contredire l'image d'invincibilité qu'il cherchait à projeter.

« Un Kennedy ne pleure pas », répétait-il à sa progéniture.

« Il tenait à ce que nous soyons capables de sourire dans les circonstances les plus pénibles, se souvient Ted Kennedy. "Je ne veux voir personne bouder chez moi", disait-il. »

Que ses enfants *ressentent* de la tristesse ou de la peur n'avait aucune importance à ses yeux. Ils devaient *agir* comme s'ils étaient braves, courageux et audacieux, ce qui se traduisait souvent par des comportements impulsifs et téméraires — et des collisions forcément tragiques avec la réalité.

Ce besoin de projeter une image aux dépens de ses sentiments véritables est caractéristique des personnalités narcissiques[1]. Contrairement à une croyance répandue, les narcissiques ne s'aiment pas. Ils sont emplis de haine envers eux-mêmes et de pulsions autodestructrices. Parce qu'ils sont obsédés par le besoin d'alimenter une image grandiose au détriment de leur vrai moi, ils se soucient davantage de leur paraître que de leur ressenti. Pire encore, étant sourds à leurs propres sentiments, les narcissiques sont incapables d'aimer autrui.

1. Dans la mythologie grecque, Narcisse était un beau jeune homme dont s'éprit la nymphe Echo. Mais, comme Echo ne savait que répéter la dernière syllabe des mots qu'elle entendait, elle fut incapable de lui exprimer son amour. Après qu'il eut repoussé ses avances, elle mourut, le cœur brisé, et les dieux punirent Narcisse de son incapacité à aimer en le faisant tomber amoureux de son propre reflet dans une mare. A force de soupirer après son image, il finit par mourir et fut transformé en la fleur qui porte son nom.

Comme l'expliqua un jour Kathleen Kennedy à un ami qui lui reprochait sa froideur : « Ecoute, ce que tu dois comprendre, c'est que je suis comme John, incapable d'affection profonde. »

Autre exemple, un jour, tandis qu'un ami montrait à John une lettre que son amoureuse avait mouillée de larmes, celui-ci le choqua par sa réponse : « C'est peut-être romantique pour toi, mais pour moi, c'est de la merde ! »

Les narcissiques comme les Kennedy ont un besoin irrépressible d'alimenter un fantasme d'omnipotence — de croire qu'ils ont le droit de se permettre des choses inaccessibles aux autres — pour compenser leur sentiment profond d'indignité.

Il est possible de retrouver la trace de cette sorte de sentiment dans l'histoire ancienne des Kennedy, qui a laissé des cicatrices profondes dans le psychisme de la lignée. Parmi les grands groupes d'immigrants aux Etats-Unis du XIXe siècle, les Irlandais sont le seul peuple à avoir subi l'épreuve déchirante du colonialisme. Avant d'accoster sur ces rivages, ils ont connu pendant des siècles le joug cruel de l'oppression anglaise. Cette expérience leur laissa un profond sentiment d'humiliation et d'impuissance.

La vie ne s'améliora guère pour les Irlandais après leur arrivée en Amérique. Sitôt débarqués des « bateaux-cercueils », ces pauvres hères, dépossédés et impuissants, s'épuisèrent à « creuser, biner, soulever, porter et traîner, travaillant dix, douze, quatorze heures par jour sans presque bénéficier de pauses et jamais de congés ». Les fils de ces immigrants étaient souvent encore plus mal traités que les esclaves noirs ; considérés comme des brutes simiesques, ils étaient allègrement méprisés ; on leur interdisait de s'établir dans les quartiers décents, d'inscrire leurs enfants dans les bonnes écoles, de fréquenter les clubs de l'élite WASP[1], et de toucher leur juste part des profits générés par les entreprises de cette même élite.

1. *White Anglo-Saxon Protestant*, l'élite anglo-saxonne, blanche et protestante de la côte est des Etats-Unis. (*NdT*)

Si les Kennedy accédèrent assez tôt à l'aisance financière, l'élite protestante leur refusa longtemps la reconnaissance sociale et le statut qui allaient de pair. Plusieurs décennies après leur arrivée, les catholiques irlandais comme les Kennedy constituaient toujours, selon l'expression du sociologue Oscar Handlin, « un énorme grumeau au cœur de la communauté, non digéré et non digérable ».

La présence de parents aimants aurait pu contribuer à adoucir la peine infligée aux Kennedy par un monde hostile, mais ce type de figure fut absent de leur enfance. La maison de Joseph et de Rose Kennedy — un père dur et autoritaire, et une mère froide et distante — était le creuset idéal pour générer des individus narcissiques.

« Enfants, les narcissiques ont souffert de ce que les psychanalystes nomment une grave blessure narcissique, un coup sévère porté à leur estime de soi qui marque et façonne leur personnalité, écrit le Dr Alexander Lowen dans *Narcissism : Denial of the True Self*. Cette blessure provoque une humiliation, plus précisément l'expérience de se sentir impuissant alors qu'une autre personne jouit de l'exercice du pouvoir et du contrôle des événements. »

Le despotique Joseph Kennedy fournit un exemple parfait de narcissique psychopathologique qui a réussi. Alan Harrington, qui a signé une étude de ce type de personnalité, parle d'« êtres brillants, sans scrupules, à l'intelligence glaciale, incapables d'amour ou de culpabilité, ayant des visées agressives sur le reste du monde ».

« Joseph dirigeait la famille comme une équipe de football, écrit Ronald Kessler dans sa biographie de Joseph Kennedy, *Les Péchés du père*. Il était à la fois l'entraîneur, le président, et l'arbitre. Rose, son porteur d'eau, bourrait constamment de sornettes le crâne de ses enfants. Leur objectif devait être de gagner sur tous les tableaux, quels qu'ils soient. »

Les enfants Kennedy vivaient dans la terreur permanente de la réprobation et des foudres de leur père.

« Dès que Joseph ouvrait la bouche, tout le monde filait doux, raconte Edward F. McLaughlin Jr., un ami de John qui devint par la suite vice-gouverneur du Massachusetts. Un jour, alors que nous traînions sur la véranda, la nouvelle nous parvint qu'il [Joseph] venait d'atterrir à l'aéroport. Tout le monde se mit aussitôt à chercher une activité. A courir dans tous les sens, à jouer au football. Il ne voulait jamais voir personne le derrière sur une chaise. Il nous enfonçait ça dans le crâne. »

Joseph maniait le sarcasme, la moquerie, et la dérision pour maintenir sa progéniture en ordre de marche.

« Je ne sais pas ce que deviendra cette famille après ma mort, déclara-t-il un jour à Palm Beach à ses enfants devenus grands. Il n'y en a pas un [...] qui ne vive au-dessus de ses moyens. Personne ne semble se soucier le moins du monde des sommes qu'il dépense. »

Là-dessus, il se tourna vers une de ses filles et lui lança qu'elle était « la pire ». Elle fondit en larmes et quitta la pièce en courant.

Rose Kennedy, de son côté, était une dévote fanatique qui manifestait une absence quasi complète d'empathie et de sentiments humains.

« Mme Kennedy ne disait jamais à ses enfants qu'elle les aimait, raconte Luella Hennessey, la nourrice de ceux-ci. Ça ne se faisait pas, voilà tout. C'était une question de respect. »

Otto Kernberg, considéré par beaucoup comme la principale autorité mondiale en matière de narcissisme, a étudié des figures parentales présentant la froideur chronique de Rose Kennedy dans un ouvrage de référence, *Les Troubles Limites de la personnalité*. Dans tous les cas de narcissisme, précise-t-il, on trouve « une figure parentale, généralement la mère ou un substitut de la mère, qui fonctionne bien à la surface d'un foyer superficiellement bien organisé, mais avec un degré élevé de dureté, d'indifférence, d'agression non verbale, de mépris [...]. Parfois [...] l'usage narcissique, froid et hostile que fait la mère de son enfant permet à celui-ci de se sentir "élu", ce qui l'encourage à se mettre en quête d'une admiration, d'une grandeur compensatoires... »

Ces expériences infantiles traumatisantes contribuent à expliquer pourquoi les hommes du clan Kennedy ont hérité d'un fort sentiment de dévalorisation et souffert d'un besoin aussi puissant de se punir — au point de s'autodétruire.

« Il ne s'agit nullement de prétendre que les accidents et les meurtres dont ont été victimes tant de Kennedy ont été provoqués par eux-mêmes, explique Nancy Gager Clinch dans *The Kennedy Neurosis*. Mais ce qui est certain, c'est qu'une personne hantée par des conflits affectifs inconscients qui la poussent à s'infliger des souffrances tendra inconsciemment à privilégier les circonstances qui, en fin de compte, seront susceptibles de causer cette souffrance.

» Le caractère récurrent de la témérité chez les Kennedy, de leur indifférence au danger, et des souffrances corporelles qu'ils ont toujours eu tendance à s'infliger est trop évident pour être ignoré, poursuit Clinch. Le désastre peut naturellement survenir indépendamment de notre volonté. Mais si une partie de nous-mêmes est attirée inconsciemment vers la souffrance ou la destruction d'un moi détesté, tôt ou tard, le désastre nous rattrape presque à coup sûr. »

Joseph Jr., John, Robert et Ted ont cruellement ressenti le manque d'une mère chaleureuse et tendre. Hantés par le désir d'avoir une femme auprès d'eux, ils haïssaient cependant ce sentiment parce qu'ils craignaient qu'il ne fasse d'eux des hommes faibles. En conséquence, tous se sont livrés à un fantastique déploiement d'attitudes donjuanesques pour prouver qu'ils étaient réellement des hommes forts et virils. Mais il s'agissait là d'une image compensatoire. Au fond d'eux-mêmes, ils n'étaient que des tout petits garçons, chétifs et impuissants.

L'absence physique et affective d'une mère aimante a été ressentie de manière particulièrement aiguë par ces hommes-enfants impuissants.

« Ma mère était toujours soit dans le salon d'un couturier parisien, soit en train de prier à genoux dans une église, a lâché un jour John F. Kennedy. Elle n'était jamais là quand nous avions besoin d'elle [...] Ma mère ne m'a jamais vraiment tenu, ni serré dans ses bras. *Jamais ! Jamais !* »

Turbulents et blasés, les Kennedy étaient toujours en quête de sensations nouvelles. En 1993, un an avant la mort de Jacqueline Onassis, une équipe de généticiens moléculaires annonça une avancée majeure concernant les comportements de recherche de nouveauté qui fit les gros titres de la presse scientifique et attira l'attention de Jackie. Les généticiens déclarèrent avoir découvert une variante du gène à l'origine de la protéine du récepteur de la dopamine, un messager chimique du cerveau, dans la partie de celui-ci qui détermine la personnalité.

Jackie m'a confié que plusieurs choses l'intéressaient dans cette découverte scientifique. Cinquante pour cent des personnes souffrant de troubles associés à un déficit de l'attention, comme son fils John-John, étaient porteuses d'une variante rare du gène DRD4-7R, m'expliqua-t-elle. Les gros consommateurs d'alcool ou de drogues — une catégorie largement représentée au sein de la famille Kennedy —, avaient eux aussi plus de chances de porter ce gène que ceux qui ne dépendaient ni de l'alcool, ni d'aucune substance chimique. Et surtout, Jackie était fascinée par le surnom donné au gène par les scientifiques : le « gène de la recherche de nouveauté ».

Depuis quarante ans, les chercheurs savaient que certains traits de personnalité sont au moins partiellement hérités, ou répondent à une prédisposition génétique. Des études approfondies avaient été réalisées sur de vrais jumeaux, séparés à la naissance et élevés dans des familles différentes. S'il avait été découvert qu'il n'existe pas ou très peu de corrélation entre les jumeaux sur le plan des affections physiques, comme le cancer ou les maladies du cœur, ceux-ci montraient en revanche une similarité frappante dans leur personnalité et leur comportement, et tout particulièrement dans leur propension à prendre des risques. Et les chercheurs venaient d'identifier la variante d'un gène, le DRD4-7R, qu'ils estimaient directement lié à ce type de comportement.

« La meilleure preuve de ce que le gène DRD4-7R exerce une influence sur la famille Kennedy est la constante recherche de nouveauté de ses membres, explique le Dr Robert Moyzis, professeur de génétique moléculaire à l'université de Californie à Irvine. Parce qu'ils portent ce gène, ils sont toujours à la limite et prennent plus de risques que la plupart des gens. Cette attitude leur a permis d'obtenir des succès spectaculaires. Mais la prise de risque a évidemment aussi son côté sombre. Chaque fois qu'une calamité frappe un Kennedy, on est enclin à se demander : "Mais pourquoi cette chose terrible leur arrive-t-elle ?" Or, ce n'est que le revers de la médaille.

» Comme tous ceux qui recherchent la nouveauté, les Kennedy prennent des risques parce que la rétribution est élevée. Et dans la mesure où, au fil des générations, ils ont obtenu des succès extraordinaires, ce comportement s'est renforcé et a fini par s'inscrire dans leur culture familiale. C'est pourquoi ils vivent des événements aussi spectaculaires. Mais c'est aussi pourquoi ils se mettent régulièrement en position de tomber de très haut. »

Ni le Dr Moyzis, ni les autres généticiens ne suggèrent que la présence d'un simple gène suffit à clore le dossier de la malédiction des Kennedy. Un objet aussi complexe que le comportement humain est le résultat de facteurs multiples, et notamment de la capacité d'une personne donnée à tirer les leçons de sa propre expérience, puis à les transmettre aux générations futures.

« Dans toute famille, il existe un mythe qui se perpétue de génération en génération et sert à expliquer à ses membres ce qu'ils sont et ce qu'on attend d'eux, m'a expliqué Peter Neubauer, un éminent psychanalyste, durant l'interview qu'il m'a accordée lors de la préparation de ce livre. C'est certainement vrai pour les Kennedy, dont le besoin de pouvoir et de succès dépasse largement toutes les normes éthiques existantes. Il s'agit là d'un mythe pathologique, parce que fondé sur un fantasme d'omnipotence.

» Dans le cas des Kennedy, le besoin de pouvoir s'appuie souvent sur des actions généreuses, un désir d'aider les pauvres et les exclus, des visées humanitaires. Plutôt que de considérer qu'ils font de la "politique", ils invoquent la notion nettement plus élevée de "service public". Tout ceci permet de réduire la culpabilité provoquée par leur poursuite obsédante du pouvoir. Mais cela ne règle pas leur problème essentiel, parce qu'ils doivent encore faire face aux conséquences de la réalité. C'est ainsi que se produisent parfois des collisions extrêmement destructrices entre leur fantasme d'omnipotence et la réalité, des catastrophes inéluctables et répétées. »

Ce livre est une enquête policière.

Une enquête sur un des grands mystères de notre temps : la malédiction des Kennedy. Nous nous proposons d'explorer ici le modèle général sous-jacent qui régit cette malédiction, et d'étudier les multiples influences — historiques, psychologiques, génétiques — qui ont façonné le caractère des Kennedy et engendré leurs comportements autodestructeurs.

Les événements relatés dans les pages à venir montrent comment la malédiction des Kennedy, née dans l'expérience de la pauvreté et de l'humiliation commune à tous les immigrants irlandais, s'est progressivement métamorphosée en appétit obsessionnel de pouvoir et de domination, au détriment de tous les principes moraux. Chacun des sept portraits esquissés dans ce livre illustre à sa façon notre postulat fondamental :

La malédiction des Kennedy est le résultat d'une collision destructrice entre leur fantasme d'omnipotence — leur besoin de se permettre des choses inaccessibles aux autres — et les dures et froides réalités de la vie.

Les personnages de ce livre ont, pour la plupart, suivi une trajectoire qui s'est achevée par une collision fatale avec la réalité. Ils se croyaient immunisés contre les lois humaines, mystérieusement protégés des inévitables conséquences de leurs faits et méfaits. Dans leur soif de pouvoir illimité, ils se considéraient comme des êtres supérieurs, évoluant au-dessus du cheptel commun. Ils se prenaient pour des *élus* — omnipotents et dignes de vénération.

« Ces attributs sont bien sûr ceux de la divinité, écrit le Dr Alexander Lowen, un spécialiste du narcissisme. A un niveau profond, les narcissiques [...] se considèrent comme des petits dieux. Trop souvent, hélas, leurs partisans les voient eux aussi dans cette lumière. »

Notre tendance à idolâtrer les Kennedy a éclipsé leurs attributs humains. Ce livre est donc, en dernière instance, une tentative de démythifier la dynastie en relatant la façon dont les descendants de Patrick Kennedy, pauvre immigrant irlandais débarqué à Boston en 1849, se sont hissés par tous les moyens possibles jusqu'au sommet de la société de leur pays, et ont commis, au passage, l'erreur fatale de se croire divins.

CHRONIQUE DE LA MALÉDICTION DES KENNEDY

Au cours des quarante années écoulées depuis l'assassinat du président John F. Kennedy, les Kennedy ou leurs proches parents ont été frappés par une tragédie presque une fois tous les deux ans en moyenne. Mais cette triste saga américaine n'a pas commencé avec JFK ni avec son père dévoré d'ambition, Joseph. En voici la chronologie :

1858 : Moins de dix ans après avoir quitté l'Irlande, le 22 novembre, Patrick Kennedy meurt à trente-cinq ans de phtisie. Si cette cause de mortalité est courante au XIXᵉ siècle, certains jugent la date significative : cent cinq ans plus tard, jour pour jour, John F. Kennedy était assassiné. Quoi qu'il en soit, Patrick laisse derrière lui un héritage d'humiliations qui encouragera chez ses descendants les prises de risque et les comportements téméraires.

1873 : A huit ans, Josie Hannon, qui, à l'âge adulte, deviendra la mère de Rose Fitzgerald Kennedy, est responsable de la mort par noyade de sa sœur Elizabeth, quatre ans, et d'une amie de celle-ci. Submergée de culpabilité et de remords, Josie se réfugie dans un mysticisme religieux qui aura une profonde influence sur Rose Kennedy et ses enfants.

1881 : Michael Hannon Jr., vingt et un ans, oncle de Rose Kennedy, meurt d'alcoolisme, une maladie connue dans la famille sous le surnom de « malédiction des Irlandais ».

1885 : Thomas Fitzgerald meurt à soixante-deux ans, laissant à John Francis « Honey Fitz » Fitzgerald, vingt-deux ans et futur père de Rose Fitzgerald Kennedy, la responsabilité d'élever ses huit frères. Narcissique complet et flamboyant, Honey Fitz deviendra maire de Boston, ouvrant ainsi la voie de la politique aux futurs Kennedy.

1888 : Jimmy Hannon, vingt-cinq ans, oncle de Rose Kennedy, vaurien notoire, meurt d'alcoolisme après avoir été démis de ses fonctions de receveur des postes.

1905 : Selon le titre d'un article paru à la une du *Boston Post*, Lawrence Kane, proche parent des Kennedy, est « tué par les rayons ardents du soleil de juillet ». Son mépris de la prudence l'a fait mourir d'insolation.

1928 : Alors qu'il était en cure thermale à Saratoga, un autre proche parent des Kennedy, Humphrey Charles Mahoney, meurt avec son grand-père, fauché par une automobile.

1936 : La sœur de Rose Kennedy, Mary Agnes (Fitzgerald) Gargan, quarante-trois ans, est retrouvée morte par son fils de six ans, Joe Gargan Jr. Ses trois enfants — Joe Junior, Mary Jo, trois ans, et Ann, deux ans — seront recueillis et élevés par Rose et Joseph Kennedy. Après le drame de Chappaquiddick, trente-trois ans plus tard, le sénateur Edward Kennedy demandera à son « frère » Joe Gargan de porter le chapeau à sa place en disant qu'il était au volant de la voiture qui a tué Mary Jo Kopechne.

1941 : Décidé à tout faire pour qu'un de ses fils entre à la Maison-Blanche, Joseph Kennedy ordonne que soit réalisée une lobotomie sur sa fille Rosemary, source d'embarras pour la famille à cause de son léger handicap mental. Pendant vingt ans, Joseph cachera cette lobotomie à sa femme Rose.

1944 : Ignorant les avertissements, Joseph P. Kennedy Jr., le porte-drapeau pressenti de la famille, périt à vingt-neuf ans dans l'explosion de son avion au cours d'une mission secrète pendant la Seconde Guerre mondiale.

1948 : La fille préférée de Joseph, Kathleen « Kick » Kennedy, ignore elle aussi les avertissements et meurt dans un crash aérien à vingt-huit ans. Son amant, le Britannique Peter Fitzwilliam, un lord marié de trente-sept ans, meurt avec elle, ainsi que le pilote et le copilote de l'avion.

1955 : Les parents d'Ethel Kennedy se tuent dans l'accident d'un petit avion en Oklahoma pendant leurs vacances.

1961 : Après des années passées à planifier et à construire l'élection de son fils à la présidence des Etats-Unis, Joseph P. Kennedy est victime d'une attaque cérébrale foudroyante dès la première année de mandat de John. Cette attaque, en le privant de l'usage de la parole, l'empêchera de participer aux prises de décision de son fils.

1962 : Marilyn Monroe, maîtresse de John et de Robert Kennedy, meurt à trente-cinq ans d'une overdose de somnifères. Certains soupçonnent les frères Kennedy d'être impliqués dans son décès.

1963 : Jacqueline Bouvier Kennedy donne naissance à un fils, Patrick, prématuré de six semaines. Le bébé meurt deux jours plus tard. Certains biographes suggèrent qu'une maladie vénérienne chronique du président pourrait être à l'origine des difficultés de sa femme à porter un enfant jusqu'à son terme.

1963 : Pendant une tournée politique au Texas, John F. Kennedy refuse les mesures de sécurité proposées par les services secrets. A quarante-six ans, il est assassiné à Dallas.

1964 : Edward M. Kennedy insiste imprudemment pour se rendre en avion à un meeting politique pendant une tempête. Il est gravement blessé dans le crash de son appareil. Un de ses assistants, Edward Moss, et le pilote, Edwin J. Simny, sont tués.

1964 : Mary Pinchot Meyer, une des nombreuses maîtresses du président Kennedy, est assassinée dans des circonstances mystérieuses sur un chemin de halage au bord du Potomac, à Washington. Son journal intime est détruit par James Jesus Angleton, chef de la branche contre-espionnage de la CIA, parce qu'il est présumé contenir des détails intimes sur sa liaison clandestine avec le président assassiné.

1967 : Le frère d'Ethel Kennedy, George Skakel, est tué dans un accident d'avion.

1967 : La veuve de George Skakel, Joan Patricia Skakel, meurt étouffée en avalant de travers une bouchée de viande lors d'une soirée à son domicile de Greenwich, dans le Connecticut ; elle fêtait la victoire aux primaires de Californie de son beau-frère Robert Kennedy.

1968 : Robert « Bobby » Kennedy est assassiné à quarante-trois ans à Los Angeles.

1969 : Edward M. « Ted » Kennedy, trente-sept ans, perd le contrôle de sa voiture sur un pont de l'île de Chappaquiddick, dans le Massachusetts ; le corps de Mary Jo Kopechne est retiré sans vie de l'auto immergée. Ted prend la fuite et tente d'étouffer l'affaire.

1973 : Joseph P. Kennedy II, fils de Robert et d'Ethel Kennedy, qui entrera plus tard au Congrès, perd le contrôle de sa Jeep sur l'île de Nantucket. Suite à cet accident, Pamela Kelly reste paralysée à vie.

1975 : Martha Elizabeth Moxley, quinze ans, est sauvagement assassinée à Greenwich, Connecticut. Les soupçons se portent sur deux neveux d'Ethel Kennedy, Thomas et Michael Skakel.

1982 : Joan Bennett Kennedy, qui n'aura jamais réussi à s'adapter au rythme ultracompétitif de sa belle-famille, divorce du sénateur Edward Kennedy et est admise dans un centre de post-cure pour alcooliques.

1984 : David Kennedy, le fils de Robert et d'Ethel Kennedy, succombe à une overdose de drogue au Brazilian Court Hotel de Palm Beach.

1985 : Patrick Kennedy, dix-huit ans, fils d'Edward et de Joan Kennedy, entame un traitement pour se délivrer de sa dépendance à la cocaïne.

1991 : William Kennedy Smith, fils de Stephen et de Jean Kennedy Smith, est accusé d'avoir violé une jeune femme au domaine familial de Palm Beach. Malgré l'acquittement décidé par le jury, beaucoup refuseront de croire à son innocence.

1994 : Jacqueline Kennedy Onassis meurt d'un cancer à l'âge de soixante-quatre ans.

1997 : Michael Kennedy, fils de Robert et d'Ethel Kennedy, est accusé d'avoir eu une liaison avec la baby-sitter de ses enfants, alors âgée de quatorze ans. Il meurt la même année sur une piste de ski d'Aspen, Colorado, alors qu'il skiait dos à la pente et jouait à rattraper une bouteille d'eau remplie de neige, un jeu familial des Kennedy.

1998 : Robert Kennedy Jr. révèle que neuf membres du clan Kennedy sont inscrits aux Alcooliques anonymes.

1999 : Bien que son chirurgien orthopédique l'ait enjoint de ne pas piloter son avion en solo, John F. Kennedy Jr., mal remis d'une fracture à la cheville, décolle de nuit dans son Piper Saratoga. John-John, sa femme Carolyn Bessette Kennedy, et Lauren Bessette, la sœur de celle-ci, meurent pendant le crash au large de Martha's Vineyard.

1999 : Antony Radziwill, cousin et meilleur ami de John-John, meurt d'un cancer testiculaire.

2001 : June Marie Verrochi, la mère de la jeune baby-sitter séduite par Michael Kennedy, qui a sombré dans l'alcool à la suite du scandale, meurt de complications dues à l'éthylisme.

2001 : Robert Speisman, beau-fils de Maurice Tempelsman, le dernier compagnon de Jacqueline Kennedy Onassis, figure au nombre des passagers morts à bord du vol 77 d'American Airlines qui s'est écrasé sur le Pentagone après avoir été détourné par des terroristes.

2002 : Michael Skakel, neveu d'Ethel Kennedy, est condamné par un jury de Greenwich, dans le Connecticut, pour le meurtre de Martha Moxley, commis vingt-sept ans plus tôt.

2003 : Kara Kennedy, fille d'Edward et de Joan Kennedy, est traitée pour un cancer du poumon.

Première partie

FLÉAUX

1

PATRICK KENNEDY

Le crime involontaire

Dans la pâleur d'étain de l'aube irlandaise, un jeune homme montant à cru un vieux cheval de bât gris émergea lentement d'une nappe de brouillard aux abords de New Ross, port fluvial du sud de Dublin. Une pluie lancinante et glacée fouettait les flancs de l'animal, et le brouillard roulant jusqu'au-dessus de la cime des arbres masquait la route devant lui. Un étranger aurait peut-être hésité à aller plus avant, craignant de se perdre, mais le jeune homme connaissait cette campagne comme les doigts de sa main. C'était un enfant du pays. Tout ce qu'il savait de la vie, de même que la mémoire et les ossements de ses ancêtres, était contenu dans un rayon d'une trentaine de kilomètres autour de cette ville.

Il s'orienta sans peine à travers l'écheveau de ruelles noyées de brume et, parvenu sur les pavés du port, mit pied à terre et attacha sa monture à un poteau. Ses grosses mains calleuses portaient des traces de coupures, signe qu'il exerçait un métier impliquant le maniement d'outils tranchants. Sous sa tignasse brun-rouge, une paire d'yeux bleu pâle scrutait le monde avec un curieux mélange de peur et de défi.

Parce qu'il était catholique, aucun certificat de baptême n'existait pour établir avec précision sa date de naissance (à l'époque, seuls les protestants méritaient ce privilège), mais selon la tradition familiale, il était né en 1823 à Dunganstown, dans le Wexford, ce qui faisait de lui un jeune homme de vingt-six ans. Bien que nous ne possédions sur ce jeune homme que des bribes d'information, il est capital, dans la perspective de notre travail d'enquête sur la malédiction Kennedy, que nous nous attachions à reconstituer les grandes lignes de son histoire personnelle d'après les récits, écrits ou oraux, faits par des membres de la famille et des spécialistes du folklore irlandais.

Le jeune homme en question s'appelait Patrick Kennedy et, en ce brumeux matin de février, il s'apprêtait à quitter sa famille et le réseau de relations personnelles qui, jusque-là, avaient donné sens à sa vie, pour tenter sa chance en Amérique. Plus tard, à Boston, Patrick se marierait, aurait des enfants, et mourrait de phtisie — le tout en l'espace de neuf ans. Ce bref laps de temps allait suffire à faire de lui le père fondateur de la plus grande dynastie politique de l'histoire des Etats-Unis. Sa descendance devait offrir aux Etats-Unis leur premier président catholique, trois sénateurs, un ministre de la Justice, deux représentants, deux autres candidats à la présidence, et le rêve d'un âge d'or surnommé « Camelot ».

Plus tard, bien des gens attribueraient au vieux Joseph Kennedy — « le magnat implacable, avec sa maîtresse Gloria Swanson, sa fortune amassée grâce à la gnôle de contrebande et sa respectabilité politique achetée » — la responsabilité de la malédiction des Kennedy. Toutefois, comme nous allons le voir dans les pages qui suivent, les germes familiaux de la destruction avaient été semés bien longtemps auparavant dans le sol cruel d'une Irlande frappée de famine.

En ce matin crucial, Patrick Kennedy offrait un spectacle singulier.

Il portait une redingote à queue-de-pie et était coiffé d'un chapeau à cornes à bords relevés. La redingote était trop étroite pour ses épaules, les manches trop courtes pour ses bras. Il ne soupçonnait vraisemblablement pas que son costume, fleuron de la mode de l'ère napoléonienne, avait sombré dans la désuétude trente ans plus tôt. Ces pauvres hardes, achetées quelques pennies à un colporteur, étaient tout ce qu'il avait pu s'offrir en vue du grand voyage qu'il comptait entreprendre.

Pour le préparer, il avait rendu une visite d'adieux à ses amis et à ses parents. La première fut pour la chapelle, ainsi qu'on désignait l'église catholique locale, où il reçut la bénédiction du prêtre de la paroisse, le père Michael Mitten, qui à coup sûr cita pour lui l'Epître aux Corinthiens : « Pleurez celui qui s'en va ; car jamais il ne reviendra, ni ne reverra son pays natal. »

Il rendit aussi visite aux Glascott, la famille protestante dont dépendaient la paroisse de Whitechurch et toutes les fermes avoisinantes, celle des Kennedy comme celles des autres paysans catholiques. Les Glascott relevaient eux-mêmes d'un domaine encore plus vaste, appartenant aux Tottenham. Mais Patrick n'eut pas besoin d'ôter son chapeau à cornes et de tirer sa révérence aux Tottenham, car ceux-ci vivaient en Angleterre et ne daignaient pas souiller leurs bottes sur la glèbe d'Irlande.

Patrick était venu à New Ross ce jour-là pour dire adieu à ses collègues de la brasserie Cherry Brothers, où il avait fait pendant plusieurs années son apprentissage de tonnelier. Il attendit en plein brouillard l'ouverture de la brasserie, dans un silence parfois rompu par les grincements de mâture d'un navire voguant sur la Barrow ou le son étouffé d'une cloche marquant la demi-heure.

A un moment donné, il perçut des murmures tout proches, qui semblaient sourdre des pavés. Il les crut d'abord produits par une bande de mouettes, mais finit par s'apercevoir que le trottoir grouillait de sans-abri en train d'émerger peu à peu du sommeil de la nuit.

Il les vit bouger, se lever, s'étirer les uns après les autres. Ces formes à peine humaines étaient tellement émaciées que leurs os semblaient ne tenir ensemble que par la peau. Quelques silhouettes voûtées qui devaient être des enfants s'agglutinèrent devant l'entrée de l'hospice de New Ross, la bouche verdie à force de manger de l'herbe.

On était en 1849, au quatrième hiver consécutif d'une mystérieuse épidémie qui ravageait les champs de pommes de terre de l'île. Privée de son aliment de base, la population ne pouvait subsister, et l'Irlande était en proie à une grande famine.

On estimait qu'un million de personnes avaient déjà suc-combé à la famine ou à la maladie, même si nul n'en connaissait le nombre exact. Environ deux autres millions avaient émigré vers l'Angleterre, l'Australie, le Canada, et les Etats-Unis d'Amérique. Des colonnes de réfugiés à bout de forces, expulsés par leurs propriétaires, erraient sans but sur les routes. Selon l'expression d'un écrivain, la Grande Famine irlandaise fut à l'origine de « la plus grande concentration de souffrances et de morts civiles entre la guerre de Trente Ans et la Seconde Guerre mondiale ».

Patrick Kennedy fut le témoin visuel de cette horreur inima-ginable, qui devait hanter sa mémoire et celle de ses descendants sur plusieurs générations. Il vit des désespérés disputer aux rats la chair à demi-rongée de corps en décom-position. Il vit des cadavres décharnés tomber de leur cercueil réutilisable, muni d'une trappe, pour s'entasser dans des fosses communes. Il vit une foule affamée faire le siège de l'hospice de New Ross, tandis qu'à quelques pas de là un détachement de soldats anglais protégeait le chargement d'un surplus de beurre, d'œufs, de blé, d'orge, de porcs et de vaches à desti-nation de l'Angleterre.

Alors que l'Irlande se transformait peu à peu en un immense charnier, Patrick décida de se joindre à l'exode vers l'Amé-rique. A la différence de ceux qui choisissaient de quitter les autres pays européens pour la promesse d'un monde meilleur, il ne se considérait pas comme un émigrant de plein gré. Dans la mythologie irlandaise, la dérive forcée sur l'océan était le châtiment par lequel on punissait les crimes involontaires. Patrick s'estimait puni par les Anglais pour le crime involon-taire qu'il avait commis en naissant irlandais.

Bien entendu, les maîtres anglais de l'Irlande ne voyaient pas les choses de cette façon. Ils croyaient assez commodément que la famine était un châtiment infligé par Dieu aux Irlandais pour leurs péchés. Ainsi que le déclara à l'époque un seigneur terrien protestant, « l'Irlande subit la malédiction de Dieu et la subira jusqu'à ce qu'elle soit délivrée du sortilège du papisme ».

A Londres, la totalité des fonds destinés à soulager la famine irlandaise étaient contrôlés par un seul et même homme, Charles Edward Trevelyan, le secrétaire-adjoint au Trésor. C'était l'Anglais victorien typique, tartufe et « peu suspect d'admiration pour les Irlandais ». Trevelyan excusa son manque d'enthousiasme à réagir énergiquement en Irlande par le fait qu'« un gouvernement ne doit pas se mêler » des lois naturelles de l'offre et de la demande, « car le marché n'[est] rien d'autre qu'un reflet de la volonté de Dieu ».

Certains catholiques voulaient bien admettre que la famine était un fléau mérité — « une calamité par laquelle Dieu souhaite purifier [...] le peuple irlandais », selon l'archevêque d'Armagh. Mais la plupart étaient plutôt de l'avis d'un groupe de jeunes catholiques, notamment constitué de journalistes et de poètes romantiques, qui s'était baptisé « Jeune Irlande » et rejetait l'idée que la famine marquait une intervention de la Providence.

« Le Tout-Puissant a certes envoyé le mildiou, mais les Anglais ont créé la famine », s'exclama le célèbre auteur nationaliste irlandais John Mitchel.

Dans son journal, le *United Irishman*, comme dans ses livres à succès, *Jail Journal* et *The Last Conquest of Ireland (Perhaps)*, Mitchel offrait une vision alternative de la famine à Patrick Kennedy et à d'innombrables Irlandais, qu'ils soient restés au pays ou partis au-delà des mers. Il dépeignait l'Irlande comme une nation vertueuse, engagée dans un combat mortel contre un empire du mal assoiffé de génocide. Selon lui, toutes les générations d'Irlandais, depuis le grand soulèvement de 1798, s'étaient dressées contre les Anglais, et il était de la responsabilité des générations suivantes de payer leur dette à ces patriotes morts jusqu'à ce que l'Irlande soit enfin libérée de ses oppresseurs.

Ce désir inextinguible de revanche allait alimenter les ambitions de la famille Kennedy tout au long des cent cinquante années suivantes.

La famine représenta une attaque directe contre la virilité irlandaise en ce sens qu'elle sapa la confiance qu'avait l'homme irlandais en sa capacité *virile* à nourrir et à protéger sa famille. Comme bien d'autres Irlandais, Patrick Kennedy embrassa avec ferveur le mythe romantique proposé par Mitchel, car il lui permettait de se dégager d'un écrasant sentiment de culpabilité.

La culpabilité avait en effet trouvé un terreau fertile dans l'âme irlandaise de Patrick. Car aussi loin que remontassent ses souvenirs, il avait toujours souffert d'une surabondance de ce sentiment, comme si le blâme de la Passion et de la Crucifixion du Christ était gravé dans sa chair. Les enfants irlandais de l'époque apprenaient dès leur plus jeune âge qu'ils devaient à Dieu l'*eineaclann*, c'est-à-dire la pénitence du sang, parce qu'ils étaient nés dans le péché originel. Chaque fois que Patrick prononçait le nom du Seigneur pour jurer, Jésus souffrait, et chaque fois qu'il succombait aux tentations de la chair ou faisait quelque chose de mal, « les plaies de Jésus se rouvraient et recommençaient à saigner ».

Patrick payait sa culpabilité au prix fort. Comme tous les opprimés du monde, il endossa inconsciemment les pires préjugés de ses oppresseurs. Sans s'en rendre compte, il accepta la vision caricaturale anglaise qui faisait de l'Irlandais une sorte de primate, de « brute simiesque et fainéante ». Selon un écrivain irlandais, la famine provoqua « les plus sinistres changements chez les gens », donnant naissance à « une nouvelle race de mendiants, n'ayant plus qu'une lointaine et hideuse ressemblance avec l'humanité », « mutilés », émasculés par leurs maîtres anglais.

Selon une expression de l'éminent historien irlandais Kevin Whelan, la famine allait finalement « se dissoudre comme les neiges sur la mer du Nord ». Mais le souvenir de cette humiliation et de l'impuissance ressentie lors de la Grande Famine coulerait longtemps dans les veines de Patrick Kennedy.

Cette souffrance allait générer un profil particulier de descendants mâles, des hommes capables d'enfouir au plus profond d'eux-mêmes leur sentiment d'auto-exécration et de nourrir des fantasmes compensatoires d'omnipotence. Ils masqueraient leur mélancolie et leur cynisme à grand renfort de poésie larmoyante, de chansons sentimentales, et de traits d'ironie ; ils useraient de leur charme et d'un détachement froid pour exercer le pouvoir sur autrui ; ils se mettraient à l'épreuve, s'aventureraient au-delà des limites, risqueraient souvent leur vie — tout cela dans un effort perpétuel pour se prouver qu'ils appartenaient à la race des élus et pouvaient se permettre des choses inaccessibles aux autres.

Même s'il n'était pas tout à fait aussi misérable qu'un certain nombre de ses voisins, Patrick Kennedy était douloureusement conscient des perspectives plus que limitées qui s'offraient à lui en Irlande. Son père était mort ; son frère aîné, John, ayant rendu l'âme bien avant le mildiou, son autre grand frère, James, recevrait en héritage la totalité des trente-cinq acres du domaine familial. En sa qualité de benjamin, Patrick n'aurait droit à rien. C'était d'ailleurs la raison pour laquelle il avait fait son apprentissage de tonnelier.

Selon une anecdote portée à notre connaissance, Patrick était aussi riche en ambition que pauvre en scrupules — des traits de personnalité qui sauteraient une génération pour reparaître ensuite chez Joseph Kennedy, l'impitoyable petit-fils de Patrick. Il semblerait que, peu de temps avant son départ d'Irlande, Patrick ait consenti à un mariage arrangé avec une femme qu'il n'aimait pas. Elle appartenait à une famille, les Welch, réputée pour sa prospérité. Quand Patrick leur rendit visite, il eut le plaisir de constater que leur ferme hébergeait des animaux de toutes sortes, et notamment des chevaux et du bétail.

Le mariage eut lieu et fut consommé dès la première nuit. Mais, à son réveil le lendemain matin, Patrick se rendit compte que les animaux étaient partis. Il ne tarda pas à comprendre que les Welch étaient tout aussi pauvres que les Kennedy — et qu'ils avaient simplement emprunté des animaux à un riche voisin afin d'impressionner Patrick et de l'inciter à épouser leur fille.

Il n'existe aucune trace de ce mariage. L'enregistrement des mariages catholiques à l'état civil ne fut instauré en Irlande qu'à partir de 1864, quinze ans après le départ de Patrick. Les registres de mariage catholiques étaient notoirement mal tenus et peu fiables. Certains historiens estiment que l'union entre Patrick Kennedy et la fille Welch fut ensuite annulée. D'autres se demandent si elle fut seulement prononcée.

On ne saurait davantage garantir l'authenticité d'un autre récit populaire concernant Patrick, selon lequel il aurait emprunté une forte somme d'argent en donnant comme garantie la dot rondelette qu'il s'attendait à recevoir de sa femme. Lorsqu'il apprit la vérité sur la condition financière de sa belle-famille, Patrick, ayant déjà dépensé une partie des fonds empruntés, se retrouva dans l'incapacité de rembourser le prêt.

Confronté à la perspective d'un emprisonnement pour dettes, Patrick revint chez lui, à Dunganstown. Il vit placardé sur le mur du cottage un avis d'expulsion signé par les commissaires de Sa Majesté aux Terres coloniales et à l'Emigration. Les grands propriétaires fonciers anglais avaient hâte de se débarrasser de leurs fermiers afin de reconvertir de pauvres petites exploitations agricoles en pâturages à bétail plus lucratifs. A cette époque, deux cent cinquante mille exemplaires du *Guide de l'émigrant* furent distribués aux paysans irlandais, et il est plus que probable que Patrick ait eu entre les mains cet opuscule décrivant les merveilles qui attendaient les émigrants en Amérique.

Le hasard voulut qu'un des meilleurs amis de Patrick, Patrick Barron, un neveu de sa mère, fût déjà parti en Amérique et qu'il se fût installé à Boston. Barron envoyait des lettres où il célébrait l'Amérique comme le pays des « occasions en or ». Des lettres d'émigrants de ce type, accompagnées de généreux envois d'espèces, inondaient l'Irlande au milieu du XIXe siècle. Elles contribuèrent sans doute à persuader Patrick que l'émigration était pour lui le meilleur moyen d'éviter la prison pour dettes.

Avant son départ pour le Nouveau Monde, Patrick Barron avait présenté son cousin Patrick à sa cousine Bridget Murphy. La famille de Bridget, encore plus pauvre que les Kennedy, était établie au sud de la légendaire colline de Slieve Coillte, à Cloonagh. Patrick habitait quinze miles plus au nord, à Dunganstown.

Bridget était une femme à l'intelligence vive, et aussi ambitieuse que Patrick. Toutefois, sans une dot convenable, elle n'avait aucun espoir d'intéresser un bon parti. Et dès lors que sa famille serait expulsée par son propriétaire, une échéance qui semblait se rapprocher un peu plus chaque jour, Bridget serait contrainte de grossir les rangs des milliers de jeunes Irlandaises semi-analphabètes et impossibles à marier qui traversaient la mer d'Irlande en direction de l'Angleterre, où elles se chercheraient ensuite un emploi d'ouvrière dans quelque sordide atelier à la Dickens, ou de bonne à tout faire dans une famille anglaise.

Quand Patrick fit part à Bridget de son intention d'émigrer en Amérique, elle vit sa chance d'échapper à ce sort peu enviable. Mais il fallut d'abord le convaincre de l'emmener avec lui. Et malgré la tradition irlandaise, qui exigeait des jeunes filles qu'elles défendissent leur réputation avec autant de zèle que leur chasteté, ce fut elle qui prit l'initiative de courtiser Patrick.

Les jours de marché, elle parcourait à pied les quinze miles qui séparaient Cloonagh de Dunganstown pour pouvoir se retrouver seule avec lui au Lookout, le point culminant de Slieve Coillte. Là, ils se sentaient à l'abri des foudres du père Michael Mitten, le prêtre de la paroisse, qui avait l'habitude de sillonner la campagne avec son bâton, à l'affût des couples non chaperonnés.

Pendant que Patrick lui parlait de son rêve de refaire sa vie en Amérique, Bridget embrassait du regard, du haut de Slieve Coillte, l'ensemble du Wexford et au-delà : les îles Saltee à l'est, le bleu sombre des monts Comeragh à l'ouest, et, entre les deux, un superbe canevas, aux innombrables nuances de vert, de prés quadrillés par des haies. Dans ce paysage d'une beauté à couper le souffle, comme Bridget l'espérait, Patrick tomba amoureux d'elle.

Il décida de cacher ses sentiments à sa mère et à son frère, qui auraient sûrement réprouvé une union entre cousins, aussi éloignés fussent-ils. Après avoir terminé son apprentissage à la brasserie, il acheta quatre billets pour Liverpool, un pour lui-même et trois pour la famille Murphy — Bridget, sa mère et son père. Afin de préserver le secret, il fut décidé qu'il ne prendrait pas le même bateau que les Murphy. Il les retrouverait à Liverpool, et là, ensemble, ils s'embarqueraient sur un navire transatlantique à destination de Boston, où Bridget et lui se marieraient.

Le bureau de la compagnie de navigation où Patrick prit ses billets existe encore à New Ross, au bord de la Barrow, un cours d'eau large et profond dont le port, à l'époque, pouvait recevoir des navires de cinq cents tonneaux venus de la mer. Quatre billets pour Liverpool coûtaient environ quatre-vingts dollars, une somme considérable, certainement supérieure à la capacité d'épargne d'un modeste apprenti tonnelier. Quant à la seconde étape du voyage — de Liverpool à Boston —, elle était encore bien plus onéreuse.

Où Patrick se procura-t-il l'argent ?

Selon une version qui circule aujourd'hui encore à New Ross, non loin de l'endroit où des descendants de Patrick cultivent encore les terres de la ferme originelle des Kennedy, celui-ci aurait financé ces billets grâce à l'argent emprunté avec, en guise de garantie, la dot supposée de sa première femme. Ce mariage avait-il été annulé par l'Eglise ? Patrick s'apprêtait-il à devenir bigame ?

L'histoire ne fournit pas de réponse à ces questions.

Ce qui semble certain, en revanche, c'est que Patrick fut le premier Kennedy à être mû par un fantasme d'omnipotence. Il estimait apparemment que les règles ordinaires ne s'appliquaient pas à sa personne et qu'il pouvait s'autoriser n'importe quoi — y compris financer sa nouvelle vie en Amérique au moyen de fonds illicites.

Après avoir fait ses adieux aux ouvriers de la brasserie, Patrick revint au logis familial pour aider sa mère et son frère James à préparer la petite fête prévue en son honneur. Dès le lendemain matin, il partirait vers Liverpool et, de là, s'embarquerait pour l'Amérique. En attendant, ce soir, le village entier allait partager ses dernières heures en terre irlandaise en s'adonnant à un rituel connu sous le nom de « veillée américaine ».

La connotation funèbre de l'expression n'est pas une coïncidence. L'émigration était vue par les Irlandais comme une forme de mort. Il n'existait pas de terme spécifique en langue gaélique pour dire « émigrant ». A la place, les Irlandais utilisaient le mot « *deoraid* », qui désigne aussi le sans-famille, l'étranger, le hors-la-loi.

Vers cinq heures ce soir-là, les familles du voisinage commencèrent à affluer au cottage. Les hommes, après avoir mis leur casquette dans leur poche de manteau, se regroupèrent dans une pièce, à gauche de la cuisine, où était dressée une table avec des rafraîchissements, et notamment une barrique de stout et une autre de « rosée des montagnes », comme on appelait le whisky irlandais distillé en fraude. Les femmes s'entassèrent dans la cuisine, à touche-touche sur les bancs et les chaises, parfois les unes sur les genoux des autres.

Lorsque tout le monde fut en place, une vieille femme se mit à chanter :

O choneh !... O choneh ! Ohhh !

Les autres reprirent en chœur :

O CHONEH ! O CHONEH ! OHHH !

Le père Michael Mitten avait beau avoir entendu cette complainte un nombre incalculable de fois, elle lui glaçait toujours le sang. Il avait reçu de son évêque l'ordre de décourager la pratique — païenne — de la veillée irlandaise, et à ce titre avait admonesté la mère de Patrick, Mary Johanna Kennedy, en lui expliquant que le saint-père de Rome, Pie IX, préférait les « prières aux complaintes et les génuflexions aux pleurs ».

Ayant reposé son assiette de cake au raisin et de hareng séché, le père Michael passa dans la cuisine. Une brillante flambée, nourrie de tourbe, de tiges de fève et de brindilles, crépitait dans la cheminée qui s'élevait contre le pignon. Le prêtre s'approcha de Mary Johanna et tenta de la convaincre de cesser ses lamentations.

N'avait-elle pas une jolie voix ? demanda-t-il. Puisque tel était le cas, elle devait utiliser l'instrument que Dieu lui avait donné pour leur chanter une chanson.

Du regard, Mary Johanna chercha Patrick, debout à l'autre bout de la pièce, devant l'âtre. Ses joues étaient rougies comme des pommes par la chaleur du feu et la timbale de whisky à demi vide qu'il tenait dans sa grosse main. Au fond d'une des poches de sa redingote reposait un petit sachet de sel, remis par sa mère en guise de talisman. En outre, avant son départ pour Liverpool, Bridget Murphy avait cousu dans l'ourlet de sa culotte, maintes fois rapiécée, une petite pièce de lin imprégnée de son sang menstruel, un charme d'amour destiné à garantir qu'il lui resterait fidèle.

Un violoniste égrena quelques notes, et la mère de Patrick chanta. Un moment de silence suivit la fin de sa complainte. Puis quelqu'un lança : « Hé, vous connaissez l'histoire de la femme dont le mari aimait trop boire ? »

Chacun admit qu'il ne la connaissait pas, ce qui bien sûr n'était pas exact, les plaisanteries de cette sorte étant monnaie courante, ainsi que l'ont montré Diarmaid O'Muirithe et Deirdre Nuttall dans leur livre, *Folklore of County Wexford*. Le conteur ne se fit pas prier :

« Presque chaque soir, il rentre saoul à la maison. A la fin, sa femme va trouver le prêtre pour se plaindre et demander conseil. Le prêtre lui dit de se procurer un drap, de se cacher dessous et d'attendre que son mari rentre saoul un de ces soirs. Alors, elle va se cacher au bord de la route, dans un coin isolé, et attend le retour du mari. Le prêtre lui a conseillé de se faire passer pour le diable si jamais son mari lui parlait.

» Le bonhomme arrive sur la route, un brin éméché. Lorsqu'il voit cette silhouette blanche et qu'il l'entend gronder, il demande : "Qui es-tu ?" "Je suis le diable", gronde sa femme. "Et moi, fait le mari, je suis marié à ta sœur." »

Les éclats de rire emplirent la salle. Les amis de Patrick déposèrent sur la terre battue une porte sortie de ses gonds, devant la cheminée. Le violoniste attaqua un air entraînant, et des jeunes couples se mirent à danser sur la porte, avec un tapage de tous les diables. Tout le monde reprit en chœur les paroles de la chanson.

Après avoir observé quelque temps les danseurs, Patrick se faufila hors du cottage et sortit dans la cour. Les ténèbres s'amoncelaient sur la campagne, et le garçon de ferme était en train de mener les bêtes, une par une, dans leur abri de fortune. Chaque cheval, chaque porc avait un petit bout de fil rouge noué autour de la queue pour repousser le mauvais œil — une tradition signalée dans les archives de l'Irish Folklore Commission. La seconde dépendance servait à entreposer les sacs d'orge que les Kennedy vendraient à la brasserie de New Ross, où le *Dunbrody* était en ce moment même à l'ancre, prêt à l'emmener loin de Dunganstown.

Enfant, Patrick s'était souvent battu avec ses frères aînés, John et James, dans la terre meuble de cette cour de ferme, et avait appris à ne pas pleurer quand il avait mal. Lorsqu'il avait atteint sept ou huit ans, ses parents avaient été contraints par une loi britannique récemment promulguée de le faire aller dans une école primaire voisine, où les maîtres refusaient de s'adresser aux enfants dans leur langue natale. Seul l'anglais était admis.

Le père de Patrick était mort alors que son troisième fils avait onze ans. C'était un homme rouge de poil et de peau, ayant une opinion arrêtée sur tous les sujets possibles et imaginables. Il était fier d'affirmer que les Kennedy avaient du sang royal. La plupart des Irlandais avaient tendance à nourrir l'idée mégalomane qu'ils étaient les héritiers d'une haute lignée, mais le père de Patrick prétendait pouvoir retracer sur huit cents ans l'arbre généalogique des Kennedy, et ce jusqu'à Brian Boru, né Brian Mac Cennedi (prononcer Kennedy), le haut roi d'Irlande qui avait vaincu les Normands à la bataille de Clontarf en 1014.

Le berceau originel du clan O'Kennedy se trouvait dans l'est du comté de Clare, à Glen Ora — un nom que le président John F. Kennedy donnerait bien plus tard à une maison qu'il avait louée dans la campagne de Virginie. Le règne de Brian Boru à Glen Ora fut une période de paix et de prospérité sans pareil, une sorte d'âge d'or, de « Camelot » irlandais. A en croire le père de Patrick, chaque fois qu'une vache se couchait dans un pré en Irlande, elle soupirait en se souvenant à quel point la vie était douce du temps de Brian.

Toujours selon le père de Patrick, les O'Kennedy se distinguaient alors par leur haute taille, la splendeur de leurs habits, et leur propension à prendre des risques. Les frères de Brian Boru, Mahon et Donnchuan, moururent à l'occasion de raids lancés sur les domaines de seigneurs voisins, une activité qui, à l'époque, était considérée comme « une forme violente de divertissement ». Les têtes brûlées de la famille Kennedy n'épargnèrent pas leurs propres parents. En 1194, Murough O'Kennedy fut assassiné par Loughlain O'Kennedy. Et en 1599, un O'Kennedy de Ballingarry séduisit la sœur d'un O'Kennedy de Lorrha, qui, par vengeance, assassina son cousin.

A l'époque, on considérait le meurtre d'un proche parent comme un *fionghal*, c'est-à-dire un fratricide. Toute personne enfreignant ce tabou risquait d'attirer des *geasa*, des malédictions, sur sa famille et sur elle-même. « Plus une personne était éminente, plus elle s'attirait de *geasa* », remarque un expert de la mythologie irlandaise. Un excès de *geasa* entraînait une mort prématurée. D'aucuns ont avancé l'hypothèse que la malédiction Kennedy relèverait d'une accumulation de ces *geasa*.

Le père de Patrick était tout aussi superstitieux que la plupart de ses contemporains. Il croyait au pouvoir curatif miraculeux des saints, des sources bénites, et de certains prêtres — surtout de ceux qui avaient « un penchant pour la larme de whisky » ou qui avaient été privés de leur chaire et « réduits au silence » par leur évêque. Il croyait qu'il existait, un peu partout dans la campagne, des lieux dangereux qui étaient autant de portails vers le monde des fées, des dames blanches et des farfadets. Et il croyait aux mauvais sorts, une conviction qu'il transmit à Patrick, qui, à son tour, allait la transmettre aux futures générations de Kennedy jusqu'à l'époque actuelle.

Immobile dans la cour de ferme, Patrick remarqua que le brouillard semblait se lever. Quelques faibles rayons du soleil couchant réussissaient à le percer, répandant un halo blême sur Slieve Coillte, la colline légendaire qui dominait la ferme des Kennedy. Patrick décida de la gravir une dernière fois.

C'est là qu'il avait écouté les récits de son père, là qu'il en était venu à considérer la triste histoire de sa famille comme un miroir de celle de l'Irlande. En 1691, le parlement protestant de Londres avait voté les odieuses « Lois pénales », premier exemple historiquement documenté d'épuration ethnique organisée par un gouvernement. Avec les Lois pénales, qui à la suite de quelques modifications devaient rester en vigueur plus de cent cinquante ans, il devint illégal pour un catholique de pratiquer sa religion, d'exercer un emploi public, de s'engager dans le commerce ou le négoce, de posséder un cheval d'une valeur supérieure à cinq livres, d'acheter ou de louer une terre, de voter, ou de détenir pour sa protection quelque arme que ce soit.

Au début du XVIIIe siècle, les origines royales n'étaient plus qu'un lointain souvenir pour les Kennedy. Lointain ou non, ce souvenir devait néanmoins être perpétué par tous les hommes de la famille, convaincus que la lignée ne s'éteindrait jamais, et que les Kennedy retrouveraient un jour leur place légitime dans l'ordre des choses.

Les yeux de Patrick s'accoutumèrent peu à peu à l'obscurité qui drapait Slieve Coillte. Le sommet de la colline, jadis recouvert par un glacier, était une sorte de plateau herbeux. C'était sur ce sol consacré que le grand-père de Patrick, John Kennedy, et son père, qui s'appelait lui aussi Patrick, s'étaient joints à l'armée levée par la société des Irlandais unis pendant l'insurrection de 1798.

Le 4 juin de cette année-là, 5 000 Irlandais, placés sous le commandement de Bagenal Harvey, avaient pris position sur Slieve Coillte avant la bataille de New Ross. Au milieu de leurs rangs serrés, le père et le grand-père de Patrick s'étaient battus épaule contre épaule, brandissant chacun une pique de douze pieds pour repousser les charges de cavalerie de la garnison royale britannique.

Les hommes de Wexford avaient fini par percer les lignes britanniques, réussissant à repousser l'ennemi jusqu'au centre de New Ross. Mais au terme de douze heures d'un corps à corps acharné, les Irlandais avaient dû battre en retraite. Au nombre des blessés, il y avait John Kennedy, le grand-père de Patrick (et l'arrière-arrière-arrière-grand-père du futur président John F. Kennedy), atteint d'une balle de mousquet sur le quai, à deux pas du pont de New Ross. Il fut secouru par son fils de treize ans, le futur père de Patrick, qui garrotta sa plaie à l'aide d'un mouchoir, l'installa dans une barque, et réussit à le transporter jusqu'à Dunganstown, à six milles en aval.

Suite à la bataille de New Ross, d'épouvantables atrocités furent commises par les deux camps. Les Irlandais incendièrent une grange où étaient entassés cent prisonniers anglais sans défense. Des soldats anglais enfermèrent des familles irlandaises entières dans des églises du Wexford, condamnèrent les portes, et y mirent le feu. La moitié des hommes adultes du Wexford (vingt mille au total) devaient laisser la vie dans ces massacres.

Le père de Patrick possédait un don de conteur authentiquement irlandais. Ses récits nourrirent l'imagination de Patrick, d'où une habitude de citer des poèmes et un amour de l'histoire qui devaient l'accompagner toute sa vie. Mais ce père finit par mourir, ne lui léguant rien d'autre que le mouchoir taché de sang dont il s'était servi pour panser la blessure de *son* père. Au seuil de l'âge d'homme, Patrick fut confié à sa mère.

Aux yeux de ses voisins, Mary Johanna Kennedy était une bonne mère, sachant tenir sa maison. Mais pour Patrick, il y eut toujours quelque chose de feint et d'inauthentique dans ses réactions affectives. Un moment, elle le serrait dans ses bras, l'embrassait, le couvrait de mots doux ; l'instant suivant, c'était tout juste s'il existait.

Patrick se sentait affectivement trahi par sa mère. Et malgré cela, il était conscient de la relation intense, intriquée, qui existait entre eux. Il aurait été bien en peine d'expliciter ce paradoxe, mais sentait néanmoins qu'il avait un besoin urgent de couper le cordon. De se purger de toute trace dégradante de féminité pour devenir enfin un homme parmi les hommes.

Durant sa vie adulte, Patrick ne perdit pas une occasion de louer la prouesse physique et de condamner la faiblesse — une tendance que partagerait avec lui son futur arrière-petit-fils, le président John F. Kennedy, connu pour avoir déclaré que « la mollesse croissante de l'Amérique, notre manque de plus en plus net de condition physique, est une menace pour notre sécurité ». Comme JFK, Patrick offrait une image d'indépendance, de courage, et de force, qui masquait efficacement sa vulnérabilité aux yeux des autres comme aux siens. Tout dans son maintien — droit, raide, fier — proclamait « J'ai le contrôle ».

« Pour les narcissiques, explique Alexander Lowen, le contrôle a la même fonction que le pouvoir — il les protège d'une humiliation possible. D'abord, ils se contrôlent eux-mêmes, en refoulant les sentiments susceptibles de les rendre vulnérables. Mais ils doivent aussi contrôler les situations dans lesquelles ils se trouvent ; ils doivent s'assurer qu'il n'y a aucune possibilité pour qu'une autre personne ait le pouvoir sur eux. Le pouvoir et le contrôle sont les deux faces d'une même monnaie. »

Aux premières lueurs de l'aube, il fut temps pour Patrick d'aller rejoindre son bateau. La famille, les amis, tout le monde se rassembla sur le chemin bourbeux qui, de la ferme des Kennedy, descendait entre les arbres jusqu'au port de New Ross. Patrick aida sa mère à s'installer dans le chariot tiré par un cheval qu'elle utilisait chaque dimanche pour aller à la messe. Le père Michael le gratifia d'une dernière bénédiction, et l'on se mit en branle. Le cortège traversa des champs de patates pourries d'où s'élevait une infecte odeur de soufre.

A leur arrivée à New Ross, ils trouvèrent quatre navires à quai, dont le *Dunbrody*, un trois-mâts de cinquante-cinq mètres appartenant à une éminente famille de marchands, les Graves. Le *Dunbrody*, baptisé en hommage à une abbaye cistercienne implantée en aval, faisait régulièrement la navette entre Liverpool et New Ross, transportant des marchandises et un complément de passagers. Sur le pont, le capitaine John W. Williams supervisait le chargement du fret et des personnes.

Le quai grouillait de marins, de portefaix, d'émigrants, d'amis, de parents, de colporteurs en tout genre. Et pourtant, il y régnait un silence remarquable. « Jamais auparavant on n'aurait pu rencontrer une foule irlandaise de cette nature sans être salué et se faire crier dessus, écrit Walter Macken d'une scène similaire présentée dans un de ses romans, *The Silent People*. Les plaisanteries, les obscénités auraient fusé. Et les appels, et les vociférations. » Exceptionnellement, les mots semblaient manquer aux Irlandais. Patrick aida sa mère à descendre du chariot et la déposa sur le quai de pierre. Il s'agenouilla devant elle, noua les bras autour de sa longue jupe ample, lui demanda sa bénédiction.

Comme toujours, le visage de Mary Johanna ne trahit aucune émotion. Elle prit entre ses mains la tête de son fils, se pencha pour lui baiser le front. Puis, soudain, elle fit entendre un râle et s'écroula sur le quai, entraînant Patrick dans sa chute. Sur les pavés luisants, la mère et le fils s'étreignirent avec force sanglots et lamentations.

O choneh !... O choneh ! Ohhh !

Les femmes debout autour d'eux reprirent en chœur la complainte. Cette fois, le père Michael ne fit aucun effort pour les en empêcher. Il attendit quelques minutes pour s'avancer et aider Patrick et sa mère à se relever. Le prêtre avait avec lui une petite ampoule d'eau bénite, dont il jeta quelques gouttes sur Patrick.

Le jeune homme se signa, sécha ses larmes. Il échangea quelques poignées de mains, embrassa sa mère une dernière fois. Manquant s'effondrer de plus belle, elle fut rattrapée par un des hommes qui l'entouraient.

Patrick souleva ses deux valises en carton et s'avança sur la passerelle du *Dunbrody*. Arrivé en haut, il marqua une pause, sortit le mouchoir taché de sang de son père, s'épongea le front. Puis, sans un regard en arrière, il fut avalé par la foule silencieuse des inconnus.

Le *Dunbrody* s'engouffra dans l'estuaire de la Mersey en profitant de la marée montante du matin. Perché sur le gaillard, Patrick Kennedy scruta la forêt de mâts et les navires à vapeur qui encombraient le port de Liverpool, deuxième ville d'Angleterre et, après Londres, capitale commerciale de l'empire britannique.

Aux yeux d'un paysan comme lui, qui n'avait jamais vu de bourg plus grand que New Ross, Liverpool offrait le spectacle le plus fascinant qui fût. Nous pouvons facilement nous le représenter debout sur le pont du *Dunbrody*, dans la bise aigre de février, vêtu de sa redingote luisante d'usure, frissonnant de peur et de méfiance au moment de se jeter dans le gosier du monstre britannique.

Pendant que l'Irlande crevait de faim, Liverpool prospérait grâce aux profits tirés du coton, du tabac, du sucre et du « bois d'ébène ». Les marchands de la ville avaient en effet dominé le commerce mondial des esclaves noirs tout au long du XVIIIᵉ siècle et, quand l'esclavage fut aboli par la Grande-Bretagne au début du XIXᵉ siècle, les armateurs décidèrent de remplir d'émigrants leurs cales vides d'esclaves. En 1849, l'année de l'arrivée de Patrick Kennedy, les navires partis de Liverpool allaient transporter plus de cent cinquante mille émigrants vers le Nouveau Monde, un record historique.

Pendant que le *Dunbrody* se rapprochait du quai Clarence, le point de débarquement habituel des émigrants irlandais, Patrick Kennedy regarda un officier de port monter sur la poupe d'un navire et exhorter les bateaux voisins à faire de la place pour le nouvel arrivant.

Quand ils se furent un peu rapprochés, Patrick sentit les odeurs de « saumure, de sentine et d'étoupe des centaines de vaisseaux de bois » alignés dans leur stalle de pierre et d'eau, écrit l'historien Robert James Scally dans *The End of Hidden Ireland*. Mêlée à ces arômes divers, il perçut aussi la puissante odeur d'égouts et de déchets humains qui avait valu à Liverpool son surnom de « point noir de la Mersey ».

A peine le *Dunbrody* eut-il accosté qu'un contingent de constables en uniforme monta à bord avec l'ordre de nettoyer le navire au plus vite pour qu'il puisse être préparé au voyage de retour. Les policiers se mirent à crier des obscénités aux émigrants stupéfaits et les chassèrent du pont en brandissant leur bâton. Avec tous les autres, Patrick Kennedy dévala la passerelle dans une bousculade chaotique.

Les passagers furent instantanément assaillis par une armée de démarcheurs, qui se présentaient à eux soit comme des représentants de compagnies de navigation, soit comme des boutiquiers, soit comme des tenanciers de pension. Aussi appelés « racoleurs » ou « rabatteurs », ces démarcheurs étaient le plus souvent des Irlandais arrivés quelque temps plus tôt à Liverpool. Les nouveaux arrivants, comme Patrick, étaient peu enclins à croire que des hommes venus de la même terre qu'eux pourraient chercher à les tromper ; ils constituaient donc des proies de choix.

Le rabatteur de Patrick réussit à l'entraîner dans une pension proche du quai Waterloo. Pour quatre pence la nuit, Patrick loua un minuscule espace dans une cave puante, humide et froide, déjà envahie par une dizaine d'autres émigrants. A l'époque, il existait 7 700 caves de ce type à Liverpool, où survivaient 27 000 personnes. Patrick n'eut droit qu'à une planche pour dormir parce que, selon les explications d'un tenancier, « si on leur donnait un lit [aux Irlandais], on serait obligé de le jeter dès le lendemain [...] tant ils sont répugnants de saleté ».

Patrick n'avait jamais vu de femme nue, mais, dans son nouvel antre souterrain, certaines de ses colocataires se déshabillaient, faisaient leur toilette, urinaient, déféquaient devant les hommes. La nuit, les soupirs et les cris des couples occupés à copuler l'empêchaient souvent de dormir.

Des années plus tard, quand Patrick, implanté à Boston, accepta de raconter l'histoire de sa traversée — l'histoire de la façon dont il était devenu américain —, il évita toujours soigneusement de parler du mois qu'il avait passé à Liverpool. Le « point noir de la Mersey » fut le lieu de son initiation au monde sauvage du capitalisme victorien et de la pauvreté urbaine qui horrifièrent, et inspirèrent à la fois, Charles Dickens et Karl Marx. L'expérience laissa sur l'âme de Patrick une empreinte qui devait être transmise à ses descendants et trouver son expression ultime dans une célèbre phrase du président Kennedy : « Mon père m'a expliqué que les hommes d'affaires étaient tous des fils de p... »

Retrouver Bridget Murphy dans la grouillante métropole de Liverpool s'avéra plus difficile que Patrick ne l'avait prévu. Elle n'était pas à la pension où il avait été convenu que ses parents et elle s'installeraient. Plusieurs jours d'affilée, Patrick arpenta les rues de Whitechapel et de Sailor Town, avec leurs cafés, leurs bordels, leurs tripots bondés, et visita les pensions sordides les unes après les autres, jusqu'à perdre à peu près tout espoir de retrouver Bridget. Mais un beau jour, sur Vulcan Street, il tomba par hasard sur la Maison de l'émigrant, tenue par des catholiques, et ce fut là, dans cet établissement propret, bien rangé, bien éclairé, qu'il retrouva Bridget et ses parents en train d'attendre patiemment son arrivée.

Pour acheter les billets nécessaires à leur traversée, on conseilla à Patrick de se rendre sur Goree Piazza, baptisée en référence à l'île sénégalaise de Gorée, au large de Dakar, où les capitaines de navires négriers de Liverpool chargeaient autrefois leurs cargaisons d'esclaves. Les murs de Goree Piazza étaient tapissés d'affiches faisant la réclame des navires transatlantiques qui levaient l'ancre à horaires réguliers. Pas moins de vingt-deux agents se disputaient la vente de billets aux futurs émigrants, percevant une commission sur chaque place écoulée. Parmi eux, il y avait Daniel P. Wichell, de la compagnie White Diamond Line.

« La réputation de cette compagnie est fermement établie dans les Etats de la Nouvelle-Angleterre, déclara Wichell à Patrick, en brandissant un récent avis publicitaire paru dans la presse. Ses bateaux ont été spécialement construits pour le transport de passagers. Ils vont vite, disposent de couchettes spacieuses dans un entrepont bien ventilé, et sont commandés par des officiers de grande expérience. »

Patrick émit quelques réserves. L'année précédente, un des navires de la White Diamond, l'*Ocean Monarch*, avait pris feu en mer, causant la mort de cent soixante-seize de ses trois cent cinquante passagers. Avec leurs instruments de navigation rudimentaires et leurs équipages notoirement incompétents, ce type de bateau était sujet aux accidents. Entre 1847 et 1853, cinquante-neuf navires d'émigrants coulèrent, entraînant par le fond des milliers de passagers.

Les maladies posaient un problème encore plus redoutable. La dysenterie, le choléra, le typhus décimaient les rangs des passagers pendant la traversée de l'Atlantique nord. Avant de s'embarquer, Patrick dut se soumettre à un examen médical. Celui-ci eut lieu dans un baraquement sur les quais, surnommé la « boutique du docteur », où les auxiliaires médicaux étaient payés à l'abattage — en général une livre pour cent passagers examinés.

« Etes-vous en bonne santé ? lança à Patrick un auxiliaire médical assis derrière son guichet vitré. Tirez la langue. »

Avant que Patrick ait eu le temps d'obtempérer, le docteur tamponna son billet.

« Tant qu'un émigrant tenait debout, il était considéré comme sain, écrit un historien. On a signalé des cas d'auxiliaires médicaux qui ne levaient même pas les yeux sur les gens en train de défiler devant eux, se contentant d'aboyer leurs questions et de déclarer le postulant apte sans attendre ses réponses. »

64

Le billet tamponné de Patrick lui donnait droit à une place de troisième classe dans l'entrepont du S.S. *Washington Irving*, un navire de la White Diamond construit par Donald McKay, un des plus célèbres constructeurs navals de l'époque. C'était un bateau relativement récent (lancé en 1845), et Patrick l'avait choisi pour ses mâts lourds et sa réputation de robustesse. Sous le commandement du capitaine Eben Caldwell, le *Washington Irving* devait s'élancer vers Boston le 17 mars, justement le jour de la Saint-Patrick.

Quand Patrick et les Murphy se présentèrent sur le quai Waterloo à sept heures du matin le jour du départ, ils trouvèrent une foule considérable amassée devant le portail. Le capitaine Caldwell n'autoriserait l'embarquement des passagers de l'entrepont que lorsque tout le fret aurait été chargé. Enfin, le signal fut donné, et les émigrants se ruèrent en avant, jouant copieusement des coudes pour accéder à la passerelle. Des dizaines de colporteurs se mêlèrent à eux — dans l'espoir de vendre des chapeaux, des caramels, des oranges, des rubans, des dentelles, des miroirs de poche, des pains d'épice, des confiseries... L'équipage aiguillonna brutalement la foule jusqu'au pont, traitant les passagers comme des balles de coton.

Puis le capitaine Caldwell donna l'ordre d'appareiller. Ceux qui n'avaient pas réussi à monter à bord coururent vers l'entrée du quai, où le goulet était le plus étroit, et où les navires s'immobilisaient généralement quelques minutes. Là, tous les retardataires se mirent à escalader le flanc du navire. Beaucoup tombèrent dans les eaux boueuses de la Mersey et durent être repêchés. Quelques-uns se noyèrent.

Quand tout le monde fut à bord, le capitaine Caldwell fit rassembler les émigrants au pied de la dunette pour l'appel. Le second maître lut le nom de chaque passager en une sorte de singulière psalmodie.

Pendant qu'il procédait à l'appel, plusieurs officiers du navire, escortés d'un commis mandaté par Daniel P. Wichell, l'agent maritime, descendirent dans les cales avec des lanternes pour débusquer les passagers clandestins. Ils entreprirent de piquer chaque ballot avec un long pieu, de renverser les tonneaux, et de frapper les bâches à coups de maillet.

Un remorqueur à vapeur tracta le *Washington Irving* jusqu'à l'embouchure de la Mersey. A hauteur de la bouée à cloche, le pilote quitta le navire pour regagner son remorqueur, en compagnie des clandestins et des colporteurs, et fit demi-tour vers le port.

Les marins hissèrent les voiles en chantant :

> *Loin d'ici, oh, loin d'ici*
> *Au-delà de l'écume on cherche un monde,*
> *Au-delà de la mer on cherche un pays,*
> *Où les hommes sont libres et où le pain abonde...*

En achetant ses billets, Patrick Kennedy avait cru réserver une couchette séparée pour chaque Murphy et pour lui-même. Mais ce n'était pas de cette façon qu'étaient traités les passagers de l'entrepont.

Quatre émigrants étaient entassés dans un réduit minuscule et sombre, aux dimensions d'une stalle, long et large de six pieds, ce qui ne laissait à chaque personne que quarante-cinq centimètres pour caser ses épaules. Les hommes et les femmes étaient parfois entassés ensemble. Sir George Stephen, illustre philanthrope, demanda un jour à un second maître comment il réussissait à organiser le logement des couples mariés en mer. « Ça ne pose aucune difficulté ; il y a suffisamment d'activité chaque nuit là-dedans pour les tenir tous tranquilles. »

Sous forte voilure, le *Washington Irving* doubla Tuskar Rock, puis le cap Clear. Il eut bientôt quitté les eaux clapoteuses de la mer d'Irlande pour les gros creux de l'Atlantique. Ce que Herman Melville avait appelé dans *Redburn* « l'irrésistible lutteur », le mal de mer, cloua de nombreux passagers dans l'entrepont. Ce problème, « combiné au manque d'hygiène, rendait épouvantables les conditions de vie à bord des navires, écrit Jim Rees dans *Surplus People*. Certains se contentaient de rester dans leur espace de six pieds de long sur un et demi de large sans se soucier de savoir s'ils arriveraient un jour à bon port. »

Les compartiments « bien ventilés » promis par l'agent Wichell à Patrick se réduisaient en réalité à des volumes minuscules et crasseux, coincés entre deux ponts. Ils ne seraient pas nettoyés une seule fois au cours de la traversée. Et comme il n'était pas possible non plus pour les passagers de laver leurs vêtements ou leur literie, la prolifération des poux ne tarda pas à poser un problème considérable.

Comme le raconte Terry Coleman dans *Going to America,* les rations de nourriture étaient plus que maigres et consistaient en une grossière préparation de blé, d'orge, de seigle, de mélasse et de pois. Certains passagers avaient songé à apporter leurs propres provisions, mais l'eau qu'on leur donnait pour les cuire était trop souvent contaminée. D'autres n'avaient pas assez à manger, ce qui générait, selon les termes de l'historien Robert James Scally, « une quasi-famine ».

Le seul article qui, semble-t-il, ne connut jamais de rupture de stock était le grog — mélange de rhum et d'eau — vendu deux fois la semaine à un prix exorbitant par le capitaine Caldwell lui-même. Il arrivait fréquemment que des marins saouls abusent des passagers, surtout des femmes, qui étaient constamment à leur merci.

Par gros temps, on fermait les écoutilles, et l'odeur dans l'entrepont devenait rapidement pestilentielle. Il ne fallut pas longtemps pour que la dysenterie se répande parmi les émigrants, suivie du choléra et de diverses autres formes de « fièvre marine ». Chaque matin, raconte un biographe des Kennedy, des marins « ramassaient les morts et les ordures, hissaient le tout par les écoutilles, et jetaient ces déchets mélangés par-dessus bord pour les donner en pâture aux requins qui suivaient constamment le navire ».

Pour Patrick, ces terribles semaines dans l'entrepont constituèrent une forme d'esclavage. L'expérience, qui resterait à jamais gravée dans sa mémoire, allait devenir un élément permanent de la mythologie familiale. Plus tard, ses descendants n'hésiteraient pas à comparer le « bateau cercueil » sur lequel Patrick et Bridget étaient arrivés en Amérique au tristement célèbre « passage du milieu » des esclaves noirs et aux fourgons à bestiaux de l'Holocauste.

La comparaison avec ces crimes contre l'humanité n'est pas aussi excessive qu'elle le paraît. En cinq ans, la nation irlandaise avait cédé plus de la moitié de sa population — trois millions de personnes — à la famine, la maladie, et à l'émigration. Les futurs Kennedy ne se laisseraient plus jamais entraîner dans une telle situation d'impuissance.

Patrick et Bridget, debout sur le pont, scrutaient l'océan. A tout instant, l'Amérique pouvait surgir à l'horizon. Daniel Wichell, l'agent maritime de Goree Piazza, avait expliqué à Patrick que la traversée ne prendrait que vingt jours, alors qu'en réalité elle pouvait durer de cinq à douze semaines, selon les vents et le climat. Nul autre à bord que le capitaine Caldwell et son premier maître ne connaissait la position du *Washington Irving*, et ils gardaient cette information pour eux.

Puis, un jour, l'océan devint nettement plus calme. Le roulis s'atténua. Pour la première fois depuis le départ, le capitaine Caldwell ordonna que le navire fût nettoyé de la proue à la poupe. Les émigrants briquèrent l'entrepont avec du sable, le lavèrent à grande eau, séchèrent les planches avec des casseroles remplies de braises. Le capitaine voulait donner l'impression que la traversée s'était déroulée dans d'excellentes conditions de sécurité, de propreté et de confort au moment de passer la douane américaine.

Le 17 avril, en fin d'après-midi, quasiment cinq semaines après le départ de Liverpool, une vigie s'écria « Terre ! » en apercevant une étroite bande de rivage au fond de l'horizon. Patrick et Bridget s'attardèrent sur le pont bien après le coucher du soleil, jusqu'à ce qu'une brume opaque se fût répandue sur l'océan, masquant la lune et les étoiles. Cette nuit-là, ils passèrent au large de Martha's Vineyard, là où, cent cinquante ans plus tard, John F. Kennedy Jr., l'arrière-

arrière-petit-fils de Patrick, perdrait le contrôle de son Piper Saratoga et s'abîmerait en mer.

A Boston, Patrick eut tôt fait de s'apercevoir qu'il avait quitté un abattoir humain pour un autre. Moins de trois mois après son arrivée, une violente épidémie de choléra frappa les taudis de Boston, tuant sept cents personnes, essentiellement des Irlandais. En 1849, c'est-à-dire l'année de son débarquement, un comité médical inspecta un des quartiers irlandais de la ville et fit les observations suivantes :

« Tout ce quartier est une parfaite ruche d'êtres humains, dépourvue de confort et pour l'essentiel des nécessités les plus ordinaires ; bien souvent, entassés sans considération de sexe ni d'âge [...], des hommes et des femmes adultes dorment ensemble dans la même pièce, parfois mari et femme, frères et sœurs dans le même lit. Dans de telles circonstances, le respect, la prévoyance, et toutes les hautes et nobles vertus ne tardent pas à s'effacer, laissant régner en maîtres une sinistre indifférence, le désordre, l'intempérance et la dégradation la plus absolue. »

Patrick s'installa dans le pauvre logement de son vieil ami Patrick Barron. Les deux hommes partageaient une table, deux chaises, un lit, et un poêle de fer noir qui leur fournissait le feu de cuisson et un peu de chaleur en hiver. Le samedi soir, Barron versait de l'eau brûlante dans la bassine de zinc où il prenait son bain hebdomadaire. Quand il en sortait, Patrick prenait sa place et se lavait dans la même eau.

Les seules latrines intérieures de cet immeuble où logeaient trente familles étaient creusées dans la terre battue du sous-sol. « Personne n'était responsable de l'entretien de ces parties communes, observe le sociologue Oscar Handlin, et de ce fait, elles étaient le plus souvent hors d'état. Abominablement sales, débordant perpétuellement jusque dans les cours voisines, elles étaient de formidables vecteurs de maladies. »

A la différence de la plupart de ses compatriotes, Patrick Kennedy était venu en Amérique avec un métier, et réussit à trouver une place à la tonnellerie-fonderie de Daniel Francis, sur Summer Street, non loin du chantier naval de Donald McKay et des quais de la compagnie Cunard.

« M. Francis fabriquait des barriques de bière, des tonneaux d'eau et des caisses de fret maritime, raconte un biographe. Et quand il vit avec quelle compétence Patrick maniait la gouge et le peigne à jabler, il offrit un travail au jeune homme. Ce travail l'occupait douze heures par jour, sept jours sur sept [...]. En commençant par fabriquer des tonneaux de bière, Patrick donna naissance, sans le savoir, à une tradition familiale fermement ancrée chez les Kennedy, qui devaient pendant près d'un siècle rester liés de près ou de loin au monde de la bière et des liqueurs. »

« De tous les immigrants de Boston, les Irlandais étaient ceux qui s'en tiraient le plus mal, démarrant tout en bas de l'échelle et s'élevant plus lentement que tout autre groupe ethnique sur le plan économique et social », selon l'historienne Doris Kearns Goodwin.

Ils étaient méprisés par les élites bostoniennes pour leur ignorance, leurs manières rurales, leur pauvreté, et leur catholicisme. Ils n'étaient jugés aptes qu'aux travaux manuels. « Les Noirs eux-mêmes affrontaient moins de discrimination que les Irlandais », écrit Richard J. Whalen. « Ils exerçaient des métiers fermés aux Irlandais, comme cuisinier et barbier », confirme le révérend John F. Brennan.

Beaucoup de petites offres d'emploi publiées dans les journaux de Boston se terminaient par la mention « Non Américains s'abstenir ». Quand des hommes et des femmes venus d'Irlande se présentaient pour une place, ils se retrouvaient régulièrement face à un écriteau disant *NO IRISH NEED APPLY* (« Irlandais s'abstenir ») expression qui s'abrégea rapidement en « NINA ». Les seuls postes accessibles étaient les plus humbles et les moins bien rémunérés. Les bonnes à tout faire irlandaises étaient payées deux dollars la semaine. Les ouvriers non qualifiés irlandais gagnaient à peu près le même salaire.

Les humiliations constantes ne firent que renforcer l'idée de Patrick selon laquelle le monde était un terrain dangereux, qui méritait d'être abordé avec méfiance. Comme l'écrit Terry Golway dans *The Irish in America*, « l'Amérique pouvait même être pire que l'Irlande, car ici, les catholiques représentaient une nette minorité dans une nation de plus en plus encline à adopter l'idée que la démocratie et le protestantisme étaient indissociables ».

Même les travailleurs qualifiés comme Patrick n'évitèrent pas l'anti-catholicisme virulent du célèbre Know-Nothing Party[1]. En 1854, cinq ans après l'arrivée de Patrick, ce parti conquit le poste de gouverneur et la quasi-totalité des sièges de la Cour générale du Massachusetts. Il entreprit aussitôt de harceler les écoles catholiques, de démanteler les compagnies de la milice irlandaise, et tenta de faire voter une législation imposant un délai de vingt et un ans avant qu'un citoyen naturalisé puisse voter. Ce climat évoqua à Patrick une sombre réminiscence des Lois pénales promulguées autrefois par les Britanniques en Irlande.

Toutefois, jamais il ne regretta d'avoir quitté son île natale accablée par le mildiou. Quelques semaines après son arrivée à Boston, il épousa Bridget Murphy. Et au fil des neuf années suivantes, elle lui donna cinq enfants — un premier fils mort en bas âge ; trois filles ; puis un second fils, viable celui-là, qui reçut le prénom de son père.

« Abreuvés dès le berceau de l'idée qu'ils sont liés à une forme de grandeur, les Irlandais sont incapables de se résoudre à leur impuissance », selon l'historien Thomas J. O'Hanlon.

En Amérique, cette particularité favorisa le développement de deux profils types chez les Irlandais. Le premier profil était celui de l'Irlandais accommodant, loyal, craignant Dieu, un solide et brave gaillard sachant séduire et cherchant à se

1. Mouvement nataliste, hostile à l'immigration et aux catholiques, dont le slogan était « L'Amérique aux Américains ». (*NdT*)

débrouiller en respectant les règles ; qui allait à la messe le dimanche, et était profondément ému par la représentation du Christ saignant sous sa couronne d'épines ; qui confessait volontiers ses péchés ; qui acceptait de souffrir en silence ; et qui souvent se retrouvait prêtre, manœuvre, employé des chemins de fer, éboueur, policier, pompier, ou fonctionnaire de quelque autre nature, comptant les jours qui le séparaient d'une retraite garantie par le gouvernement.

L'autre profil était celui de l'Irlandais provocateur, irrespectueux, rebelle — un être sombre, taciturne, souvent maniaco-dépressif, nourrissant un fort ressentiment à l'égard de toute autorité établie ; ne se montrant que rarement à l'église, voire pas du tout ; incapable d'admettre les humiliations du passé, parlant peu ou pas de la Grande Famine parce qu'il ne voulait surtout pas risquer de s'entendre dire qu'il n'avait pas été capable de nourrir sa famille ; fidèle à sa femme et à ses enfants plutôt qu'à son pays ; et qui souvent devenait journaliste, professeur, tenancier de pub, politicien, gangster, juriste, homme d'affaires, ou sympathisant secret des mouvements clandestins irlandais comme les Fenians.

Patrick Kennedy était du type rebelle. Même après avoir réussi à se garantir une maigre subsistance grâce à son métier de tonnelier, et bien qu'ayant une femme et quatre enfants à nourrir, il continua de contribuer sur ses deniers à la cause de l'indépendance irlandaise et d'être un ardent partisan de la Confrérie républicaine irlandaise, c'est-à-dire du mouvement Fenian, qui utilisait des méthodes modernes de terrorisme dans sa lutte contre les Britanniques.

« Les Britanniques ne comprennent qu'un seul langage — la force, répétait Patrick. Le seul moyen de les faire partir d'Irlande, ce sont les bombes. »

Patrick était un personnage très populaire dans les pubs irlandais de Summer Street. Comme son père, c'était un conteur-né. Grâce à ses talents d'acteur, il était capable de tenir en haleine ses compagnons de table pendant des heures par ses récits de hauts faits lors du grand soulèvement de 1798.

Tout le monde disait que Patrick Kennedy savait manier les mots, ce qui était un beau compliment, le langage étant l'arme favorite des Irlandais. Patrick avait un sens aiguisé du sarcasme ; il aimait citer John Mitchel, le grand écrivain nationaliste, qui lui-même s'était imposé comme un maître de la moquerie et de la dérision.

« Et maintenant, mes chers frères en surplus, disait Patrick, citant un des passages les plus célèbres de Mitchel, j'ai un projet simple, sublime, patriotique à vous soumettre. Qu'il soit clair à vos yeux que vous *êtes* un surplus, et que l'on cherche d'une manière ou d'une autre à se débarrasser de vous. N'attendez pas que la famine vous balaie sans gloire — si vous devez mourir, mourez glorieusement ; servez votre pays par votre mort, et répandez sur votre nom l'auréole d'une gloire de patriote. Allez ! Choisissez n'importe lequel des deux millions d'arbres de notre île, et *pendez-vous.* »

« [Le sarcasme] était utilisé pour l'attaque et la défense, écrit Peter Quinn, un des observateurs les plus avisés de la communauté irlandaise en Amérique. C'était une arme capable de mettre à mal quiconque, dans la communauté, tendait à penser ou à se comporter comme s'il valait mieux que ses pairs [...]. Ce type de prétention était considéré comme une forme de trahison. Le sarcasme était aussi un moyen de faire passer les élites [de la culture WASP] pour un vivier d'imposteurs et de pompeux imbéciles [...]. Le sarcasme était une forme de subversion, un mécanisme défensif pour des personnes colonisées comme l'étaient les Irlandais. »

A l'automne 1858, Patrick, âgé de trente-cinq ans, tomba malade de la tuberculose. Son teint devint livide, il perdit du poids, sentit des douleurs dans la poitrine, commença à cracher du sang. Bridget insista pour faire venir un médecin.

Quand celui-ci arriva, Patrick, qui avait perdu beaucoup de sang, délirait sous l'empire d'une forte fièvre. Sa voix était presque inaudible, et il ne put s'exprimer que par des murmures lorsque le docteur le pria de décrire ses symptômes.

« Je ne peux plus rien avaler, souffla-t-il. Je suis en train de crever de faim. »

Sur le seuil, Bridget serrait contre elle son fils de dix ans, Patrick Joseph, surnommé P.J. Ses trois filles observaient elles aussi la scène, cachées derrière les jupes de leur mère.

Le médecin prit le pouls de Patrick : 124. Il lui prescrivit de la créosote, de l'eau régale, et de l'huile de foie de morue.

Suite à ce traitement, le pouls de Patrick retomba à 100, et il réussit à avaler quelques cuillerées de soupe liquide. Il continua néanmoins à perdre du poids dans les jours suivants et ne fut bientôt plus que l'ombre du beau jeune homme musculeux, au regard de saphir, qui avait accosté en Amérique.

Le 22 novembre — c'est-à-dire cent cinq ans jour pour jour avant l'assassinat de John F. Kennedy —, Patrick, décharné et ruisselant de sueur, émit un ultime borborygme, et mourut.

« Il avait survécu neuf ans à Boston, soit cinq ans de moins seulement que l'espérance de vie moyenne d'un Irlandais en Amérique au milieu du XIXe siècle, écrivent Peter Collier et David Horowitz. Premier Kennedy à fouler le sol du Nouveau Monde, il fut aussi le dernier à mourir dans l'anonymat. »

Mais certainement pas le dernier à mourir avant son heure.

Pendant que Patrick agonisait, un événement crucial pour la saga des Kennedy se déroulait à quelques centaines de mètres de distance, toujours à Boston. Dans le North End, un autre immigrant irlandais, Thomas Fitzgerald, venait d'engendrer son premier fils. La plupart des enfants de Thomas vécurent et moururent dans l'obscurité la plus complète. Mais l'un d'eux — John Francis Fitzgerald, le quatrième et le plus brillant de ses fils — allait accéder à la célébrité en devenant par deux fois maire de Boston. Futur grand-père du président Kennedy, il fut aussi un des principaux architectes de la malédiction familiale.

JOHN FRANCIS FITZGERALD

Le fils préféré

John Francis Fitzgerald s'avançait sur Causeway Street, à Boston. C'était un petit homme sûr de lui, mesurant à peine un mètre cinquante-huit, souple comme un farfadet. En ce jour ensoleillé du printemps 1892, il était tout endimanché avec son haut col empesé, son veston à boutonnière et son pantalon poivre et sel. Le melon noir posé de guingois sur son crâne mettait en valeur ses yeux d'un bleu pétillant, son sourire aux dents saillantes, et sa mâchoire carrée — des traits que l'on retrouverait plus tard chez sa fille Rose, son petit-fils Ted, et son arrière-petit-fils JFK Jr., ainsi que chez de nombreux autres descendants des Kennedy.

Au sein de la communauté irlandaise de Boston, Fitzgerald s'était vu accoler plusieurs sobriquets : « Johnny Fitz », « Fitzie », et surtout « Honey Fitz » (dérivé, paraît-il, de l'habitude qu'il aurait eue enfant de tremper ses doigts dans la réserve de miel de l'épicerie-saloon paternelle). Quoique minuscule, Honey Fitz avait un orgueil de géant ; le son qu'il préférait à tous les autres était celui de sa propre voix, au point que sa volubilité excessive finit par recevoir elle aussi un surnom : le « Fitzblarney »[1].

Ce politicien-né ne croisait jamais une connaissance dans la rue sans s'arrêter pour la gratifier d'une vigoureuse poignée de main, d'une petite tape dans le dos, ou — dans le cas des jolies

---

1. Qu'on pourrait traduire par « Fitzbaratin ». (*NdT*)

femmes — d'une chaleureuse étreinte. Comme tous les vrais narcissiques, Honey Fitz ne pouvait pas vivre sans un public admiratif. La politique devait lui fournir une occasion rêvée d'user de son charme, de son esprit, et de son apparence engageante pour conquérir des admirateurs. Elle lui offrit aussi un type de pouvoir que la communauté irlando-américaine associait fréquemment à la puissance sociale et sexuelle.

Honey Fitz appartenait au courant rebelle du caractère irlando-américain. N'ayant aucun sens des limites, ni des contraintes, il se sentait autorisé à ignorer les règles de la société et à s'inventer un style de vie propre. Ces traits de personnalité, qu'il transmit en même temps que la plupart des caractéristiques physiques évoquées ci-dessus à ses descendants, allaient faire de lui un des grands architectes de la malédiction des Kennedy.

Si son côté chaleureux rendait Honey Fitz sympathique aux Irlandais de la seconde catégorie, les sociables, il avait un inconvénient : il était toujours en retard. Il n'en alla pas autrement ce matin-là : un bref coup d'œil à sa montre de gousset lui indiqua qu'il était en retard à un rendez-vous crucial, qui aurait un impact profond non seulement sur sa trajectoire individuelle, mais sur le destin politique de la dynastie Kennedy.

Arrivé sur Bowdoin Square, il s'engouffra dans les locaux du Hendricks Club, quartier général de la machine électorale du parti démocrate dans le West End de Boston. Après avoir gravi l'escalier quatre à quatre, il fit son entrée dans le bureau de Martin Lomasney, le légendaire patron de la huitième circonscription électorale.

« Déjolé, je chuis en retard », déclara Honey Fitz avec son léger chuintement. Confortablement assis dans un fauteuil, les jambes étirées, et entouré d'une demi-douzaine de fidèles collaborateurs, le « Mahatma », ainsi qu'on surnommait Lomasney, dégageait une formidable aura de pouvoir. C'était un homme imposant, puissamment bâti, au crâne massif, à petite moustache, dont la mâchoire saillante dessinait, selon un biographe, « un angle pugnace ».

76

De son bureau de Bowdoin Square, le Mahatma œuvrait du matin au soir à diriger une sorte de gouvernement de l'ombre, curieux mélange d'organisme de santé publique et d'agence pour l'emploi. Il s'efforçait de répondre aux besoins des immigrants les plus pauvres, ce qui lui permettait en échange de gagner leur gratitude, leur fidélité et, surtout, leur voix.

« Derrière leurs verres cerclés d'or, écrit l'historienne Doris Kearns Goodwin, les yeux gris-bleu de Lomasney durent aussitôt percevoir chez le jeune Fitzgerald l'ambition dévorante qui finirait par dresser les deux hommes l'un contre l'autre en un conflit douloureux qui allait valoir à Lomasney, comme lui-même le confierait plus tard, "plus de nuits d'insomnie qu'à n'importe qui d'autre". Mais, à leur première rencontre, Fitzgerald impressionna beaucoup le politicien, qui sentit en lui, derrière le "jeunot aux joues roses", une personnalité hors du commun. »

Le Mahatma était connu pour son humour sarcastique et ses paroles acerbes. Mais Honey Fitz ne se laissa pas intimider.

« Je veux la place de McGahey, annonça-t-il. (George McGahey, de la septième circonscription, était bien accroché à son siège de sénateur démocrate du Massachusetts.) Et je suis venu vous demander votre soutien. »

Fixant sur le jeune homme un regard terne, le Mahatma répondit que George McGahey — qui n'était certes « pas un ami » du Hendricks Club, avait fermement l'intention de se présenter de nouveau aux primaires du parti. Ce qui signifiait que son siège n'était pas vacant, et donc que la question de sa succession ne se posait pas.

« Je peux le battre aux primaires », insista Honey Fitz, avec une assurance d'autant plus déroutante que son expérience politique se limitait à un humble mandat électif au conseil municipal.

« Vous visez un peu trop haut pour vous, pas vrai, mon garçon ? » lança le Mahatma, dont la pique déclencha aussitôt une salve de rires chez ses collaborateurs. Honey Fitz s'attendait à cette réaction et s'était préparé à un tel refus. Le discours qu'il prononça alors — car ce fut bien cela, un discours préparé avec soin — allait entrer dans l'histoire de la famille, savant mélange de calcul politique et de pur « Fitzblarney ».

Plus de dix ans auparavant, alors que Honey Fitz n'était encore qu'un adolescent, son père, Thomas Fitzgerald, l'avait voué à un grand destin.

Ainsi que Honey Fitz devait le raconter lui-même, le tournant de sa vie eut lieu un après-midi de ses seize ans, en 1879. Son père, tenancier de saloon, décida d'emmener sa progéniture en pique-nique à Caledonian Grove. Sa femme, Rosanna, était enceinte de son treizième enfant (trois d'entre eux étaient morts en bas âge) ; comme elle ne se sentait pas assez en forme pour participer à la sortie, elle resta seule dans l'appartement familial.

Plus tard dans la journée, un cavalier arriva au galop dans le quartier où habitaient les Fitzgerald en hurlant une terrible nouvelle (qui était inexacte) : le train de Caledonian Grove avait subi un grave accident. Son atroce récit provoqua chez Rosanna une crise que son médecin qualifia d'« apoplexie cérébrale ». Elle s'écroula et mourut.

Thomas Fitzgerald, qui ne put jamais se pardonner d'avoir laissé sa femme seule dans un tel état de fragilité, imagina un système propre à racheter sa faute. Il enverrait Honey Fitz à l'école de médecine, de sorte que son fils pourrait à l'avenir empêcher le genre de malheur qui avait tué Rosanna.

Thomas Fitzgerald ne demanda pas à son rejeton s'il souhaitait devenir médecin. Comme Joseph Kennedy, qui pousserait plus tard son fils John sur la scène politique, il mit l'adolescent devant le fait accompli — il fallait que Honey Fitz fasse sa médecine pour atténuer la faute de son père.

Brutalement promu au rang de grand espoir de la famille, Honey Fitz fut ensuite traité comme un prince par son père et ses frères. Et grâce à leurs caresses constantes, il acquit une assurance et un sentiment de sa propre légitimité qui devaient l'accompagner pour le restant de ses jours.

Des sacrifices considérables furent consentis par Thomas Fitzgerald et ses autres enfants pour financer les études de Honey Fitz. Propriétaire d'une petite épicerie-saloon, Thomas gagnait décemment sa vie, mais restait néanmoins cantonné au bas de la hiérarchie sociale. Les catégories imaginées par les Irlando-Américains de l'époque permettent d'illustrer un peu plus précisément son rang et sa position :

Tout au bas de l'échelle, on trouvait les « Irlandais des taudis » ; puis, par ordre ascendant, les « Irlandais à rideaux de dentelle » ; les « Irlandais à deux salles de bains » ; les « Irlandais à quatre murs » ; et enfin, au pinacle absolu, les Irlandais qui « ont des fruits à la maison quand personne n'est malade ».

Les Fitzgerald étaient « à rideaux de dentelle ». Et fiers de l'être.

Le saloon de Thomas Fitzgerald, comme les autres débits de boissons des quartiers misérables et surpeuplés qui avaient envahi le littoral bostonien, constituait l'épicentre de la vie du voisinage.

« Les pubs offraient en général un confort que les ouvriers n'étaient pas en mesure de s'offrir chez eux — avec de l'éclairage, du chauffage, des plaques de cuisson, des meubles, des journaux, et de la compagnie, explique John Dunlop dans son célèbre essai sur les habitudes de beuverie irlando-américaines. Les tenanciers apportaient même une réponse au manque de toilettes publiques, en un temps où les urbanistes et les autorités locales avaient souvent tendance à négliger ce genre de nécessité. »

Le pub jouait un rôle à la fois de club politique, d'agence de cautionnement, de bureau de prêt, de cellule révolutionnaire secrète irlandaise, et de siège syndical. C'était le sanctuaire des célibataires invétérés, des veufs, des misogynes, des conteurs, et des ouvriers soiffards. Il comptait dans sa clientèle un nombre alarmant d'alcooliques.

Dans *The Fixation Factor*, une étude sur l'alcoolisme irlando-américain, Robert F. Bales suggère que beaucoup d'Irlandais ont eu tendance à substituer l'alcool à la nourriture en raison d'un fort sentiment de culpabilité associé à l'acte de manger qu'avaient fait naître la pauvreté, la famine et les encouragements au jeûne de l'église catholique. En outre, poursuit Bales, « il était toujours comparativement plus facile qu'ailleurs, pour un patriote irlandais — sincère ou non —, d'attirer l'intérêt d'un groupe de jeunes gens, ou d'hommes faits, dans un bistrot anonyme s'il souhaitait fomenter quelque rébellion mineure ».

Dans la culture irlandaise, l'alcool jouait un rôle majeur par rapport au fonctionnement des relations masculines. « Seule l'Irlande [...] avait préservé ce lien culturel nécessaire entre l'alcool et l'identité masculine », affirme Richard Stivers dans *Hair of the Dog : Irish Drinking and Its American Stereotype*. « La capacité d'un individu à boire sec dénotait une grande puissance virile, tout comme ses prouesses athlétiques ou ses talents de conteur. »

Certains préfèrent relier l'alcoolisme irlando-américain à d'autres racines. « Il y a chez l'alcoolique une formidable colère, tournée contre son propre sentiment de culpabilité, écrit Alexander Lowen. Cette culpabilité d'origine sexuelle, et la colère qu'elle engendre, sont sans doute le fondement psychologique du recours à l'alcool. L'alcoolique, toutefois, n'a pas le monopole de la culpabilité. D'autres névrosés en souffrent aussi. En outre, la suppression de ces sentiments n'est pas complète : ils menacent constamment de refaire surface. Quand l'effort de refoulement atteint le point de rupture, cette personne recourt à l'alcool. »

Comme chez les Kennedy, la vente d'alcool et sa consommation abusive allaient devenir un facteur majeur de l'ascension des Fitzgerald. Des neuf fils de Thomas, trois allaient suivre leur père dans le commerce des liqueurs ; trois autres deviendraient alcooliques et mourraient prématurément de ce mal.

« Chaque fois que survenait un drame dans la famille, témoigne un Fitzgerald, ma mère soupirait profondément puis murmurait, avec un mélange de crainte et d'amertume dans la voix : "C'est la malédiction de l'argent de l'alcool, je le sais." »

Alors que Honey Fitz faisait sa première année de médecine à Harvard, son père mourut, laissant à ses héritiers cent cinquante dollars en espèces et douze dollars de mobilier. Le prêtre de la paroisse locale tenta de persuader le jeune homme de morceler la famille en confiant ses frères à trois tantes. Mais Honey Fitz ne voulut rien entendre. Il préféra aller trouver Matthew Keany, le patron politique du North End, pour lui demander conseil sur la meilleure façon de s'occuper de ses frères orphelins.

Dans l'esprit des Irlando-Américains comme Honey Fitz, le responsable politique de la circonscription électorale — avec ses combines, ses bravades, et son pouvoir sur le quotidien des petites gens — représentait une sorte d'idéal humain. Matthew Keany était un solide Irlandais à bacchantes de morse, doté d'une science aiguë de la nature humaine. Ayant deviné chez Honey Fitz un jeune homme doté d'une combinaison exceptionnelle d'intelligence, de force et d'ambition, il lui proposa de devenir son apprenti.

Honey Fitz planta là l'école de médecine et, dans les années suivantes, apprit tout ce qu'il pouvait apprendre de Matthew Keany sur la politique électorale des circonscriptions — des meilleures façons d'apporter de l'aide à des gens désespérément dans le besoin à celles de conquérir (ou de falsifier) des bulletins de vote le jour des élections.

A la fin des années 1880, les patrons de circonscription comme Keany avaient supplanté les évêques catholiques pour tout ce qui touchait aux affaires politiques irlando-américaines, et une sorte de concordat officieux avait été signé entre le clergé et les politiques. Les patrons soutenaient les positions de l'Eglise sur les questions familiales comme le contrôle des naissances, la sexualité avant le mariage, ou le caractère sacré du lien matrimonial. En échange, les évêques recommandaient à leurs ouailles de suivre les consignes électorales des patrons.

L'argent jouait un rôle-clé dans cet arrangement. Il en fallait en effet beaucoup pour gérer les dizaines de sociétés laïques, d'écoles et d'organismes de charité catholiques. Si l'Eglise parvenait à lever des fonds substantiels grâce aux quêtes dominicales, elle tirait aussi un revenu significatif des dessous-de-table reçus des patrons de circonscription.

Jusqu'à quel point cette machine politique irlandaise, qui allait nourrir et façonner la dynastie Kennedy, était-elle corrompue ? On peut trouver une réponse à cette question, sous la forme d'un amusant soliloque prononcé par un des personnages de *Roscoe*, roman de l'auteur irlando-américain William Kennedy (qui n'a strictement aucun lien avec la famille dont nous nous occupons dans ces pages).

« Et où est-ce que tu trouves de l'argent, mon garçon ? s'enquiert un vieux patron de circonscription. Si tu soutiens un candidat et qu'il est élu, tu lui factures un an de son indemnité. Les impôts doivent rester bas, mais s'il faut les augmenter, donne-leur un autre nom. La ville ne peut pas vivre sans vices, donc, pressure les maquereaux et trais comme des vaches les tenancières de bordel. Taxe tous ceux qui font commerce de la chair [...]. Si ça joue aux dés, au poker ou au black-jack, ouvre l'œil. Si ça joue au pharaon ou à la roulette, ouvre les deux yeux. L'opium est la drogue des dépravés, mais s'ils en veulent, veille à ce qu'ils en aient, et n'oublie pas de taxer ces misérables fumiers. Ceux dont le bastringue reste ouvert vingt-quatre heures sur vingt-quatre, taxe-les doublement. Ceux qui tiennent un bar louche, taxe-les triplement. Ceux qui alimentent notre prison en détenus, facture-leur le loyer au prix de l'hôtel. Veille à ce que les flics soient heureux et laisse-leur une part du gâteau. Une petite part... Si tu paves une rue, chaque pavé acheté trois cents sera facturé trente cents à la municipalité. N'oublie pas de paver toutes les rues où il y a une église. Cultive les prêtres et achète l'évêque. »

Quand Honey Fitz eut terminé son apprentissage, Matthew Keany le nomma contrôleur des votes au quartier général de la circonscription. Aux élections de 1888, le jeune homme surprit un de ses amis en train de voter pour le « mauvais » candidat. Fallait-il le dénoncer ou regarder ailleurs ?

Sa fidélité envers Keany l'emporta sur l'amitié ; Honey Fitz signala la chose aux hommes du patron, qui tombèrent à bras raccourcis sur l'infortuné électeur et l'informèrent qu'il venait de perdre son emploi et qu'il n'en retrouverait plus jamais dans le North End.

En 1892, Honey Fitz avait vingt-neuf ans quand Matthew Keany mourut ; il lui succéda en tant que patron politique du North End. Honey Fitz « était considéré comme un gamin par certains anciens, selon un biographe, mais, grâce à son accès privilégié aux fichiers et aux listes secrètes que Keany gardait dans son coffre depuis des décennies, il savait exactement à qui s'adresser pour obtenir du soutien et quel était le meilleur moyen d'effectuer son approche... »

Dans le monde où évoluait Honey Fitz, les victoires s'obtenaient, comme l'écrit Thomas H. O'Connor, « par le biais de techniques aussi prosaïques que le pot-de-vin, l'extorsion, le chantage, l'intimidation physique [...] ou tout simplement les coups tordus [...]. Une rumeur soigneusement distillée à propos de tel ou tel candidat rival qui envisageait de divorcer ou d'abandonner le domicile conjugal pour refaire sa vie avec une jeune fille, s'était converti au protestantisme, ou avait été vu mangeant de la viande un vendredi était toujours efficace pour mettre à mal une réputation dans les quartiers catholiques de Boston. »

Au XIXe siècle, la politique locale se pratiquait bien souvent à coups de griffes et de crocs. Mais le système de valeurs de Honey Fitz, qui privilégiait la conquête du pouvoir et le succès sur les considérations morales, devait être perpétué par ses descendants Kennedy tout au long du siècle suivant.

Honey Fitz bonimentait depuis plus de vingt minutes sans interruption quand le Mahatma leva enfin la main pour le faire taire. Il en avait assez entendu. Son opinion était faite. Honey Fitz pouvait compter sur le soutien du Hendricks Club.

L'espace d'un instant, Honey Fitz resta sans voix. Puis, souriant de toutes ses dents, il laissa libre cours à sa morgue naturelle. « Je chavais que vous ne pourriez pas réjichter à mes talents de perchuajion », lança-t-il à Lomasney.

En réalité, ce n'était pas son numéro de « Fitzblarney » qui avait convaincu Lomasney. C'était la soif de vengeance du Mahatma. Le Mahatma vouait à George McGahey une haine passionnée depuis que celui-ci avait un jour osé voter contre son meilleur ami, Ned Donovan, lors d'une convention du parti. Le Mahatma tenait enfin sa chance de lui rendre la monnaie de sa pièce. Il allait priver ce traître de son siège au Sénat en le donnant à ce jeune fat nommé Fitzgerald.

La stratégie fonctionna : Honey Fitz battit George McGahey aux élections de 1892 et devint, à l'âge de vingt-neuf ans, un des plus jeunes sénateurs de l'histoire du Massachusetts. Cette victoire ne fit qu'aiguiser son appétit. Deux ans plus tard, il décida de briguer un siège à la Chambre des représentants des Etats-Unis en se présentant dans la neuvième circonscription, celle-là même qui servirait à son petit-fils, John Fitzgerald Kennedy, de tremplin politique près de cinquante ans plus tard.

Candidat à la nomination du Parti démocrate sous le slogan « Donnez une chance à la jeunesse », Honey Fitz organisa des meetings électoraux, des parades aux flambeaux, des feux d'artifice et des fanfares. Il sut charmer les journalistes et s'attira une couverture de presse élogieuse de la part des journaux de Boston.

Ses chances de remporter les primaires semblaient toutefois maigres. Certains des politiciens les plus influents de la ville — parmi lesquels le fils de Patrick Kennedy, Patrick Joseph, dit P.J., patron politique incontesté d'East Boston — soutenaient un autre candidat. Mais une fois encore, Honey Fitz fut sauvé par le Mahatma, qui vit dans ce scrutin une occasion de prouver à tout le monde qu'il était le vrai maître de Boston.

A la surprise quasi générale, Honey Fitz remporta les primaires, humiliant les patrons qui avaient soutenu son rival. Dès le lendemain de cette victoire, il se mit en devoir d'arrondir les angles avec ses adversaires de la veille.

Il rencontra P.J. Kennedy dans sa maison de Brockton. Après que les deux hommes se furent serré la main, Honey Fitz fut présenté au fils de six ans du patron politique d'East

Boston, le petit Joseph P. Kennedy. Il prit le garçonnet dans ses bras et lui offrit une sucette. Ce fut sa première rencontre avec le futur époux de sa fille Rose, alors âgée de quatre ans.

Si l'ascension d'Honey Fitz avait été rendue possible par trois personnes — son père, puis Matthew Keany, puis Martin Lomasney —, P.J. Kennedy, lui, devait tout à sa mère.

Bridget Kennedy était une femme remarquable. Son courage et sa ténacité étaient d'autant plus étonnants qu'à la mort de son mari Patrick, c'était une veuve quasi indigente, usée par les enfantements successifs, sachant à peine lire et écrire, et manquant absolument des atouts qui permettaient en général de faire son chemin dans le vaste monde. Pour faire bouillir la marmite familiale, elle fut contrainte de rejoindre les légions de femmes irlandaises qui faisaient le ménage, la cuisine et la couture des riches familles de l'élite protestante de Boston.

Avant d'avoir atteint quarante ans cependant, Bridget fit de nouveau la preuve du courage qu'elle avait déjà montré dans le Wexford, à l'époque où elle était capable de parcourir à pied les quinze miles qui séparaient Cloonagh de Dunganstown pour passer un moment seule avec Patrick Kennedy au sommet de Slieve Coillte. Bridget trouva d'abord un travail dans une mercerie au 25 Border Street, à East Boston, près du départ du ferry pour Boston. Elle finit par acheter la boutique, l'agrandit en épicerie-bazar-saloon, et installa sa progéniture dans un appartement juste au-dessus. Parallèlement, elle se mit à travailler comme coiffeuse chez Jordan Marsh, un grand magasin élégant installé sur l'autre rive du port, à Boston même, ce qui lui permit d'entrer en contact avec des femmes de l'élite, dont elle enviait et s'efforçait d'imiter les jolies tenues et les manières délicates.

Inspiré par l'exemple de sa mère, P.J. quitta l'école dès l'adolescence et se trouva une place de débardeur sur les quais d'East Boston. Peu après avoir franchi le cap de la vingtaine, il eut rassemblé des économies suffisantes pour ouvrir son propre petit débit de boissons dans la rue même où était situé le logis familial. Il inaugura une longue tradition chez les Kennedy en choisissant de se lancer dans le commerce des liqueurs, et finit par posséder toute une chaîne de saloons dans le North End, essentiellement fréquentés par de pauvres ouvriers irlandais.

P.J. produisait sur tous ceux qui le rencontraient une impression profonde et durable. « Beau jeune homme bien bâti, au teint clair et aux cheveux châtain tirant sur le roux, portant selon la mode de l'époque une moustache en guidon, P.J., vêtu d'un grand tablier blanc, les manches de chemise serrées par des bracelets, debout derrière le comptoir de son saloon, était l'ami de tout le monde, prêtait l'oreille à tous les problèmes, offrait la tournée aux gens qu'il croyait pouvoir lui être utiles, et se constitua progressivement un collège électoral tout acquis à sa cause, selon John H. Davis. Entre les clientes de Bridget et les siens, les Kennedy [...] rassemblèrent une foule d'adeptes. Tant et si bien qu'en 1885, quand ce jeune tenancier de saloon à peine âgé de vingt-sept ans se présenta à East Boston comme candidat à la législature de l'Etat, il fut élu. »

P.J. exerça cinq mandats consécutifs à la Chambre des représentants du Massachusetts, puis deux mandats au Sénat de l'Etat. Il décrocha aussi un certain nombre de postes-clés dans des organisations de patronage et fut délégué à trois conventions nationales de son parti.

« Un des premiers souvenirs de Joseph Kennedy, écrit Thomas C. Reeves, a pour objet la visite de deux agents de la circonscription, venus annoncer fièrement à son père, membre de la commission électorale : "Pat, on a voté cent vingt-huit fois à nous deux aujourd'hui." La "victoire à tout prix" était la loi fondamentale du monde de P.J. — une conception qui devait être transmise à plusieurs générations de Kennedy. »

P.J. devait donner naissance à une autre tradition familiale en épousant une femme d'un échelon social supérieur au sien. Il jeta en effet son dévolu sur la séduisante Mary Augusta

Hickey, fille d'un riche tenancier de saloon et sœur d'un médecin, d'un capitaine de police, et du maire de Brockton.

Snob et vaniteuse, Mary Augusta était l'opposé de Bridget, sa belle-mère. Les deux femmes avaient cependant un point commun : le désir dévorant de se faire accepter par l'élite protestante de Boston. Ce genre d'aspiration était parfois raillé par les Irlando-Américains, mais Mary Augusta se souciait comme d'une guigne de ce que pensaient les gens dénués d'ambition.

Son mari était tout aussi déterminé qu'elle à sauter sur la moindre occasion de prendre sa part du rêve américain. C'est ainsi qu'avec le temps, P.J. Kennedy devint riche ; il racheta une société de distribution de whisky, puis une autre spécialisée dans le charbon, ainsi que des parts dans une banque. Avec les profits de ses diverses affaires — et les revenus illicites qu'il tirait des détournements municipaux —, il put s'offrir une belle demeure à Brockton.

Mary Augusta était enfin en position d'embaucher ses propres domestiques irlandais. Quand leur premier fils, Joseph Patrick (le père du futur président Kennedy) vit le jour en 1888, les Kennedy étaient fermement établis parmi ces familles irlandaises qui avaient « des fruits à la maison quand personne n'[était] malade ».

P.J. Kennedy et Honey Fitz — les grands-pères paternel et maternel du futur président Kennedy — faisaient partie des quelques patrons de circonscription irlandais ayant le privilège de siéger au très officieux « conseil de stratégie » qui contrôlait la machine démocrate à Boston. Leurs réunions secrètes, organisées dans le vieil hôtel Quincy House, près de Scollay Square, s'ouvraient à midi dans la chambre 8. C'était là, autour d'un déjeuner somptueux suivi d'une distribution de cigares, que les membres décidaient qui deviendrait chef de la voirie, commissaire de police, et maire.

Des années durant, le conseil avait soutenu une des figures les plus éminentes du parti, Patrick A. Collins, chaque fois que celui-ci faisait campagne pour la mairie de Boston — un mandat que Honey Fitz rêvait de conquérir. Mais à l'automne

1905 — huit semaines seulement avant les primaires démocrates —, Collins succomba à une pneumonie pendant ses vacances à Hot Springs, en Virginie, et sa mort déclencha une course effrénée à la succession.

« Fitzgerald n'avait pas ma promesse verbale, devait plus tard déclarer Lomasney, mais il n'en avait pas autant besoin qu'au début de l'année et, bien entendu, il avait le droit de penser que je marcherais avec lui. »

Les autres patrons de circonscription, inquiets de l'alliance Lomasney-Fitzgerald et emmenés par P.J. Kennedy, qui présidait alors le conseil de stratégie, mirent au point un plan machiavélique. Ils persuadèrent Ned Donovan, le secrétaire général de la mairie — et le meilleur ami du Mahatma — de se présenter contre Honey Fitz. Certains que Lomasney ne voudrait pas s'opposer à son vieil ami, ils envoyèrent le candide Donovan lui faire part de sa décision.

« Je le veux, je veux cet honneur, dit Donovan, selon des propos rapportés par Doris Kearns Goodwin. Est-ce que tu te dresseras contre moi ?

— Je savais bien qu'ils te travaillaient au corps, répondit Lomasney, mais j'espérais que ça ne marcherait pas [...]. Tu n'as pas besoin d'ajouter un mot de plus, vieux frère [...]. Si tu y tiens vraiment, je mettrai le paquet. »

Stupéfait de la trahison de Lomasney, Honey Fitz réagit avec sa vigueur caractéristique. Il rassembla tous les politiciens exclus de l'organisation démocrate officielle et lança une campagne contre le système des patrons dont lui-même avait été un rouage important.

« J'ai décidé de me dresser seul contre la machine, les patrons et les corporatismes », clama-t-il sans rougir devant des foules de partisans.

Honey Fitz l'emporta aisément sur Ned Donovan aux primaires, et tous les leaders démocrates lui offrirent leur soutien pour l'élection générale, sauf un : le Mahatma. Estimant que Donovan et lui avaient été traînés dans la boue, il préféra lui déclarer la guerre. Il rassembla ses partisans au Hendricks Club, la veille du scrutin. « Je ne soutiendrai pas Fitzgerald, annonça-t-il, laissant entendre qu'il irait jusqu'à voter pour le candidat républicain. Je ne crois pas qu'il [Fitzgerald] puisse être battu, mais je refuse de me coucher et de m'aligner sur la clique qui nous a joué un aussi sale tour. »

Le jour du scrutin, la huitième circonscription suivit les consignes du Mahatma en votant républicain. Mais Honey Fitz fut tout de même élu. A quarante-quatre ans, il était considéré par les Bostoniens comme un jeune visionnaire. Ses envolées lyriques promettant à tous un avenir meilleur seraient reprises en écho un demi-siècle plus tard par John F. Kennedy dans son discours inaugural de président.

Candidat réformiste, Honey Fitz avait promis de nettoyer la mairie et de diriger une administration sans tache. Mais son premier mandat de maire fut marqué par une série de scandales et d'affaires d'extorsion, de détournements et de pots-de-vin.

Le rejet de ses concitoyens fut massif. Sur la défensive, le maire retranché au City Hall appela ses frères à la rescousse et fit d'eux ses plus proches conseillers (un peu comme le président Kennedy, mis sur la défensive par le fiasco de la baie des Cochons, ferait appel à son frère Robert). Quelqu'un compara les Fitzgerald à la « famille royale » de Boston.

L'exigence de réforme des habitudes politiques ne fit que croître dans l'opinion et, quand revint le temps des élections, Honey Fitz fut battu à plate couture. Son frère James fut accusé de fraude, et le maire lui-même fut traîné devant un grand jury, où il chercha à se défausser de sa responsabilité sur un de ses plus vieux amis, Michael Mitchell, le directeur du service des approvisionnements, responsable des achats de la ville. L'infortuné Mitchell, qui s'était contenté de suivre les consignes de Honey Fitz et de ses frères peu scrupuleux, fut condamné à une année de travaux forcés.

Honey Fitz s'était peut-être imaginé que le grand jury, d'ordinaire assez malléable, n'inculperait jamais Mitchell. En tout cas, selon son biographe, « Fitzgerald fit montre d'un grand orgueil, que nous retrouverons périodiquement dans l'histoire de sa vie et celle de sa famille. C'était comme si le courage et le sens de la provocation, qui avaient propulsé Fitzgerald des taudis du North End à la mairie de Boston, s'accompagnaient d'un mépris des limites communément admises qui l'autorisait à prendre des risques excessifs avec les autres ».

Cette indifférence devait valoir à Honey Fitz des ennemis puissants, dont l'avocat de Michael Mitchell, Daniel Coakley, qui jura de se venger de l'ancien maire. Il est possible de voir dans le comportement autodestructeur de Honey Fitz un signe de ce qu'une génération ultérieure appellerait la malédiction des Kennedy. Car à peine Honey Fitz eut-il accompli la grande ambition de sa vie en devenant maire de Boston que le destin s'acharna sur son entourage et lui-même.

Jusqu'alors, l'aristocratique archevêque de Boston, William O'Connell, avait consenti à fermer les yeux sur les méthodes et les vices de Honey Fitz, et même sur son goût notoire pour les bastringues, où on le voyait lutiner des filles assises sur ses genoux. Après sa disgrâce publique, en revanche, l'archevêque O'Connell prit de plus en plus nettement ses distances.

Pour avoir une chance de faire son retour en politique, Honey Fitz devait absolument reconquérir son soutien. Sachant que l'archevêque estimait que tous les catholiques dignes de ce nom devaient étudier à l'école catholique, Honey Fitz informa un beau jour sa fille Rose qu'elle ne serait pas autorisée à étudier comme prévu au Wellesley College — la faculté laïque qu'elle rêvait d'intégrer — mais devrait s'inscrire au couvent du Sacré-Cœur à Boston.

« Pendant dix-sept ans, le père de Rose lui avait tout donné, en lui répétant qu'elle avait le droit d'être ou de faire ce qu'elle voulait, écrit Doris Kearns Goodwin. Tout à coup, il faisait machine arrière et lui laissait entendre, en substance, qu'elle n'était qu'un instrument de ses besoins politiques [...]. Ce fut comme si un masque tombait, lui révélant enfin son père sous le vrai jour de son égoïsme. »

Ayant trahi Rose et sacrifié ses rêves de jeune fille sur l'autel de sa propre ambition politique, Honey Fitz conclut qu'il était grand temps de mettre un peu de distance entre la ville qu'il avait scandalisée et lui-même. Ainsi, à l'été 1908, il emmena sa femme, Josie, et deux de leurs filles, Rose et Agnes, en Irlande pour un pèlerinage aux sources.

Les Fitzgerald appareillèrent le 18 juillet 1908 à 14 heures à bord du *Cymric*. Au nombre des politiciens de Boston venus les accompagner sur le quai, il y avait P.J. Kennedy et un envoyé personnel du Mahatma, qui sans doute tenait à s'assurer, par le biais d'un témoin oculaire de confiance, que son principal ennemi lui laissait effectivement le champ libre.

Le point culminant du voyage de Honey Fitz fut une visite à la maison de son père, à Bruff. Ce fut dans ce petit village du comté de Limerick que l'ancien maire de Boston apprit d'un historien local que sa lignée remontait jusqu'aux Gerardini, une noble famille italienne arrivée en Irlande avec les envahisseurs normands en 1169.

« Les Fitzgerald ont été installés en Irlande par les Britanniques, m'a expliqué Patrick Cronin, grand connaisseur des Fitzgerald, lors de l'interview qu'il m'a accordée à Limerick au printemps 2001. C'était un clan arrogant, cruel, constitué d'hommes à femmes, de rois et de seigneurs habitués à livrer de sanglantes batailles pour augmenter leurs terres. Ils ont fini par être dépassés par leurs ambitions, et un Fitzgerald s'est même retourné contre les siens. Leurs armoiries montrent un bras cuirassé. La main tient plusieurs flèches dont l'une est brisée, symbole de ce que quelque chose ne va pas dans la famille. Et en effet, les Fitzgerald devaient par la suite vivre une quantité d'événements funestes. »

Dans le village de Bruff, un autre historien local, Pat Quilty, a déclaré : « Avec le temps, les Fitzgerald sont devenus plus irlandais que les Irlandais et ont rallié les catholiques contre les Anglais protestants. Grands, forts, brutaux, ils se battaient à coups de poing, de botte, de pierre, de pelle, d'épée, de faux ou de faucille. Ils ont débarqué en politique en apportant cette agressivité dans leurs valises. »

Le comte Desmond, chef de la branche de Munster des *fitz* (qui signifie « fils de »), Gerald, érigea un splendide château sur un lac à Shanid. *Shanid Abu !* — qui, traduit du gaélique, signifie « Shanid pour toujours ! » — allait devenir son cri de guerre.

Selon une légende relatée par William Butler Yeats dans *Fairy and Folk Tales of Ireland*, ce château renfermait une chambre secrète dans laquelle le quatorzième comte de Desmond s'adonnait à des rites magiques. Un jour, il invita sa femme à venir l'observer dans cette pièce à la condition expresse qu'elle garderait le silence, quel que soit son degré de frayeur. Mais dès que le comte eut changé d'aspect grâce à sa magie, elle laissa échapper un cri, rompant le tabou du silence. Le château sombra au fond du lac, et le comte y serait encore, attendant l'heure propice pour remonter à la surface et restaurer la grandeur de son règne.

Cette légende fit une puissante impression sur Honey Fitz. Dans les années suivantes, il la raconterait souvent à ses enfants et petits-enfants. Un de ses plus fervents adeptes fut John Fitzgerald Kennedy, sans doute frappé par les points communs qu'elle offrait avec la légende messianique du roi Arthur, le « roi dormant » qui, disait-on, reviendrait un jour rétablir un âge d'or.

« Les Irlando-Américains comme Honey Fitz rêvaient de prendre une revanche sur la glorieuse défaite des Irlandais unis face aux Britanniques en 1798, m'a expliqué l'historien Kevin Whelan. Ils racontaient à leurs enfants et à leurs petits-enfants que les patriotes morts comptaient sur les vivants, que le flambeau était transmis de génération en génération par une sorte de succession apostolique, et qu'un héros finirait par surgir, comme le roi Arthur de l'île d'Avalon, pour voler au secours de ses compatriotes lorsque ceux-ci seraient en grande détresse. »

L'identification à la légende arthurienne trouva un terreau fertile dans le besoin narcissique des Kennedy de s'envisager comme des êtres supérieurs, résidant au-dessus du commun des mortels. Tels des petits dieux, ils se sentaient à l'abri des lois ordinaires et des conséquences de leurs actes. Et comme nous allons le voir, ce fantasme pathologique allait souvent les placer sur une trajectoire de collision fatale avec la réalité.

Au début du XVIIIe siècle, le château de Desmond Fitzgerald, à Shanid, fut le théâtre de réunions secrètes du club du Feu de l'enfer, une célèbre société secrète d'aristocrates hédonistes qui pratiquaient toutes les formes de débauche — beuveries, duels, jeu, pornographie, orgies sado-masochistes (hétéro-sexuelles et homosexuelles), travestissement, culte phallique, et simulacres de cérémonies religieuses appelées « messes noires », avec en guise d'autel le corps nu d'une noble dame dépravée.

Le chevalier de Glin, membre du clan Fitzgerald et porteur d'un des plus vieux titres héréditaires de l'empire britannique, était de ceux qui passaient leurs nuits à s'enivrer au *scaltheen*, une épaisse mixture à base de whisky irlandais et de beurre fondu. Beaucoup de membres du club venaient avec leur maî-tresse, surtout des prostituées ou des filles de la région en quête d'amusement. Mais des dames de la bonne société fréquen-taient aussi le club du Feu de l'enfer, portant un masque pour ne pas être reconnues de leur mari.

« La séduction était un divertissement appelé à être partagé, analysé et débattu par les membres du club, raconte Ronald McCormick. Il était généralement, quoique pas toujours, admis que le mariage était un arrangement financier conve-nable pour les deux parties, et que l'aventure sexuelle devait être recherchée en dehors de la sphère matrimoniale. Il y avait quelque chose de juvénile dans cette recherche d'aventure, et les membres du club ne se contentaient pas de comparer leurs appréciations et d'échanger leurs maîtresses, ils tenaient à jour des listes de courtisanes sélectionnées, avec des descriptions détaillées de leurs qualités et faiblesses. »

Des clubs portant le nom de « Feu de l'enfer » fleurirent ensuite dans plusieurs autres villes — Dublin, Edimbourg, Londres, Paris — mais celui du château des Fitzgerald à Shanid resta, du moins pendant un temps, le plus célèbre de tous. Selon un spécialiste de ces clubs, « la malédiction de la famille Kennedy pourrait bien être une conséquence des blasphèmes et autres impiétés qui se pratiquaient au club [...]. [Peut-être] le Seigneur Lui-même a-t-Il estimé que le temps était venu de payer. »

A son retour à Boston, Honey Fitz était considéré comme un politicien fini. Il causa donc un émoi considérable quand il annonça à la presse, en 1909, qu'il comptait se représenter aux élections municipales.

La deuxième campagne de Honey Fitz fut mémorable pour trois raisons : d'abord, il accusa son adversaire, l'aristocrate James Jackson Storrow, d'être anti-catholique (« la religion ne devrait pas être un thème de campagne », s'exclama-t-il, une phrase qui serait répétée à l'envi par son petit-fils John F. Kennedy pendant sa campagne de 1960) ; deuxièmement, il prit l'habitude de pousser la chansonnette lors de ses meetings (associant à tout jamais son nom, dans l'esprit des Irlando-Américains, aux paroles de *Sweet Adeline*) ; et enfin, il remporta une victoire écrasante.

D'un bout à l'autre de son deuxième mandat, Honey Fitz dirigea une équipe remarquablement exempte de scandales. Et s'entendit si bien avec les patrons de circonscription d'ordinaire les plus rebelles, comme Martin Lomasney, que ceux-ci le pressèrent de briguer un troisième mandat en 1913. Honey Fitz ne demandait pas mieux que de les satisfaire.

Ce fut une erreur monumentale. Honey Fitz s'était fait de nombreux ennemis pendant sa longue carrière, et notamment Daniel Coakley, l'avocat qui avait promis de lui faire payer la manière dont il avait traité l'entrepreneur Michael Mitchell.

Coakley ne perdit pas un instant. Il alla trouver James Michael Curley, également candidat, et lui parla d'une affaire de mœurs concernant une de ses clientes, la jeune et belle Elizabeth Ryan. Celle-ci travaillait comme entraîneuse sous le nom de guerre de « Toodles » dans une hôtellerie de banlieue. Selon Coakley, le maire John Francis Fitzgerald faisait partie de ses nombreux admirateurs.

Comme l'écrit Doris Kearns Goodwin, « leste et joyeux, [Fitzgerald] la félicitait souvent [Toodles] de sa beauté et lui proposait de rejoindre son parti, où il lui trouverait une place de choix dans son entourage, ce qui lui permettrait de lui conter fleurette tout à loisir. Très fier de leur amitié, il la poursuivait sans répit ; lorsqu'ils dansaient, il la serrait contre lui et la couvrait de baisers. »

L'attirance sexuelle de Honey Fitz pour Toodles, une femme qui lui était nettement inférieure sur le plan social, est une attitude typiquement narcissique. Selon Alexander Lowen, « cette position [d'infériorité sociale] atténue la peur des femmes [du narcissique] et lui permet de se sentir puissamment excité sur le plan génital. Cependant, en l'absence d'amour ou d'affection pour son partenaire et de respect pour ses sentiments d'être humain, l'acte sexuel est en grande partie une expression narcissique. Il relève de l'exploitation. »

Le 1er décembre 1913, Curley fit porter une lettre sur papier liseré de noir à Josie, la femme de Honey Fitz, au domicile des Fitzgerald sur Wells Avenue, à Dorchester. Si son mari ne se retirait pas immédiatement de la course à la mairie, menaçait la lettre, ses relations avec Toodles seraient révélées au grand jour, et la réputation de la famille serait anéantie.

Quand Honey Fitz rentra chez lui ce soir-là, sa femme et sa fille Rose (qui, du haut de ses vingt-trois ans, avait l'âge de Toodles) l'attendaient de pied ferme dans le vestibule. Brandissant la lettre, Josie exigea que son mari sauve la famille de l'humiliation en renonçant à sa candidature. Mais Honey Fitz — qui décrirait plus tard la scène qui l'opposa à sa femme et à sa fille ce soir-là comme le pire moment de sa vie — riposta qu'il refusait de céder au bluff du maître-chanteur.

Trois jours plus tard, alors qu'il inspectait un pauvre immeuble d'habitation pour vérifier sa conformité aux règles de construction, le maire échappa de peu à la mort. Il fit une chute dans la cage d'escalier et, selon le récit du *Herald* de Boston, « il s'en fallut d'un cheveu qu'il ne bascule par-dessus la rampe et ne s'écrase dans l'étroit vestibule, sept mètres en contrebas ».

Pendant que Honey Fitz se remettait chez lui de ses contusions, Curley relança sa campagne d'intimidation. Il annonça son intention d'organiser une série de conférences sur des thèmes tels que « Les grandes maîtresses de l'Histoire : de Cléopâtre à Toodles » et « Les libertins dans l'Histoire, de Henry VIII à nos jours ».

Comme l'écrit le biographe de Curley, « dans son lit, ce soir-là, John Fitzgerald sut ce qu'il lui restait à faire. Il devait absolument empêcher la conférence sur Toodles [...]. Et le lendemain, en invoquant les consignes de son médecin, il annonça le retrait de sa candidature. »

A cinq reprises, dans le quart de siècle suivant — en 1916, 1918, 1922, 1930 et 1942 —, Honey Fitz tenta de faire son retour en politique. Et chaque tentative se solda par un échec. Une seule fois, il réussit à gagner un siège à la Chambre des représentants, mais ce ne fut que pour en être privé peu après, soupçonné d'avoir bourré les urnes. La dernière fois qu'il se présenta à un scrutin — les primaires démocrates aux élections sénatoriales —, il avait soixante-dix-neuf ans et, malgré une prestation respectable, il fut de nouveau battu.

Huit ans plus tard, en 1950, longtemps après qu'il se fut retiré de la vie publique, son grand rival politique, James Michael Curley, connut une double tragédie : sa fille Mary et son fils Leo moururent le même jour de la même cause — une hémorragie cérébrale. Les deux corps furent exposés côte à côte dans le vestibule de la grande maison géorgienne de brique rouge de Curley, et plus de cinquante mille personnes firent la queue pour leur rendre un ultime hommage, dont un petit-fils de John Francis Fitzgerald qui n'était alors qu'un jeune parlementaire de trente-trois ans, John Fitzgerald Kennedy.

Après la veillée, John Kennedy alla rendre visite à son grand-père dans sa suite de l'hôtel Bellevue. Jadis sémillant, Honey Fitz avait désormais quatre-vingt-sept ans. Ses cheveux étaient blancs comme neige, son visage était creusé de rides profondes, et son pas n'était plus aussi souple que celui d'un farfadet. Il restait cependant en possession de toutes ses facultés, et écouta avec un vif intérêt la description que lui fit son petit-fils de l'extraordinaire spectacle auquel il venait d'assister chez les Curley.

Ce ne fut pas l'émotion manifestée par les visiteurs qui impressionna le plus John Kennedy ; les sentiments ne l'avaient jamais beaucoup intéressé. En revanche, il était fasciné par l'étalage de pouvoir et de contrôle qu'il lui avait été donné de voir — et plus spécifiquement, par la façon dont cette vieille fripouille de James Michael Curley avait reçu les condoléances, fier et droit dans ses bottes, serrant la main et glissant un petit mot personnel à chacun des milliers de visiteurs qui défilaient devant le cercueil de ses enfants morts.

« Quoi qu'on pense de lui, dit John à son grand-père, on ne peut qu'admirer son grand courage. »

« En embrassant la salle du regard et en se rendant compte de la fantastique diversité des visages alignés là pour apporter un peu de réconfort à un vieux politicien qui avait été tour à tour acclamé et traîné dans la boue, il prit soudain conscience du lien indestructible que crée la vie politique, raconte Doris Kearns Goodwin. Et son grand-père, qui avait lui-même acquis une présence unique grâce aux effets cumulatifs de ses années dans la vie publique, lui transmit le même message. »

« Tu portes le même nom que moi, dit ce soir-là le vieux Fitzgerald à son petit-fils, en lui décrivant une dernière fois la longue route qui l'avait mené d'un galetas de Ferry Street aux années fastes de sa vie politique. C'est à toi maintenant qu'il revient de porter haut le nom de notre famille. Et souviens-toi de mes paroles, ton terrain sera bien plus vaste que le mien. »

L'histoire de Honey Fitz illustre clairement la façon dont un homme par ailleurs brillant et plein de ruse peut être anéanti par des blessures qu'il s'est lui-même infligées. En matière de tragédie, toutefois, son histoire fait pâle figure en comparaison de celle de son gendre, Joseph P. Kennedy. Comme nous allons le voir, Joseph ne fit pas que gâcher ses propres chances de devenir président des Etats-Unis ; en projetant sur ses fils ses aspirations et ses désirs frustrés, il allait démultiplier la puissance destructrice de la malédiction des Kennedy.

Deuxième partie

MALHEURS

3

JOSEPH PATRICK KENNEDY

La langue de son temps

Par une chaude soirée de juin 1937, une limousine Packard longea la berge verdoyante du Potomac et franchit le portail de Marwood, un riche domaine de soixante hectares, lové dans la campagne du Maryland. Dès que l'auto eut stoppé devant le corps de bâtiment principal, une espèce de château à la française, le chauffeur en descendit et s'empressa d'aller ouvrir la portière de son passager, James Roosevelt, le fils aîné du président des Etats-Unis.

A trente et un ans, Jimmy ressemblait de façon frappante à son père. De belle stature — plus d'un mètre quatre-vingts —, il possédait aussi le front haut de patricien, le port nonchalant, et l'aspect avenant de la plupart des hommes du clan Roosevelt. Les failles de sa personnalité étaient camouflées par son éternel bronzage, acquis à force de se faire inviter chez des personnages riches et puissants qui utilisaient son entremise pour arracher des faveurs au président.

Exclu de la faculté de droit et piètre homme d'affaires, Jimmy en était venu à vendre des contrats d'assurance pour gagner sa vie. Néanmoins, en janvier de cette année-là, c'est-à-dire au début du second mandat de Franklin Delano Roosevelt à la Maison-Blanche, son père avait fait de lui son secrétaire personnel. Quand Jimmy rejoignit Pennsylvania Avenue pour prendre ses nouvelles fonctions, il apporta avec lui ses dossiers d'assurance. Il aimait beaucoup impressionner ses clients potentiels en leur téléphonant de la Maison-Blanche.

De manière compréhensible, les membres de l'équipe du président Roosevelt et de son cabinet étaient assez mal à l'aise face à Jimmy, dont ils connaissaient l'absence de scrupules à profiter de la puissance de sa nouvelle position. Mais le président, lui, adorait son fils et le chargeait fréquemment de missions politiques sensibles, comme celle dont il était censé s'acquitter ce soir.

Jimmy salua le portier de Marwood et traversa le vestibule à grands pas. La gigantesque demeure comportait douze chambres, une salle de cinéma de deux cents fauteuils au sous-sol, et une salle à manger à voûtes directement inspirée de celle du roi Jacques Ier d'Angleterre. Un riche héritier de Chicago, Samuel Klump Martin III, avait fait construire ce petit palais pour sa jeune épouse venue des Ziegfeld Follies. Mais depuis deux ans, Marwood avait pour locataire Joseph Patrick Kennedy, la quatrième fortune d'Amérique.

Joseph trônait à une extrémité de l'immense table de salle à manger quand Jimmy Roosevelt fit son entrée.

Ici, à vingt-deux kilomètres de Washington — et à plusieurs centaines de kilomètres de ses foyers —, Joseph menait une vie de potentat-patachon, entouré d'une bande de copains irlando-américains. Chaque matin, il se levait de bonne heure et faisait une promenade à cheval sur les chemins privés du domaine, ou se baignait nu dans la piscine. Il s'asseyait en général à son bureau à sept heures trente. Pendant les longues soirées d'été, il aimait s'asseoir dans la véranda pour écouter la *Cinquième* de Beethoven ou quelque autre chef-d'œuvre classique. Quand ses collaborateurs le suppliaient de mettre une musique un peu plus entraînante sur le phonographe, Joseph grommelait : « Bougres d'ânes, vous ne connaissez rien à la culture ! »

Depuis son installation à Marwood, Joseph était une des personnalités les plus en vue des cercles démocrates de Washington. La presse faisait ses choux gras de sa tendance à plastronner sans vergogne. « Couvrir » Kennedy était considéré comme une aubaine à cause des somptueux buffets et cocktails qu'il donnait régulièrement à Marwood — et aussi parce qu'il arrosait en secret de nombreux journalistes.

L'hospitalité de Joseph ne se restreignait pas aux petits soldats félons du quatrième pouvoir. Il était aussi en excellents termes avec leurs chefs — des magnats de la presse comme William Randolph Hearst ou le colonel Robert McCormick, le propriétaire isolationniste du *Chicago Tribune*. Quand Henry Luce, patron de *Fortune*, commanda à ses collaborateurs un portrait de Joseph, il autorisa son ami à lire le premier jet de l'article et à y apporter des corrections.

Joseph avait fait installer un ascenseur à Marwood pour le confort de son invité le plus illustre — Franklin Roosevelt, à cette époque condamné au fauteuil roulant. Le président rendait occasionnellement visite à Marwood pour nager dans la piscine de Joseph, souper en sa compagnie, et voir un film hollywoodien dans la salle de projection du sous-sol. Les convives de ces dîners présidentiels impromptus sirotaient du whisky écossais fourni par la société d'importation de liqueurs de Joseph et dégustaient du homard tout frais livré de Boston par son avion privé.

« Le président appréciait Joe, raconte James Landis, qui travailla sous les ordres de Joseph lorsque celui-ci était à la tête de la Securities and Exchange Commission[1]. Joseph avait les films chez lui avant leur sortie officielle, et le président le charriait là-dessus. »

Après le dîner, Roosevelt régalait les invités de Joseph d'histoires vaguement égrillardes ou leur chantait de vieilles chansons de campagne de sa riche voix de baryton. Joseph se carrait alors dans son fauteuil, un grand sourire de satisfaction sur le visage. Avoir à sa table le président des Etats-Unis lui donnait le sentiment d'être important.

« Un petit verre, Jimmy ? » proposa-t-il au fils du président.

Jimmy avait un appétit insatiable en matière d'alcool, de femmes et de luxes inaccessibles — autant de plaisirs que Joseph était en mesure de lui procurer en abondance. Un jour,

---

1. Instance de contrôle de la Bourse américaine. (*NdT*)

il confia à un collaborateur : « Jimmy est tellement dingue des femmes qu'il baiserait n'importe quoi. »

Il avait pris la mesure de Jimmy dès l'instant de leur rencontre, lors d'une tournée électorale en train à bord du *Roosevelt Special*. Producteur à Hollywood, Joseph était aussi à l'époque un des principaux bailleurs de fonds de la campagne de Franklin Roosevelt. Il apparut comme « un personnage fabuleux à ce tout jeune homme qui participait à sa première tournée de campagne sur le train de son père ».

Ayant senti que Jimmy pouvait être facilement suborné, Joseph l'aida à s'établir assureur dans le Massachusetts. Il l'invita aussi à passer des vacances avec sa femme Betsey dans son domaine familial de Palm Beach, et lui présenta de jeunes et jolies choristes par le truchement d'un ami, le chanteur Morton Downey.

Après la fin de la prohibition, Joseph proposa au fils du président une participation dans une très lucrative affaire de distribution d'alcool à Londres. Ce partenariat avec Jimmy, qui sous-entendait que Joseph bénéficiait de l'imprimatur de la Maison-Blanche, renforça sa position de premier distributeur de whisky écossais en Amérique, qui était une des principales sources de son fabuleux enrichissement.

« Sachez qu'à mes yeux, avait écrit Joseph à Jimmy et à sa femme quelques mois plus tôt, vous êtes un jeune couple qui lutte pour se faire une place au soleil, et que je me considère comme votre beau-père. »

« Je ne saurais vous dire combien j'apprécie ce que vous avez fait pour moi, lui déclara un jour Jimmy. De toute façon, les mots expriment si peu de chose que j'espère qu'un jour mes actions vous feront comprendre que je vous serai toujours reconnaissant. »

Ce soir-là, justement, Joseph avait l'intention de mettre à l'épreuve la parole de Jimmy. Il attendit que celui-ci se soit servi un autre verre, puis aiguilla la conversation sur le sujet qui lui tenait à cœur — la récompense qu'il souhaitait obtenir pour ses généreuses contributions de campagne et ses services politiques rendus au président.

Un certain nombre de riches businessmen, ayant contribué aux victoires électorales de Roosevelt en 1932 et 1936, avaient légitimement revendiqué un poste dans l'équipe du New Deal. Mais Joseph Kennedy, qui avait une très haute idée de son importance, aspirait à être récompensé par le poste le plus convoité du cabinet de Roosevelt, celui de secrétaire au Trésor. A partir de ce prestigieux perchoir, il nourrissait l'espoir secret de tirer les ficelles du vrai pouvoir, à l'ombre du trône de la Maison-Blanche.

La mégalomanie de Joseph fut peut-être le moteur de son ambition, mais elle le poussa aussi à commettre des actes stupides — et parfois autodestructeurs. Envers et contre tout, il s'obstina à croire que Franklin Roosevelt, à l'instar de son fils Jimmy, était un homme faible et limité sur le plan intellectuel. Et, dans ses conversations avec ses amis, il ne se donnait pas la peine de cacher son mépris pour le président.

« Je trouvais Kennedy très direct dans sa façon de dire qu'il sentait l'immaturité, les hésitations et la faiblesse de caractère de Roosevelt », raconte Frank Howard, héritier de la puissante chaîne de journaux Scripps-Howard. Selon lui, Kennedy s'imaginait « capable de pousser très loin sa capacité à modeler les processus de pensée de Roosevelt et à influencer sa politique d'une manière bénéfique pour lui ».

Dans le monde des affaires, Joseph avait amplement démontré sa capacité à utiliser les appétits et les faiblesses des autres à son avantage — par exemple avec Jimmy Roosevelt. Mais dans celui de la politique, autrement complexe, où les hommes maniaient le pouvoir de façon souvent biaisée et à des fins obscures, il manquait d'imagination.

Par exemple, jamais l'idée ne l'effleura que le président Franklin Roosevelt se servait de lui plutôt que le contraire. Comme l'écrit l'historien Michael Beschloss : « Il y avait quelque chose chez Roosevelt — cette aptitude à pousser les gens à baisser leur garde et à surestimer l'importance qu'ils avaient à ses yeux — qui tromperait Joseph Kennedy encore et encore. »

Quand le président nomma quelqu'un d'autre au Trésor, Joseph tomba de haut. « Je lui ai dit [à Roosevelt] que je ne désirais pas de poste au sein du gouvernement à moins qu'il ne représente vraiment quelque chose de prestigieux pour ma famille », écrivit-il à Joseph Jr., son fils aîné.

En fin de compte, Joseph dut se contenter de ce qu'il pouvait obtenir de Roosevelt : il fut nommé président fondateur de la Securities and Exchange Commission, et, plus tard, patron de la Commission maritime fédérale. Mais ni l'un ni l'autre de ces fauteuils ne satisfit sa soif inextinguible de statut et de prestige.

Michael Beschloss raconte la scène qui s'ensuivit dans *Kennedy and Roosevelt*, son ouvrage de référence :

« J'aimerais être nommé ambassadeur en Angleterre », lâcha Joseph en se tournant vers Jimmy Roosevelt.

Jimmy resta sans voix. Il considérait Joseph comme un « vieux bourru », pas du tout le genre de personnage à évoluer gracieusement dans les palais d'une Angleterre férue de classe et de noblesse.

« Allons donc, Joe, fit Jimmy. Vous ne pouvez pas avoir envie de ça. »

Kennedy le fixa au fond des yeux.

« Si. J'ai bien réfléchi, et l'idée de devenir le premier Irlandais à être nommé ambassadeur des Etats-Unis à la cour de Saint James m'excite beaucoup. »

Joseph avait des vues sur Londres depuis que Robert Worth Bingham, ambassadeur de l'époque et propriétaire du *Louisville Courier-Journal*, était tombé malade de la malaria. Ce fauteuil d'ambassadeur était considéré comme la plus importante mission diplomatique au monde et, ce qui n'était pas une coïncidence, le seul poste gouvernemental, à l'exception bien sûr de la présidence, capable d'impressionner la catégorie sociale que Joseph enviait par-dessus tout : l'élite protestante.

Pas moins de cinq ambassadeurs américains à la cour de Saint James — John Adams, James Monroe, John Quincy Adams, Martin Van Buren, et James Buchanan — avaient ensuite accédé à la présidence des Etats-Unis. Le vœu le plus fervent de Joseph était de devenir le sixième représentant de cette illustre lignée.

Joseph Kennedy avait besoin de pouvoir et de prestige comme d'autres ont besoin d'alcool ou de drogue. Heureusement pour lui, il vécut à un moment de l'histoire américaine qui récompensait les tricheurs pétris d'ambition et de talent. Il fit connaître son nom d'un bout à l'autre du continent — de Wall Street à Hollywood, en passant par Washington. Des succès aussi impressionnants auraient dû lui apporter de profondes satisfactions. Et pourtant, jamais il ne les trouva suffisants.

La raison n'est pas difficile à trouver. Plusieurs siècles de violents préjugés à l'encontre des catholiques irlandais — d'abord en Irlande, puis aux Etats-Unis — avaient sérieusement entaché le sentiment identitaire des Kennedy. Joseph jugeait par moments les Irlandais plus intelligents, plus endurcis, plus valeureux que toute autre ethnie. L'instant suivant, il avait l'impression que le sang qui gorgeait ses veines faisait de lui un paria condamné au mépris.

Enfant, ses parents lui enseignèrent que le monde de l'élite protestante était un milieu hostile pour les Irlandais comme eux. Ceci engendra chez lui une attitude paranoïaque par rapport au monde extérieur en général qui devait s'enraciner profondément dans la mythologie familiale des Kennedy. La vie hors du foyer était dépeinte comme un combat brutal et sans limite, où les règles de la morale ne s'appliquaient pas, et où la fin justifiait toujours les moyens. Hélas pour Joseph et pour les futures générations de Kennedy, on omit de leur enseigner une leçon plus importante encore — à savoir que ceux qui enfreignent les règles sont tôt ou tard brisés par elles.

Le mépris, que le père de Joseph, P.J. Kennedy vouait à ses compatriotes irlandais, fut transmis à Joseph par un certain nombre d'attitudes non verbales. L'une d'elles était sa façon d'envisager l'alcool, le fléau traditionnel des Irlandais. L'alcool devait être vendu, rarement consommé. Quand on demandait à P.J. de porter un toast pour célébrer quelque événement, il remplissait son verre de bière, non de whisky. Et quand Joseph entra à Harvard, son père lui conseilla fortement de rester sobre et de garder le contrôle de ses émotions s'il voulait battre les représentants de l'élite protestante à leur propre jeu.

En tant que père, P.J. fut excessivement exigeant. Mais la mère de Joseph, Mary Augusta, exerça une influence plus profonde sur la vie de son fils. Avide de reconnaissance sociale et arriviste effrénée, elle s'efforçait de cacher ses humbles origines et exagérait l'importance de ses ancêtres Hickey. A la naissance de Joseph, P.J. ayant déclaré à sa femme qu'il tenait à ce que son fils porte le même nom que lui, Mary Augusta inversa l'ordre des prénoms. Elle avoua à des amis que Joseph Patrick faisait « moins irlandais » que Patrick Joseph.

La mère de Joseph avait tendance à distiller son affection au gré des succès de son fils. Obsédée par « [s]on Joe », elle l'interrogeait sur la vie à l'université, en l'encourageant à se faire des amis mieux placés que lui sur l'échelle sociale. « N'oublie jamais, répétait-elle à son fils, que c'est sur tes amis que tu seras jugé. »

Aux yeux de Mary Augusta, le monde politique était marqué par la souillure irlandaise. Il en allait tout autrement des affaires. Après avoir obtenu un emploi pour Joseph dans un magasin d'articles de mode (il s'agissait de livrer des chapeaux au domicile de dames élégantes), la mère conseilla à son fils blond aux yeux bleus de cacher ses origines irlandaises. « Si on te demande ton prénom, disait-elle, réponds Joseph. »

« Inconsciemment, écrit Nancy Gager Clinch dans *The Kennedy Neurosis*, tout névrosé s'interroge sur ce qu'il est vraiment. "Suis-je un fier surhomme — ou suis-je une créature soumise, coupable, et méprisable ?" [...] Ce type d'homme n'a guère de foi dans la nature humaine car il manque de vraie foi en lui. Le névrosé, qui envisage la vie comme une terrible menace, doit bâtir des défenses assez fortes pour résister au désastre. Cela semble être la base psychologique de l'énergie fantastique que [Joseph] Kennedy déploya pour réaliser ses ambitions. Ces ambitions, par essence, devaient égaler ses peurs. C'est le noyau de l'autocélébration. »

Son passage à Harvard convainquit Joseph que, quels que fussent ses efforts, il ne parviendrait jamais à gravir les échelons des institutions de l'élite protestante. Les prestigieux clubs privés de Harvard lui restèrent fermés (il rêvait d'entrer au Porcellian, le plus exclusif d'entre eux), bien que, suivant les conseils de sa mère, il se fût lié d'amitié avec des camarades de classe qui, grâce à leur origine sociale, étaient sûrs d'y être admis.

« Joseph collait aux basques des personnes qui comptaient, sans gloire ni scrupules, a confié un de ses anciens camarades de classe à Peter Collier et à David Horowitz. Il tâchait de récupérer quelques miettes de gloire indirecte en se choisissant des camarades de chambrée qui étaient champions de football ou autre. »

Joseph réussit à inscrire son nom au palmarès de l'équipe universitaire de base-ball pendant sa dernière année à Harvard en jouant le dernier tour de batte du match annuel contre Yale. Pour être sûr que Joseph entrerait en jeu, son père avait graissé la patte du capitaine de l'équipe, qui avait besoin du soutien de P.J. pour ouvrir une salle de cinématographe. Après que Joseph eut rattrapé une chandelle à la toute fin du match, il bafoua la tradition en refusant de remettre la balle de la victoire à son capitaine.

« Dans les années suivantes, écrit Richard Whalen, un de ses biographes, Kennedy devait adopter envers Harvard une attitude que ses anciens amis et camarades de classe perçurent, non sans tristesse, comme de la haine. »

Afin d'entrer par la grande porte dans les affaires, Joseph choisit soigneusement son terrain de jeu. Fraîchement diplômé de Harvard, il se fit élire patron de la Columbia Trust Company, et s'empressa de faire paraître un communiqué annonçant qu'à vingt-cinq ans, il devenait ainsi le plus jeune président de banque du pays. Il omit évidemment de préciser que P.J. Kennedy et ses amis étaient propriétaires de la banque en question.

Au cours des quinze années suivantes, en utilisant des moyens à la fois propres et moins propres, Joseph amassa une fortune colossale en négociant des titres boursiers à la hausse et en produisant des films à Hollywood. Mais son fabuleux succès matériel ne lui fournit jamais un rempart suffisant contre son sentiment d'échec viscéral.

En 1929, quand *Queen Kelly*, un film produit par ses soins ayant pour vedette sa maîtresse Gloria Swanson fit un flop commercial, Joseph fut pris d'un véritable accès de paranoïa, persuadé que le pays entier se moquait de lui.

Swanson se souvient de l'avoir vu débarquer en trombe dans son bungalow. « Il s'est pris la tête entre les mains, raconte-t-elle dans ses mémoires, et des petits sons aigus se sont échappés de sa carcasse tétanisée, un peu comme ceux d'un animal blessé et pris au piège. Finalement, il a retrouvé l'usage de la parole. Sa voix était calme, posée. Ses premiers mots ont été : "Je n'ai jamais connu l'échec de ma vie." Puis il s'est levé, livide, et s'est mis à tempêter contre les gens qui avaient laissé cette catastrophe survenir. »

En 1937, Joseph Kennedy était devenu un chouchou des médias. Les journaux, en publiant des dizaines d'articles à son sujet, avaient fait de son nom une sorte de marque déposée. Ses amis de la presse, essentiellement Henry Luce de *Time* et Arthur Krock, le puissant chef du bureau de Washington du *New York Times*, avaient même promu Joseph au rang de présidentiable pour succéder à Franklin Roosevelt en 1940, avançant l'hypothèse que le président démocrate ne briguerait pas un troisième mandat.

Ces articles déplurent à Roosevelt, qui n'avait jamais commis l'erreur fatidique de considérer ses rivaux potentiels avec une indifférence bienveillante. Du coup, l'envie lui vint de se débarrasser de Joseph. S'il l'envoyait à Londres, Kennedy jouirait de tous les apparats du pouvoir sans en avoir la substance, étant subordonné au secrétaire d'Etat. Et une fois que Roosevelt aurait payé sa dette envers lui, les critiques de

Joseph, venues de l'autre rive de l'Atlantique, n'auraient pas plus de poids que des cris étouffés.

Aussi, à l'automne 1937, Roosevelt appela-t-il son fils Jimmy pour lui annoncer qu'il avait réfléchi à la requête de Joseph. Selon les termes de Jimmy, Roosevelt était « amusé à l'idée de tirer un petit peu le lion par la queue, pour ainsi dire. Il voulait lui parler. »

Quelques jours plus tard, en entrant dans le bureau Ovale, accompagné de Jimmy, Joseph trouva le président assis sur son fauteuil roulant, derrière sa table de travail. Cette scène amusante a été décrite dans un livre de James Roosevelt, *My Parents.*

« Joe, lança le président, pourriez-vous reculer un peu, en vous mettant à côté de la cheminée, par exemple, afin que je puisse bien vous regarder ? »

Légèrement déstabilisé, Joseph s'exécuta.

« Joe, pourriez-vous baisser votre pantalon ? » demanda malicieusement Roosevelt.

Kennedy, incrédule, demanda au président s'il avait bien entendu.

« Tout à fait », confirma Roosevelt.

Joseph détacha ses bretelles, baissa son pantalon et attendit en caleçon, l'air « stupide et embarrassé », selon l'expression de Jimmy.

Roosevelt l'examina froidement, de pied en cap.

« Quelqu'un qui vous a vu en maillot de bain m'a dit un jour quelque chose que je peux aujourd'hui confirmer, finit-il par dire. Regardez-moi ces jambes, Joe. Vous avez les jambes les plus arquées que j'aie jamais vues. Ne savez-vous pas qu'un ambassadeur à la cour de Saint James doit en passer par une cérémonie d'intronisation lors de laquelle il porte une culotte et des bas de soie ? De quoi auriez-vous l'air ? Quand les photos de notre nouvel ambassadeur seront publiées, nous serons la risée du monde entier. Non, vous n'êtes vraiment pas fait pour ce poste, Joe. »

Joseph avait beau être connu pour son sens du sarcasme, il n'avait aucun humour quand il s'agissait de lui-même. Il dévisagea le président Roosevelt avec une gravité d'écolier.

111

« Monsieur le président, si j'obtiens la permission du gouvernement de Sa Majesté de porter un habit à la cérémonie, serez-vous d'accord pour me nommer ? »

Roosevelt décida de jouer le jeu.

« Ma foi, Joe, vous savez comment sont les Britanniques sur les questions d'étiquette. Vous n'avez aucune chance d'obtenir cette permission, et je vais devoir nommer très vite un nouvel ambassadeur.

— Vous m'accordez deux semaines ?

— Entendu », fit laconiquement Roosevelt.

Deux mois plus tard, après que l'ambassadeur Bingham eut été transféré à l'unité de soins intensifs de l'hôpital universitaire John Hopkins de Baltimore, Joseph Kennedy conseilla à ses deux fils aînés, Joseph Jr. et John, de se préparer à un départ pour Londres. Cependant, l'automne s'écoula sans que la Maison-Blanche ne divulgue la moindre annonce de sa nomination. Au contraire, selon des rumeurs de plus en plus insistantes à Washington, certains des hommes du président étaient opposés à la nomination de Joseph.

Chaque fois que Joseph revenait voir les siens à Bronxville, Rose l'accueillait à la porte avec la même question : « Eh bien, que dit le président ? »

Tout comme sa belle-mère, Rose avait tendance à attiser les flammes de la mégalomanie de Joseph.

« J'avais le sentiment que Joe méritait quelque chose de mieux, un poste essentiel au gouvernement, et je ne me privais pas de le lui dire », raconte-t-elle dans ses mémoires.

Ce que Rose ne disait pas, en revanche, c'est qu'elle regrettait l'époque où *elle-même* avait été l'objet de toutes les attentions à Boston au côté de son père flamboyant, le maire John « Honey Fitz » Fitzgerald. Elle avait épousé un homme qui lui ressemblait par bien des aspects, sauf peut-être le plus essentiel de tous : Joseph ne l'associait pas à sa vie publique.

Hormis pour des voyages épisodiques et somptuaires chez les grands couturiers de Paris, Joseph lui donnait assez peu d'occasions de sortir de chez elle. Elle avait passé l'intégralité de sa vie de femme mariée à mettre au monde, puis à élever ses neuf enfants : son premier fils, Joseph Jr., était né neuf mois et deux semaines après leur mariage, et Ted, le plus jeune, n'avait encore que cinq ans. Rose était persuadée que le poste d'ambassadeur en Grande-Bretagne lui donnerait enfin une chance d'être indispensable à son mari sur la scène publique.

Avec son aplomb naturel, son éducation à l'européenne, et sa maîtrise des langues, Rose semblait naturellement prédestinée à la vie diplomatique, même si son mari, effronté et impulsif, l'était beaucoup moins. «Joseph ne parlait aucune langue étrangère, et il n'avait ni "oreille" ni facilité naturelle pour les langues, écrit-elle. Ses possibilités se limitaient donc à cette seule ambassade.»

L'ambassade en question se trouvait fort commodément être le vaisseau amiral des charges diplomatiques étasuniennes. En tant qu'épouse de l'ambassadeur à Londres, Rose acquerrait une visibilité incomparable aux yeux de la bonne société anglo-américaine. Ce serait elle qui, par exemple, sélectionnerait dorénavant les «débutantes» américaines officiellement présentées chaque année au roi George et à la future reine Elizabeth. «Ce pouvoir, selon Laurence Leamer, [ferait d'elle] la personnalité féminine la plus importante d'Amérique dans l'esprit d'un certain nombre de dames qui, quelques semaines auparavant, la snobaient encore.»

Le besoin de laver la souillure liée aux origines irlandaises était encore plus fort chez Rose Fitzgerald Kennedy que chez Joseph. Les Kennedy haïssaient les Anglais. Les Fitzgerald aspiraient à leur ressembler.

Certes, lorsque le père de Rose faisait campagne dans les circonscriptions irlandaises de Boston, il chaussait des souliers traditionnels, dansait la gigue et chantait *Sweet Adeline*. Mais en dépit de ces accessoires ostensiblement gaéliques, Honey Fitz était un snob. Son plus grand plaisir consistait à se donner des airs d'aristocrate. Il montait des chevaux de polo, participait à des chasses au renard, fréquentait des têtes couronnées européennes. Il commença par ne pas approuver Joseph

Kennedy en tant que futur gendre, parce que le père de celui-ci correspondait selon lui au stéréotype irlandais du tenancier de saloon.

Ce ne fut que quand Joseph eut été élu président de la Columbia Trust Company que Honey Fitz s'adoucit et accéda au souhait de Rose, qui voulait l'épouser. Le message qu'il transmit à sa fille était clair : pour être acceptée par « les gens qui comptent », elle devait se transformer à leur image.

Et aujourd'hui, en tant qu'épouse, Rose croyait avoir pour mission de transformer aussi Joseph.

C'est ainsi qu'elle en vint à renforcer les pires travers de son mari. Peu de personnes, par exemple, se seraient attendues à ce que le président Roosevelt évince Henry Morgenthau, un secrétaire au Trésor en qui il avait confiance, pour donner sa place à un contributeur de campagne et conseiller épisodique comme Joseph Kennedy. Mais alors que Joseph lui-même commençait à désespérer, Rose lui offrit une explication de ce refus qui reflétait l'étroitesse de sa logique.

« Mme Morgenthau et Eleanor étaient de grandes amies, écrit-elle dans ses mémoires, *Le Temps du souvenir*, et démettre Henry aurait pu causer des frictions non seulement à Duchess County [où les Roosevelt et les Morgenthau possédaient une maison de campagne], mais aussi au sein même du couple Roosevelt. »

L'attitude de Roosevelt conforta le point de vue de Joseph, selon qui l'obtention d'un poste haut placé au gouvernement équivalait à une promotion aux yeux de l'élite protestante. Rose avait un sens aigu des attributs qu'il convenait d'arborer dans les cercles mondains où elle et son mari rêvaient d'évoluer. En focalisant le regard de son mari sur Londres, elle renforça sa conviction que la seule voie politique sûre pour s'extirper de son bourbier politique se trouvait sur l'autre rive de l'Océan.

A travers la vitre recouverte de givre d'une voiture de la Maison-Blanche, Jimmy Roosevelt regardait défiler le paysage hivernal de la campagne du Maryland en se demandant comment il allait pouvoir mener à bien la dernière mission confiée par son père. Le président avait reçu une pluie de protestations de ses conseillers libéraux et de membres du Congrès, tous profondément troublés par les rumeurs selon lesquelles Joseph Kennedy était sur le point d'être nommé ambassadeur des Etats-Unis à Londres. Il fallait réagir. Roosevelt avait choisi cette froide soirée de décembre pour expédier de nouveau son fils à Marwood, cette fois dans le but d'expliquer à Joseph qu'il n'aurait pas le poste.

A son arrivée, le jeune homme trouva Kennedy en train de dîner avec Arthur Krock, du *New York Times*, son plus proche confident et un des visiteurs les plus assidus de Marwood. Ce petit homme rond, qui avait la manie de pourfendre l'air de son cigare tout en parlant, était pour Joseph un laquais encore plus onéreux que Jimmy Roosevelt. Outre les somptueux cadeaux qu'il acceptait (des vacances en Europe tous frais payés, par exemple), Krock touchait vingt-cinq mille dollars par an en espèces pour maintenir le nom de Kennedy en bonne place de ses influents éditoriaux du *New York Times*. L'année passée, il avait ainsi lancé dans les pages du quotidien plusieurs ballons d'essai en faveur de la nomination de Joseph à Londres.

En temps normal, Jimmy aurait apprécié de passer une soirée avec Joseph Kennedy et Arthur Krock. Il était déjà arrivé aux trois amis de se partager des femmes. Mais ce soir-là, il n'aurait pas de temps à consacrer à ce genre de divertissement. Il devait parler seul à seul avec Joseph.

Kennedy l'escorta hors de la salle à manger, puis referma la porte derrière eux. Si Krock ne put entendre leurs propos, les échos de la conversation qui s'ensuivit furent assez explicites. Chaque phrase de Jimmy déclenchait une nouvelle explosion chez Kennedy. Au bout d'une demi-heure, les deux hommes revinrent. Jimmy fit hâtivement ses adieux et repartit comme il était venu. Joseph revint s'asseoir à la table. Son visage était rouge, ses yeux gris-bleu lançaient des éclairs.

« Vous savez ce que Jimmy vient de suggérer ? lança-t-il à Krock. Qu'au lieu d'aller à Londres, je devienne secrétaire au Commerce ! Il n'en est pas question ! FDR m'a promis Londres, et j'ai dit à Jimmy de dire à son père que c'est ça, le Trésor, ou rien ! »

Krock tira une bouffée de son cigare et attendit que le pouls de Kennedy ait retrouvé une fréquence à peu près normale. L'homme de presse sentit que le moment était venu pour lui d'entrer en action et de prouver qu'il méritait ses émoluments secrets.

En date du 8 décembre, Arthur Krock fit paraître à la une du *New York Times* un article annonçant que le gouvernement de Roosevelt avait décidé de faire de Joseph Kennedy le prochain ambassadeur des Etats-Unis à Londres. Afin de masquer le fait que sa source n'était autre que Joseph lui-même, *The New York Times* déclara notamment que « sa nomination à la cour de Saint James, le poste numéro un de notre diplomatie, sera une complète surprise » pour Joseph Kennedy.

En lisant l'article, le président sauta au plafond. Il convoqua une conférence de presse le 21 décembre et déclara de manière non officielle aux journalistes qu'il était « très, très peiné de voir sortir cette nouvelle » dans le *New York Times*, « parce que je doute que cela ait fait du bien à ce bon vieux Bob [l'ambassadeur Robert Bingham] de lire ça ».

Krock, dans une note destinée à ses archives personnelles et non à être publiée, conteste l'interprétation des événements donnée par le président : « A la conférence de presse du 21 décembre, M. Roosevelt, qui cherchait alors à faire porter à la presse la responsabilité de la récession économique, a montré du doigt d'autres prétendus péchés journalistiques et a ajouté qu'il "pens[ait] que cette publication prématurée pourrait avoir précipité la mort de Bingham". [L'ambassadeur avait en effet subi une opération [...] à laquelle il ne survécut pas.] Le président a en outre laissé entendre que la Maison-Blanche n'avait rien à voir avec "cette publication prématurée" ! »

Plus tard dans la même journée, lors d'une réunion avec ses conseillers de la Maison-Blanche, le président se montra d'humeur sombre. Selon Henry Morgenthau, le secrétaire au

Trésor, il qualifia Joseph Kennedy d'« homme très dangereux » et annonça son intention de l'envoyer en Angleterre en lui faisant clairement comprendre que sa mission n'excéderait pas six mois. Il ajouta qu'en lui confiant cette charge diplomatique, il estimait s'acquitter de toute dette envers lui.

« Monsieur le président, objecta Morgenthau, l'Angleterre est une ambassade de la plus haute importance, et beaucoup de gens là-bas parlent en mauvais termes du New Deal. Ne pensez-vous pas prendre un risque considérable en y envoyant Kennedy, qui tient des propos très libres et très critiques envers votre gouvernement ? »

Ce à quoi Roosevelt répondit sèchement : « J'ai pris mes dispositions pour que Joseph Kennedy soit surveillé heure par heure, et à la première critique qui sort de sa bouche, je le vire. Kennedy est trop dangereux pour que je le laisse ici. »

La presse accueillit avec ravissement la nomination de Joseph. Certains articles louangeurs allèrent jusqu'à le décrire comme un Rockefeller irlando-américain, représentant à lui seul l'aboutissement du rêve américain. Les journaux de Boston dépassèrent toutes les limites. Dans le *Post* et l'*American*, une série d'articles sur la carrière de Joseph présenta une généalogie de la famille sous le titre : LE SANG ROYAL DES KENNEDY EST PLUS ANCIEN QUE CELUI DU ROI.

Honey Fitz fut cité dans *The New York Times*, affirmant que ce fauteuil d'ambassadeur était « le poste le plus important que le gouvernement puisse offrir ». Des dizaines de lettres de félicitations submergèrent les boîtes aux lettres des Kennedy à Bronxville et à Palm Beach. Un vieil ami du père de Joseph écrivit notamment : « Je remercie Dieu de m'avoir laissé vivre assez longtemps pour voir le nom des Kennedy se répandre dans le monde entier comme je le souhaitais. »

Sentant que la thématique de ses origines irlandaises ne tarderait pas à s'épuiser, Joseph préféra anticiper les inévitables questions concernant son manque d'expérience diplomatique.

« Je n'envisagerais pas une telle position si je n'estimais pas avoir une chance de faire un travail réellement utile, écrivit-il à l'éminent banquier bostonien Ralph Lowell. Si j'accepte cette charge, et si je sens que je réussis moins bien que je ne l'escomptais, croyez-moi, je laisserai tomber. »

Seule une voix de Cassandre s'éleva dans ce concert d'éloges : celle de l'éditorialiste isolationniste Boake Carter, un ami de Joseph.

« Vous êtes un homme sincère, Joe. Vous possédez cette foi immense qui anime tant d'Irlandais — la certitude que, quoi qu'ils entreprennent, ils ne pourront pas être battus. Vous êtes un honnête homme. Mais le poste d'ambassadeur à Londres ne requiert pas seulement de l'honnêteté, de la sincérité, de la foi et un courage infini ; il exige aussi des qualités que seules confèrent des années de formation. Et cela, Joe, vous ne le possédez tout simplement pas [...]. Si l'on considère que le bien-être probable de cent trente millions de vies [américaines] pourrait dépendre de la façon dont vous exercerez cette charge, il me semble que vous provoquerez tous les dieux de l'univers en vous présentant à la cour de Saint James. Dans un métier aussi complexe, Joe, il n'y a pas de place pour les amateurs [...]. Car si vous ne vous en rendez pas compte assez tôt, vous risquez d'être blessé comme vous ne l'avez jamais été de votre vie. »

Le S.S. *Manhattan* quitta le port de New York et mit le cap sur Southampton le 23 février 1938, quatre jours après que Joseph eut prêté serment lors d'une cérémonie organisée dans le bureau Ovale de la Maison-Blanche. Joseph traversa le pont promenade lavé par la pluie, en se frayant un chemin parmi les centaines de personnes venues lui souhaiter bon vent, et rejoignit sa cabine, où l'attendaient des photographes pour immortaliser la scène de son départ.

Huit des neuf enfants de Joseph s'étaient déplacés pour lui dire au revoir. Rose était toujours alitée après avoir subi en urgence une opération de l'appendicite, ce que sa progéniture n'apprendrait que peu après par voie de presse.

En mer, Joseph rejoignit sur le pont Harvey Klemmer, un conseiller rencontré à la Commission maritime. Klemmer lui avait déjà fait part à plusieurs reprises de son inquiétude concernant la guerre qui semblait se profiler en Europe. Mais rien n'aurait pu venir à bout de l'enthousiasme de Joseph Kennedy, qui finit par s'exclamer :

« Bon Dieu, Harvey, laissez tomber cette histoire de guerre ! Vous êtes tellement pessimiste ! »

L'après-midi du 5 mai 1938, l'ambassadeur Joseph P. Kennedy et son épouse émergèrent d'une auto de l'ambassade et se dirigèrent vers l'entrée d'un splendide hôtel particulier du XVIIIe siècle, construit dans l'angle nord-est de Saint James Square.

Joseph avait fière allure sous le ciel gris-bleu de Londres. Il arborait l'habit qu'il affectionnait de mettre dans les grandes occasions officielles, un choix qui lui permettait d'affirmer distinctement son identité d'Américain au sein d'une cohorte de diplomates et de ministres en hauts-de-chausse.

Rose, qui en six semaines à peine de frénésie mondaine à Londres avait déjà épuisé sa garde-robe parisienne, portait une robe anglaise créée pour elle par le capitaine Edward Molyneux, le couturier le plus en vue de la ville.

L'hôtel particulier du 4 Saint James Square appartenait à lady Nancy et lord Waldorf Astor, le couple mondain le plus prestigieux de Londres. Les seuls rivales de lady Astor, lady Cunard et lady Colefax, avaient subi un revers terrible deux ans plus tôt, quand la figure de proue de leurs salons, le roi Edouard VIII, avait renoncé au trône britannique pour épouser Wallis Warfield Simpson, une Américaine divorcée. Le triomphe des Astor sur les Cunard et les Colefax n'allait pas sans une certaine ironie dans la mesure où, tout comme l'épouse controversée d'Edouard VIII, lady Astor était elle aussi américaine et divorcée.

Cependant, à la différence de Mme Simpson, Nancy Astor, née en Virginie, exerçait une profonde influence en Grande-Bretagne en sa qualité d'animatrice du principal salon politique du pays. Vingt ans plus tôt, succédant à son riche époux, elle était devenue la première femme de tous les temps à entrer à la Chambre des communes. Nancy, un mètre cinquante-cinq, avait des traits aquilins qui accentuaient le bleu perçant de ses yeux, et des manières agressives, autoritaires, qui avaient renforcé sa réputation. Connue pour sa langue acérée, elle avait peu de rivaux capables de lui tenir tête ; Winston Churchill, qui comme elle siégeait au Parlement, était de ceux-là. Ils se détestaient cordialement.

« Combien de doigts un porc a-t-il au pied ? » avait un soir demandé Churchill, en guise de devinette, à ses compagnons de table.

« Otez une de vos chaussures et comptez », lui avait aussitôt lancé Nancy Astor.

Elle avait très vite pris Rose Kennedy sous son aile après l'arrivée de l'épouse de l'ambassadeur, en mars, et exerçait une influence de plus en plus déterminante sur la nouvelle vie de celle-ci. Sur sa suggestion, Rose était devenue présidente honoraire du Club des femmes américaines de Grande-Bretagne. Les Kennedy étaient d'ores et déjà des hôtes réguliers de Cliveden, l'imposant manoir de quarante-six pièces que possédaient les Astor dans le Buckinghamshire, où Nancy régnait sur une ruche constamment renouvelée de diplomates chevronnés, de professeurs d'Oxford, de journalistes et de personnages de la haute société.

La maîtresse de Cliveden, qui n'hésitait pas à mâcher du chewing-gum tout en arborant une tiare de diamants à 75 000 dollars, était éblouissante de vitalité, de verve et d'esprit. Rose, inhibée et bigote, se laissa fasciner.

« Nancy Astor possède la plus incroyable énergie que j'aie jamais vue, écrit-elle dans ses mémoires. Elle va à l'Eglise scientiste, offre un énorme déjeuner de vingt-huit ou trente couverts, repart ensuite faire dix-huit trous au golf [...]. Elle amuse tout le monde, partout, peut parler de tout et de n'importe quoi avec une grande intelligence, beaucoup de goût et un sens de l'humour inépuisable. Elle est très douée pour les grimaces ; lorsqu'elle met un dentier et transforme son expression faciale, c'est extraordinaire. »

Mais si la fréquentation des Astor était agréable, elle n'allait pas sans risque pour l'ambassadeur américain. Vers la fin des années 1930, le salon de Cliveden avait donné naissance à un groupement d'intellectuels issus d'Oxford, qui partageaient une foi commune en la destinée de la civilisation anglo-saxonne, méprisaient les imbroglios européens, et surtout rejetaient l'idée d'une intervention militaire pour soumettre l'Allemagne nazie. Parmi la fine fleur des membres du salon de Cliveden, on comptait même un certain nombre de sympathisants du nazisme. Pour cette raison, la réputation des Astor était en train de s'effriter.

Six mois auparavant, le journaliste de gauche Claud Cockburn avait mis les pieds dans le plat en décrivant le « groupe de Cliveden » comme un « cabinet de l'ombre » ayant subtilement organisé la politique d'apaisement du gouvernement britannique vis-à-vis de Hitler. L'appellation de « groupe de Cliveden » fut reprise en écho, surtout après l'annexion de l'Autriche par Hitler, quelques jours à peine après l'arrivée des Kennedy en Angleterre. Pour tous ceux qui avaient un sens aiguisé de la géopolitique — une catégorie à laquelle n'appartenait certainement pas Joseph Kennedy —, le groupe de Cliveden serait forcément, un jour ou l'autre, accusé de trahison ; ce n'était plus qu'une question de temps.

Les Kennedy passèrent le portail et gravirent les marches du perron au milieu de la horde de photographes qui avaient l'habitude de camper à la porte des Astor. Joseph et Rose prirent place dans la plus petite des deux salles à manger lambrissées, avec un petit comité de convives incluant notamment le dramaturge d'origine irlandaise George Bernard Shaw, récompensé par le prix Nobel de littérature deux ans plus tôt ; William Bullitt, le jovial ambassadeur des Etats-Unis en France ; et Charles et Anne Morrow Lindbergh, qui avaient choisi de s'exiler en Angleterre après le retentissant enlèvement suivi de meurtre de leur fils de trente mois.

Même en si prestigieuse compagnie, les Kennedy attiraient une attention considérable, et la conversation ne tarda pas à se porter sur le premier acte officiel de Joseph en tant qu'ambassadeur. Rose avait en effet persuadé son mari d'abolir la tradition qui voulait qu'un certain nombre de jeunes et riches Américaines de la haute société, les « débutantes », soient solennellement présentées chaque année à la cour de Saint James. Il venait d'être décidé qu'à la prochaine cérémonie, prévue la semaine suivante, seules les jeunes filles liées au personnel diplomatique et gouvernemental américain seraient présentées au couple royal — une réforme qui avait provoqué un tollé chez les riches Américains, mais valu à Joseph d'être applaudi à la fois par l'opinion anglaise et par la majorité de ses compatriotes.

L'événement fit les choux gras de ceux qui se rendirent compte que les filles de Joseph disposeraient à présent d'un statut incomparable du fait de leur participation au premier événement mondain majeur de la saison. « Cet impeccable bricolage que vous nous avez concocté [...] pour botter les petites fesses tendres et drapées de soie de nos jeunes et jolies débutantes américaines à la langue pendante a certainement déclenché la sonnette d'alarme, écrivit à Joseph le journaliste Frank Kent. C'est le petit morceau de démagogie démocratique le plus subtil et le plus délicieux qui ait jamais été produit. »

Lady Astor, qui, fidèle à son habitude, avait rapproché les couverts jusqu'à la limite de l'inconfort pour encourager une conversation aussi animée et intime que possible, se pencha vers George Bernard Shaw et lui demanda s'il approuvait la décision de Joseph. La réponse du dramaturge serait reprise en écho dans la presse londonienne.

« Certes non. Je ne vois pas pourquoi la cour ne recevrait que de la racaille *sélectionnée*. »

Joseph n'avait jamais rencontré Charles Lindbergh, mais quelques minutes suffirent aux deux hommes pour se lier d'amitié. Lindbergh, qui revenait d'une tournée en Allemagne effectuée sur invitation personnelle de Hitler, était arrivé à la conclusion que la *Luftwaffe* était l'aviation la plus puissante du monde. Il avait par ailleurs déclaré publiquement que le führer était « un grand homme », qui avait « beaucoup fait pour le peuple allemand ». Pour l'en remercier, Hitler le décorerait de la croix de l'aigle avec étoile — la plus haute distinction attribuable par les nazis à un *Ausländer*, c'est-à-dire un « étranger ».

Joseph partageait l'opinion de Lindbergh sur le führer et sur les maigres chances qu'avait la Grande-Bretagne de vaincre l'Allemagne en cas de conflit. Au cours du déjeuner, il fut ravi d'apprendre que Lindbergh avait prêté une oreille attentive à plusieurs discours isolationnistes qu'il avait déjà prononcés à Londres.

« Kennedy m'a grandement intéressé, écrivit Lindbergh sur ce déjeuner. Ce n'est pas le profil habituel du politicien ou du diplomate. Sa vision de la situation européenne paraît intelligente et intéressante. J'espère le revoir. »

Cinq jours plus tard, Joseph fit parvenir à Nancy Astor un extrait du « Washington Merry-Go-Round », une célèbre chronique de potins politiques signée Drew Pearson et Robert Allen. L'entrefilet en question disait notamment : « Le dernier Américain à avoir été courtisé par le groupe de Clivedon [sic] n'est autre que le charmant Joseph Kennedy, notre nouvel ambassadeur en Grande-Bretagne. Il paraît que Joseph a été séduit en un clin d'œil par les charmes de Clivedon, non pas à cause des théories nazi-fascistes qui y circulent, mais à cause des possibilités de coopération avec les Tories[1] de Grande-Bretagne. »

En réponse, Joseph s'empressa d'envoyer à Pearson le câble suivant : « Je sais que Bob et vous ne chercheriez pas à m'attaquer sans raison précise. Votre article sur le groupe de Cliveden est totalement bidon. Il n'y a pas un mot de vrai là-dedans, et il m'a fait beaucoup de mal. »

Le petit mot joint par Joseph à la coupure de presse adressée à lady Astor comportait cependant une touche de gaieté : « Vous voyez quelle femme redoutable vous êtes, et à quel point un pauvre petit bougre comme moi peut se laisser politiquement séduire. *O weh ist mir !*[2] »

---

1. Le Parti conservateur britannique. (*NdT*)
2. « Pauvre de moi ! » en allemand. (*NdT*)

En tant qu'ambassadeur, Joseph avait été affecté par les allusions de Roosevelt au fait qu'il ne resterait pas longtemps en poste à Londres. Et pourtant, bien qu'ayant confié à son fils aîné que ses nouvelles fonctions l'épuisaient, il vivait avec l'Angleterre une lune de miel qui semblait devoir se prolonger indéfiniment.

Certains Britanniques se gaussaient de ce rugueux amateur américain, qui avait sur-le-champ intégré le juron « *bloody* » à son vocabulaire déjà passablement scatologique, mettait les pieds sur la table pendant ses conférences de presse, qualifiait la reine de « chouette nana » et avait osé bafouer le protocole, le soir de ses débuts au palais de Windsor, en approchant lui-même la reine pour l'inviter à danser, au lieu d'attendre qu'un valet de pied vienne le trouver.

Mais d'autres étaient sous le charme de ce stéréotype vivant de l'Américain à l'étranger. Lord Halifax, le patron du Foreign Office, le trouvait « tellement représentatif de l'Amérique moderne ». La presse britannique se délectait de ses moindres faits et gestes. Quelques jours après son arrivée, lors d'une partie de golf, Joseph réussit un trou en un seul coup. Son instinct quasi surnaturel dès lors qu'il s'agissait de parler aux journalistes ne lui fit pas défaut quand on lui demanda un commentaire :

« Mieux vaut être le père de neuf enfants et réussir un trou en un seul coup, déclara-t-il à brûle-pourpoint, que d'être le père d'un seul enfant et de réussir un trou en neuf coups. »

Les enfants Kennedy arrivèrent à Londres par vagues successives et archi-médiatisées, et les journaux se firent l'écho des moindres détails de la tornade qui s'empara du 14 Prince's Gate, la résidence officielle de l'ambassadeur, en bordure du parc de Kensington. De bruyantes parties de football américain et de base-ball furent improvisées dans le jardin. On racontait par ailleurs que le petit Ted avait pris les commandes de l'ascenseur et s'amusait à transporter les domestiques d'étage en étage pour jouer au « grand magasin ».

Joseph enfreignit une fois de plus les conventions en autorisant que ses enfants soient photographiés sans poser dans toutes sortes de situations, allant jusqu'à exhiber « Kick », c'est-à-dire Kathleen, en train de retoucher la robe de ses débuts du 11 mai devant la reine. Kick, pour qui lady Astor éprouvait une affection particulière, surclassait d'ailleurs son père par l'effervescence tourbillonnante de sa vie mondaine.

Ce fut comme si une tornade s'était abattue sur la noblesse britannique. « Alors, beau gosse, à quoi tu joues ? » lança-t-elle par exemple à un jeune comte dont les cavalières habituelles avaient une conversation limitée aux bégonias et à la généalogie. Le duc de Marlborough, personnage notoirement rébarbatif, se laissa charmer par l'audace insouciante de Kick et apprécia beaucoup le sobriquet dont elle le gratifia : « Dukie Wookie ».

Le président Roosevelt, qui suivait de Washington la couverture de presse britannique de son ambassadeur, fut ravi du succès qu'obtint Joseph à ses débuts grâce à son originalité débordante. « Dès que vous sentirez que l'accent britannique commence à vous remonter jusqu'au niveau des genoux, sautez dans le premier paquebot en partance pour l'Amérique et offrez-vous deux semaines de congé », déclara-t-il un jour en plaisantant à Joseph.

Mais au fil du temps, Roosevelt en vint à considérer les activités officielles de son ambassadeur avec une inquiétude grandissante. Il s'était attendu à ce que Kennedy se contente de savourer la vie mondaine de Londres et d'utiliser sa position pour développer ses intérêts commerciaux. Et en effet, Joseph entreprit sur-le-champ de s'enrichir en donnant l'ordre à son conseiller, Harvey Klemmer, de s'arranger pour trouver de la place pour les milliers de caisses de whisky de sa société, Somerset Importers, dans les cales des rares cargos desservant les Etats-Unis. Mais ce que Roosevelt n'avait pas prévu, c'était que Joseph lancerait aussi une croisade personnelle contre l'intervention américaine en cas de guerre contre l'Allemagne.

L'*Anschluss* (la brutale annexion de l'Autriche par Hitler en 1938) n'altéra nullement le point de vue de celui-ci. « La

125

marche des événements en Autriche a rendu mes premiers jours ici plus excitants qu'ils ne l'auraient été autrement, écrivit-il non sans complaisance à Arthur Krock le 21 mars. Cela dit, je reste incapable de voir en quoi les événements d'Europe centrale pourraient affecter notre pays ou mon boulot. »

Il balaya d'un revers de main les réactions horrifiées de son équipe en les qualifiant de « semi-hystériques ». Les diplomates de l'antenne américaine du Foreign Office britannique, qui eurent tôt fait de détester, et même de craindre Joseph, créèrent un dossier secret le concernant, intitulé « Kennediana ».

« Les registres du Foreign Office abondaient en comptes rendus confidentiels des actes et des déclarations du représentant des Etats-Unis, explique l'historien Michael Beschloss. Comme l'a remarqué un diplomate, il s'agissait de ragots — "mais de ragots contenant sans doute plus d'une graine de vérité". Parfois cruels, parfois excessifs, ces notes griffonnées sur papier ministre reflétaient un antagonisme croissant [...]. "L'ambition véritable de Kennedy est la Maison-Blanche, observait par exemple un officier de renseignement britannique, et il a de fortes chances de la réaliser." »

Joseph prit l'initiative de s'imposer comme une sorte de superambassadeur pour la Grande-Bretagne et le continent. Il publia une série de déclarations de plus en plus isolationnistes qui n'étaient pas en syntonie avec la politique de Roosevelt. L'économie était pour lui le cœur de tous les problèmes. Et tout ce qui menaçait la solidité de l'économie internationale, en particulier la guerre, affaiblirait l'Amérique et mettrait en péril son aisance financière personnelle.

Comme beaucoup de nouveaux riches, Joseph vivait dans la peur constante d'un cataclysme capable d'effacer tout ce pour quoi il avait si durement lutté. Mais les considérations économiques ne constituaient qu'une partie de son raisonnement. Il avait aussi des motivations moins avouables. L'amour qu'il avait toute sa vie voué au pouvoir le menait à admirer un homme comme Hitler en ce qu'il incarnait les théories de Friedrich Nietzsche, le grand philosophe allemand de la fin du

XIXe siècle. Officiellement catholique, Joseph rejetait à titre personnel la « moralité d'esclave » du christianisme et glorifiait l'*Übermensch* — ou surhomme — nietzschéen. Seule une mégalomanie monumentale — et un engouement narcissique pour le pouvoir — peut expliquer qu'un homme comme Joseph, par ailleurs brillant et doté d'une compréhension aiguë de la nature humaine, ait pu être à ce point aveugle à l'idéologie perverse de l'Allemagne nazie.

« Personne ne savait à l'époque que Hitler était un fou criminel, qu'il ne respectait aucune autre norme humaine que celles fixées par son esprit dément, et que ses promesses ne valaient rien à ses yeux », écrirait plus tard Rose pour la défense de son mari.

Il est facile de démontrer le caractère fallacieux de cet argument. Joseph avait choisi d'ignorer les preuves qui affluaient à Londres d'une persécution de plus en plus violente contre les juifs et autres minorités méprisées en Allemagne. Quand son conseiller, Harvey Klemmer, revint d'un voyage en territoire nazi, il fit à Joseph un récit personnel de la façon dont les troupes de choc nazies molestaient les juifs dans la rue, saccageaient leurs commerces, et répandaient le meurtre et le chaos dans leurs quartiers.

« Bah, ils [les juifs] l'ont bien cherché », répondit Joseph.

Il fit de nouveau étalage de cette triste position lors d'une réunion avec Herbert von Dirksen, l'ambassadeur allemand à Londres, en juin de la même année. Von Dirksen signala à ses supérieurs de Berlin que Joseph lui avait dit que le programme nazi de débarrasser l'Allemagne de ses juifs ne posait pas autant de problème que « le fort tapage dont nous accompagnons cet objectif : il vient de Boston, et là-bas, il connaît un club de golf, parmi un certain nombre d'autres clubs, où aucun juif n'a été admis depuis des années ». Toujours selon Von Dirksen, Joseph avait poursuivi en louant Hitler et affirmé que « le sentiment anti-allemand n'est pas très répandu aux Etats-Unis, à part sur la côte est, où vivent la plupart des trois millions cinq cent mille juifs américains ».

127

Joseph n'avait que mépris pour les juifs impuissants de l'Allemagne hitlérienne, qui se laissaient malmener de la sorte. La hantise de sa propre faiblesse le rendait incapable de juger Hitler d'un point de vue moral. Effrayé par les sinistres considérations de Lindbergh sur la supériorité des armements nazis et par les mouvements de plus en plus agressifs de Hitler en Europe, Joseph ne faisait pas confiance aux systèmes démocratiques américain et britannique pour mettre en place une défense efficace.

Selon Jimmy Roosevelt, « il craignait que le fascisme ne déferle sur le monde et pensait que nous devions nous y préparer ».

La perspective d'une guerre fournissait une puissante caisse de résonance aux angoisses les plus profondes de Joseph, et la paranoïa qui l'avait déjà saisi pendant la Grande Dépression l'incita cette fois à respecter et à redouter la montée en puissance militaire des nazis. Du coup, le ton de ses échanges avec Roosevelt devint de plus en plus tendu, et il alarma notamment le président en affirmant que l'Amérique, affaiblie par la Dépression et l'agitation sociale, « allait devoir en passer par une forme de fascisme ».

A l'été 1938, Joseph était convaincu que la seule façon d'éviter un conflit généralisé en Europe était un effort conjoint de Washington et de Londres pour conclure un pacte économique avec l'Allemagne. Et le moyen le plus sûr d'y arriver, conclut Joseph, était que lui-même soit élu président des Etats-Unis en 1940.

Ainsi commença-t-il à joindre à ses envois réguliers de courrier diplomatique à Roosevelt et au secrétaire d'Etat, Hull, des lettres personnelles, adressées à un vaste éventail de politiciens et d'hommes de presse américains, et truffées d'attaques contre la politique jugée trop nuancée de Roosevelt en Europe. La plupart de ces lettres faisaient allusion à son projet de mener un nouveau gouvernement pleinement engagé sur la voie de l'isolationnisme. Séduits, certains des correspondants de Joseph décidèrent de lancer le débat sur la place publique.

« L'ambassadeur Kennedy ferait un candidat [présidentiel] de première force, écrivit notamment le magnat William Randolph Hearst. Peut-être ne veut-il pas envisager cette éventualité, mais d'autres y pensent sérieusement — et s'il pouvait sortir notre pays du désordre, il n'aurait pas le droit de refuser. »

Bien entendu, Joseph avait lui-même organisé ce battage en s'appuyant sur des hérauts de confiance, notamment Arthur Krock, du *New York Times*. En mai 1938, le magazine *Liberty* fit paraître un article intitulé : KENNEDY SE PRÉSENTERA-T-IL À LA PRÉSIDENTIELLE ? Nombre de journaux se hâtèrent de lui emboîter le pas.

Roosevelt, qui briguait à présent un troisième mandat, fait sans précédent dans l'histoire politique américaine, finit par perdre patience. Il ne pouvait pas rappeler Joseph à Washington, car son retour aux Etats-Unis n'aurait fait qu'augmenter son pouvoir de nuisance. Mais le président, qui était encore plus fort que Kennedy dans l'art de manier les médias, convoqua son secrétaire de presse, Stephen Early, et lui ordonna de téléphoner à Walter Trohan, du *Chicago Tribune*.

« Etes-vous un ami de Joseph Kennedy ? demanda Early à Trohan, un conservateur auquel Joseph confiait régulièrement ses critiques vis-à-vis de l'entourage libéral de Roosevelt.

— Oui, répondit le journaliste.

— Vous savez que Joseph brigue la présidence.

— Oui. Et il a à peu près autant de chances que moi.

— Vous lui taperiez sur les doigts si c'était justifié ?

— Chaque fois que je peux tailler des croupières à un ancien de la bande du New Deal, je suis aux anges », fit Trohan.

Early lui fit parvenir la collection complète des lettres « personnelles » de Joseph, qui s'étaient toutes frayé un chemin jusqu'à la Maison-Blanche. Et le 23 juin, le *Chicago Tribune* publia en première page un article intitulé : LES AMBITIONS DE KENNEDY POUR 1940 OUVRENT UNE BRÈCHE DANS LE CAMP

ROOSEVELT. Il y était dit que Joseph espérait utiliser son fauteuil d'ambassadeur comme marchepied vers la Maison-Blanche et qu'il orchestrait discrètement sa campagne de l'étranger par l'entremise d'un « éminent correspondant de presse à Washington ». Que les intimes du président considéraient à présent Kennedy comme « l'âme de l'égoïsme ». Et qu'un haut membre du gouvernement (qui n'était autre que Stephen Early) avait déclaré : « Joseph Kennedy n'a jamais rien entrepris sans penser à Joseph Kennedy. »

A la parution de l'article, Joseph prit le premier paquebot pour les Etats-Unis et exigea d'être reçu par le président. En le regardant dans le blanc des yeux, Roosevelt nia avoir joué le moindre rôle dans la fameuse fuite du *Chicago Tribune*.

Ainsi que Joseph devait l'évoquer des années plus tard : « C'est de cette façon qu'il a apaisé mes sentiments, et je suis reparti pour Londres. Mais au fond de moi, je savais bien qu'il s'était passé quelque chose. »

Le soir du 19 octobre 1938, Joseph Kennedy s'avança à pas décidés vers l'estrade d'un club de Londres et rassembla ses notes en vue d'un discours qu'il pensait être le plus important de sa vie. La salle était pleine à craquer d'amiraux enrubannés et d'officiers de haut rang de la Royal Navy, dont beaucoup avaient participé à la Première Guerre mondiale. Grâce à l'invitation de George Ambrose, le président de la Navy League, Joseph allait être le premier ambassadeur américain à prononcer le discours officiel de Trafalgar Day, qui célébrait chaque année la victoire navale historique de l'amiral Nelson sur Napoléon en 1805.

Le discours de Trafalgar Day suscitait toujours l'intérêt de l'opinion, mais les récents développements de l'actualité européenne assuraient par avance à la prestation de Joseph une attention accrue. Tout au long de l'été, les nazis avaient menacé d'envahir le pays des Sudètes, une région montagneuse et frontalière de la Tchécoslovaquie qui comportait une forte population allemande, et l'Europe faisait face à une vague montante d'hystérie guerrière.

130

En Allemagne, le ministre de la propagande de Hitler, Joseph Goebbels, vomissait un flot régulier de diatribes contre les Tchèques : « Cette misérable race de Pygmées incultes opprime un peuple cultivé, et derrière elle se profilent Moscou et le masque éternel du diable juif. » Pour appuyer la rhétorique enflammée de Goebbels, Hitler avait amassé quatre-vingt-seize divisions allemandes à la frontière et donné aux Tchèques jusqu'au 1er octobre pour céder le pays des Sudètes ou subir une invasion.

Joseph redoutait que la France, liée à la Tchécoslovaquie par un traité de défense, n'entraîne la Grande-Bretagne et les Etats-Unis dans la guerre. Il avait d'ores et déjà courroucé Roosevelt en lui présentant un projet de discours qui disait en substance, « je ne vois rien dans tout cela qui puisse justifier de près ou de loin qu'on fasse couler le sang ».

A Washington, le président invita le secrétaire au Trésor, Henry Morgenthau, dans son bureau privé, où les deux hommes examinèrent ensemble le projet de discours de Joseph et en supprimèrent ce commentaire teinté de lâcheté. Un an plus tôt, Franklin Roosevelt avait prononcé à Chicago un discours électrique, où il avait affirmé que les Etats-Unis mettraient en « quarantaine » les nations dictatoriales. Il n'avait nullement l'intention de laisser Hitler s'imaginer qu'il n'avait rien à craindre de son pays. Le président déclara à son secrétaire au Trésor que Kennedy « [avait] besoin de se faire taper très fort sur les doigts ».

Roosevelt était finalement parvenu à la conclusion que Joseph était irrécupérable, manipulé qu'il était par le groupe de Cliveden.

« Qui aurait cru que les Anglais pourraient se mettre dans la poche un rouquin d'Irlandais ? » lança-t-il à Morgenthau.

Joseph était euphorique au moment de se présenter devant le gratin de la marine britannique. Les trois semaines écoulées semblaient aller dans le sens de ce qu'il affirmait depuis le début de la crise. Un jour avant l'expiration de l'ultimatum allemand, le Premier ministre Neville Chamberlain était revenu éreinté d'une conférence de la dernière chance à Munich, avec la parole de Hitler que l'Allemagne refrénerait ses autres ambitions si on lui donnait le pays des Sudètes.

La guerre avait été évitée. « Je crois que c'est la paix pour notre époque », annonça Chamberlain tandis que les cloches d'église carillonnaient et que les Londoniens noircissaient les rues pour clamer leur approbation. Joseph, qui avait l'impression d'avoir joué un rôle majeur dans le succès de Chamberlain, se vanta auprès du chroniqueur de potins Walter Winchell de ce que Chamberlain avait « dépendu de [lui] plus que de n'importe qui d'autre en termes de jugement et de soutien ».

Tandis qu'on débarrassait les tables du repas et que la fumée des cigares commençait à envahir la grande salle du club, Joseph se délecta une dernière fois par avance de la grande chance qui lui était publiquement donnée d'en imposer au président Roosevelt, dont il avait essuyé un camouflet. Il peaufinait son discours depuis une semaine et demie, mot par mot, et, cette fois, l'avait soumis aux censeurs du Département d'Etat tout juste un jour à l'avance, réduisant à presque rien les chances de Roosevelt de le lire avant qu'il l'ait prononcé.

« Aussi heureux que je sois d'être ici, je dois vous confier que votre invitation m'a valu des difficultés certaines », commença Joseph, faussement modeste. Recourant à une vieille ficelle rhétorique, il enchaîna en dressant la liste des sujets dont il n'était pas censé parler du fait de sa charge diplomatique. Puis il lâcha sa bombe.

« J'ai depuis longtemps pour théorie, déclara-t-il, qu'il est improductif pour les démocraties et les dictatures d'élargir le fossé qui existe désormais entre elles en mettant l'accent sur leurs différences, qui sautent aux yeux. Au lieu de s'acharner sur tout ce qui est considéré comme inconciliable, elles auraient avantage à orienter leurs énergies vers la résolution de problèmes communs et à tenter de rétablir de bonnes relations au niveau mondial. Les démocraties et les dictatures diffèrent sur le plan idéologique, c'est certain, mais ce fait ne devrait pas interdire toute possibilité de bonnes relations entre elles.

Après tout, nous devons vivre ensemble dans le même monde, que cela nous plaise ou non. »

Les paroles d'apaisement de Joseph semblaient aller à l'encontre de celles de son président. Dans les heures qui suivirent son discours de Trafalgar Day, la Maison-Blanche et le Département d'Etat furent inondés de coups de fil et de télégrammes demandant si les commentaires de l'ambassadeur traduisaient un changement de cap majeur de la politique étrangère des Etats-Unis.

Roosevelt choisit de parler à la radio pour désavouer son ambassadeur, une initiative que Joseph considéra comme « un coup de poignard dans le dos ». Mais ce qui le blessa par-dessus tout, ce fut la vitesse foudroyante à laquelle la plupart de ses amis de la presse se retournèrent contre lui.

« Qu'un homme comme lui suggère que les Etats-Unis se lient d'amitié avec un individu qui proclame son désir de liquider la démocratie, la religion et tous les autres principes chers aux Américains libres [...], voilà qui dépasse l'entendement », s'offusqua *The New York Times* dans un éditorial. Le chroniqueur Heywood Broun, qui avait étudié à Harvard avec Joseph, suggéra que son ancien camarade de classe soit jeté dans le port de Boston « afin qu'il retrouve son américanisme, mis à mal par un trop long séjour à l'étranger ».

Le coup le plus dur fut porté par Walter Lippman, un des intellectuels les plus influents de la presse. Trois jours après le discours de Joseph, il se moqua de lui en le décrivant comme un de ces « diplomates amateurs et temporaires [qui] prennent leurs discours très au sérieux. Les ambassadeurs de ce type ont vite fait de se prendre pour un petit Département d'Etat à eux tout seuls, avec sa propre petite politique étrangère ».

Joseph Jr., âgé de vingt-trois ans et secrétaire de son père, rédigea en réponse une lettre ouverte qualifiant l'éditorial de Lippman de « réaction juive naturelle [...]. Je sais que c'est dur à encaisser pour la communauté juive aux Etats-Unis, mais ces gens-là devraient voir, au stade où nous en sommes, que la ligne qu'ils ont suivie ces dernières années ne leur a valu qu'un surcroît d'épreuves. »

Joseph s'attaqua au même bouc émissaire, reprochant à « un certain nombre d'éditeurs et d'auteurs juifs » d'avoir monté en épingle ses commentaires. « Il faudrait un jour analyser les tactiques de ce groupe, écrivit-il. Dans leur zèle, certains de ses membres n'hésitent pas à recourir à la calomnie et au mensonge pour atteindre leur but. Je ne suis naturellement pas la seule cible de leurs attaques, mais j'en ai reçu ma part. »

Le soir du 9 novembre, lors de ce qui devait être appelé *Kristallnacht* (la « Nuit de cristal »), les nazis rasèrent deux cents synagogues allemandes, détruisirent un millier d'habitations et de commerces juifs, massacrèrent près de deux cent cinquante femmes et enfants juifs, et déportèrent plus de vingt mille juifs vers les camps de concentration. L'ombre barbare de l'Holocauste commençait à devenir visible à tous les regards.

Echaudé par le déluge de critiques que lui avait valu son discours de Trafalgar Day, Joseph tenta de tirer son épingle de cette tragédie : il entreprit d'étudier avec Chamberlain un plan d'évacuation des juifs d'Allemagne vers l'Afrique et l'Amérique du Sud.

Il fit le nécessaire pour que la presse soit quotidiennement abreuvée d'informations sur les progrès du « Plan Kennedy ». George Rublee, un avocat de Washington qui travaillait sur ce plan d'évacuation depuis des mois, a raconté qu'il avait tenté d'intéresser Joseph à son projet auparavant, mais que celui-ci, jusque-là, « ne [lui] avait jamais apporté ni vrai soutien ni vraie assistance ».

Joseph se heurta au même obstacle que Rublee : aucun gouvernement ne se montrait désireux de fournir un asile sûr ou un soutien logistique pouvant permettre au plan de fonctionner. L'idée finit par s'étioler, et le Département d'Etat se demanda pourquoi Joseph n'avait jamais abordé le sujet avec quiconque au sein du gouvernement américain. Dans le même temps, le magazine *Life*, dirigé par l'ami de Joseph, Henry Luce, affirma que le plan « augmentera[it] l'éclat d'une réputation qui pourrait bien mener Joseph Patrick Kennedy à la Maison-Blanche ».

En décembre 1938, lorsque Joseph revint à Washington pour s'entretenir avec le président, plusieurs observateurs prédirent une violente confrontation. James Farley, le ministre des Postes, qui lui-même avait des vues sur la succession de Roosevelt, nota que le président était « terriblement fâché » contre son ambassadeur. « Quand Joseph arrivera, ce sera sans doute le commencement de la fin. »

Au lieu de cela, Roosevelt glissa exprès sur leurs différends. Il prédit à Joseph que les accords de Munich échoueraient, et lui confia la teneur de son plan pour régler les problèmes de l'Europe. « Il allait [...] aider [l'Angleterre] en lui fournissant des armes et de l'argent, et plus tard, en fonction de l'état des choses, il se lancerait dans la bataille », raconta plus tard Joseph. En tout état de cause, il aurait dû démissionner sur-le-champ : il n'avait aucune intention de soutenir un effort clandestin qui risquait d'entraîner le pays dans la guerre.

Mais Joseph préféra tenter de persuader Roosevelt que seules des mesures extraordinaires étaient à même de garantir la sécurité du pays contre Hitler et les communistes soviétiques, qu'il craignait encore davantage. Les lourds sacrifices requis pour défier la puissance militaire montante des nazis n'étaient pas possibles dans des démocraties comme la Grande-Bretagne et les Etats-Unis, secouées par d'incessantes querelles internes.

« Pour combattre le totalitarisme, affirma Kennedy au président, nous devrions adopter des méthodes totalitaires. »

Joseph lui exposa aussi une version encore plus grandiose de son vieux projet de pacte économique avec Hitler. Dans une curieuse note adressée à Roosevelt, il décrivit les grandes lignes d'un nouveau plan stratégique par lequel une poignée de grandes puissances, dont l'Allemagne, la Russie, la Grande-Bretagne, le Japon et la Chine, partageraient le monde en sphères d'influence et « établiraient une paix et une sécurité durables qui donneraient partout aux forces de la liberté une nouvelle chance de se développer ».

Roosevelt savait bien que Joseph n'avait guère de foi en la démocratie. Ainsi qu'il le déclara un jour à son secrétaire de l'Intérieur, Harold Ickes : « Joseph Kennedy, s'il était au pouvoir, nous donnerait une forme fasciste de gouvernement. Il organiserait un comité restreint, mais puissant, qu'il présiderait lui-même, et ce comité piloterait le pays sans trop se référer au Congrès. »

Même après que Hitler eut déferlé sur la Tchécoslovaquie en mars, foulant aux pieds les accords de Munich, et mené le monde au bord de la guerre en massant ses forces le long de la frontière polonaise, Joseph Kennedy continua de croire que le dictateur allemand pouvait être acheté. A un Neville Chamberlain de plus en plus perplexe, il suggéra que Roosevelt verse à l'Allemagne une somme en espèces plus importante que tout ce que Hitler pouvait espérer empocher grâce à sa prochaine aventure militaire.

« Après tout, les Etats-Unis bénéficieraient d'une telle initiative, expliqua-t-il. Ça vaudrait le coup de mettre un milliard ou deux sur la table maintenant, parce que si ça marche, nous récupérerons plus que la mise. »

Pour tous ceux qui connaissaient Joseph, cette réponse amorale au plus grand dilemme moral du siècle n'avait rien de surprenant. Le conseiller de Roosevelt, Tommy Corcoran, qui avait soutenu Joseph plus souvent que d'autres artisans libéraux du New Deal, évoquerait plus tard ses tirades cyniques avec des sentiments mitigés :

« Il parlait le langage vrai de son époque. Quelle est la finalité ? demandait Joe. Le pouvoir, rien que le pouvoir. Où est le plaisir, sinon dans la sensation de participer aux grands événements ? La sensation de contrôle... Il n'y a pas d'autre finalité. "Le pouvoir est la seule finalité, disait-il, et si vous n'aimez pas cette règle du jeu, qu'est-ce qu'il y a d'autre ? L'amour de la patrie ? Montrez-le moi chez ceux qui sont vraiment aux manettes." Et comment les Tudors, les Cecil, les protestants de Boston s'étaient-ils hissés au sommet ? L'argent était à la source du pouvoir. »

Lors d'un dîner londonien donné par le diplomate Harold Nicolson et sa femme, Vita Sackville-West, Walter Lippman raconta à Winston Churchill le récent après-midi qu'il avait passé avec l'ambassadeur des Etats-Unis, en lui répétant la prédiction de Joseph selon laquelle la Grande-Bretagne serait inévitablement « défaite » en cas de guerre avec l'Allemagne. Churchill se lança aussitôt dans une formidable tirade :

« Non, l'ambassadeur n'aurait pas dû parler ainsi, monsieur Lippman, tonna-t-il, ponctuant chaque phrase d'un mouvement de son verre de whisky-soda. Il n'aurait pas dû prononcer ce mot terrifiant. Et même en supposant — ce que je n'ai jamais supposé une seule seconde — que M. Kennedy ait raison dans sa tragique assertion, je donnerais personnellement volontiers ma vie au combat plutôt que de céder, par peur de la défaite, aux menaces de ces tristes sires. »

Le dimanche 3 septembre 1939, quelques minutes avant l'aube, le téléphone sonna chez l'ambassadeur, au 14 Prince's Gate. Joseph était déjà réveillé ; à dire vrai, il dormait à peine depuis quelques nuits. Un collaborateur lui apporta la consigne. Il était attendu dans l'heure au 10 Downing Street, la résidence du Premier ministre britannique. Neville Chamberlain souhaitait lire à l'ambassadeur des Etats-Unis le projet du discours qu'il entendait prononcer quelques heures plus tard.

Cette convocation emplit Joseph d'épouvante. Le vendredi, les chars allemands avaient franchi la frontière polonaise, écrasant sans pitié les douze brigades de cavalerie à cheval qui avaient tenté de se dresser sur leur passage. Les bombes nazies pleuvaient sur les villes polonaises, et Varsovie avait enjoint la Grande-Bretagne et la France d'honorer leurs engagements et de défendre la Pologne. Les Alliés avaient lancé un ultimatum à Berlin : retirez toutes vos forces de Pologne avant le 3 septembre à midi, ou ce sera la guerre.

Il restait trois heures à peine avant l'expiration de l'ultimatum, et Hitler n'avait encore donné aucune réponse. Joseph entra dans le bureau du Premier ministre et, d'une voix tremblante, Chamberlain commença à lire les mots qui allaient assombrir la Chambre des communes plus tard dans la matinée : « Tout ce pour quoi j'ai travaillé, tout ce que j'ai espéré, tout ce en quoi j'ai cru tout au long de ma vie d'homme public est tombé en ruine. »

Cette phrase aurait pu aussi bien s'appliquer à Joseph Kennedy. Avant que Chamberlain eut fini sa lecture, les larmes montèrent aux yeux de l'ambassadeur. Il revint à l'ambassade et envoya un câble en urgence maximale à Cordell Hull, le secrétaire d'Etat, pour lui communiquer la substance de ce qu'il venait d'entendre. Dans la foulée, bien qu'il fût quatre heures du matin à Washington, il téléphona à la Maison-Blanche.

Franklin Roosevelt reconnut à peine sa voix hachée. En un moment où le président des Etats-Unis portait sur ses épaules le fardeau de l'Histoire, il se retrouva contraint de consoler son ambassadeur au bord de l'hystérie. Joseph libéra un torrent d'atroces prédictions : une ère de ténèbres était en marche. Les économies allaient s'écrouler. La guerre lui prendrait ses fils.

« C'est la fin du monde ! s'écria-t-il à maintes reprises. La fin de tout ! »

Plus tard dans la matinée, alors qu'ils se dirigeaient vers la Strangers' Gallery[1] pour entendre le discours du Premier ministre au Parlement, Joseph, Rose, Kathleen et Joseph Jr. furent pris au milieu d'une foule paniquée tandis que mugissaient les sirènes anti-aériennes — une fausse alerte représentative de l'ambiance électrique qui régnait à Londres. Des gens envahirent l'ambassade, qui ne possédait aucun abri souterrain. Joseph

---

1. Galerie du Parlement londonien d'où le public peut assister aux débats. (*NdT*)

chargea le personnel de mettre sa famille et ses collaborateurs en lieu sûr dans la cave la plus proche qu'il connût — celle d'Edward Molyneux, le couturier de Rose.

Il fit aussi des pieds et des mains pour obtenir des places pour Rose, ses neuf enfants et des membres de son entourage à bord du S.S. *Washington*, le premier paquebot en partance pour New York, dont l'appareillage était prévu le 9 septembre. Mais quinze mille expatriés américains frénétiques se disputaient déjà les rares cabines disponibles sur les quelques paquebots américains qui se trouvaient alors en Grande-Bretagne, et Joseph se rendit soudain compte que la nouvelle de l'évacuation massive de sa famille se répandrait dans la presse comme une traînée de poudre.

Il préféra donc renvoyer les siens par vagues successives, projetant en quelque sorte une image inversée de leur arrivée en Angleterre, mais cette fois sans tambour ni trompette. Rose, Kick et Bobby furent les premiers à partir ; puis ce fut le tour de Joseph Jr., qui, à son débarquement à New York, défendit la réputation de son père face aux journalistes. Pat, Jean et Teddy prirent un troisième paquebot, et John, qui travaillait toujours à l'ambassade, rentra au pays à bord d'un clipper de la Pan Am vers la fin septembre.

Seule une de ses filles resta en Angleterre. « Nous avons décidé de laisser Rosemary quelque temps là-bas parce qu'elle se sentait merveilleusement bien dans son école, qui était en pleine campagne et qui ne risquait quasiment pas d'être atteinte par les bombes », expliquerait Rose.

Joseph était terrorisé par la menace de raids aériens allemands. Il passait de longues périodes de temps près de Rosemary dans la campagne du Hertfordshire, à Wall Hall, une ancienne abbaye restaurée par J.P. Morgan Jr., à l'usage des ambassadeurs américains. Mais un ambassadeur ne pouvait pas se permettre d'habiter aussi loin de Londres. Aussi, sans autorisation du Département d'Etat et à ses propres frais, Joseph loua-t-il Saint Leonard — un immense manoir de soixante-quinze pièces proche de Windsor, à une quarantaine de kilomètres de la capitale — « pour avoir un endroit où aller hors de Londres en cas de bombardements lourds ». Et quand commença la *Blitzkrieg*, Joseph fut largement méprisé pour son manque de solidarité envers le peuple britannique, alors que le roi et la reine, eux, conquéraient le cœur de tous leurs sujets en restant au milieu des décombres de leur capitale.

A l'abri de sa résidence campagnarde, Joseph envoyait à Roosevelt des notes où il était moins question de l'effort de guerre britannique que de ses propres idées sur ce qu'il convenait de faire, et de considérations sur le sujet qui lui tenait le plus à cœur — l'argent et sa propre sécurité financière. Dans un célèbre message, envoyé une semaine à peine après le début des hostilités, Joseph suggéra à Roosevelt de tenter, là où l'Angleterre et la France avaient échoué, de signer à son tour un pacte de type munichois avec Hitler.

« Il me semble que la situation pourrait se dénouer de sorte que le président apparaisse comme le sauveur du monde », écrivit-il, flatteur.

Roosevelt accueillit sa proposition comme « le message le plus inepte qu['il ait] jamais reçu ».

Le président n'était pas en manque de renseignements collectés sur le terrain. Quand la guerre commença, il avait déjà totalement court-circuité Joseph, envoyant de multiples émissaires, à Londres et sur le continent européen, qui lui rendaient directement compte de leurs observations. Roosevelt envoya aussi à Churchill une note pour l'inviter à ouvrir un canal de communication parallèle avec la Maison-Blanche. Il ne resta bientôt plus guère à Joseph que la tâche ingrate d'acheminer par le courrier diplomatique ces câbles qu'on lui remettait codés et scellés, ce qui ne faisait que souligner son insignifiance croissante.

A l'automne 1940, il voulut jeter l'éponge. Il était laissé à l'écart de toutes les décisions importantes et se retrouvait régulièrement incapable de répondre à des questions de base lors de ses conférences. « J'envisage sérieusement de rentrer au pays, dit-il à Roosevelt. Pour autant que je puisse en juger, je ne fiche strictement rien ici qui rime à quoi que ce soit. »

Lors de plusieurs conversations téléphoniques virulentes, dont certaines se terminèrent par des cris, Roosevelt lui réitéra fermement l'ordre de rester à son poste. Démissionner contre l'avis du président en temps de guerre ruinerait sa réputation et mettrait un terme à ses aspirations politiques. Joseph resta donc en exil, seul et apeuré.

Il finit néanmoins par trouver un moyen de pression, quoique excessivement dangereux : le chantage. Le 16 octobre, il envoya à Roosevelt un câble où il demandait de nouveau à être relevé de ses fonctions. Puis il téléphona à Sumner Welles, le sous-secrétaire d'Etat, pour annoncer son intention de « rentrer coûte que coûte ». En l'absence de réponse favorable, il demanderait à son secrétaire privé, Eddie Moore, de faire paraître dans la presse un communiqué sur la manière dont il était traité par Roosevelt.

Depuis des mois, Joseph amassait discrètement les câbles clandestins échangés par Roosevelt et Churchill, qui prouvaient que le président américain coopérait en secret à l'effort de guerre britannique. Joseph avait en effet réussi à persuader Tyler Kent, un spécialiste des codes et chiffres de l'ambassade, de lui fournir des copies décryptées de ces messages. Plus tard, il ne leva pas le petit doigt quand le contre-espionnage britannique arrêta Kent en l'accusant de recel de documents ultrasecrets.

Joseph envoya Eddie Moore à New York avec ces documents. Leur publication, à un moment où beaucoup d'Américains et de membres du Congrès restaient farouchement opposés à la guerre, pouvait coûter à Roosevelt sa réélection en 1940. Comme de bien entendu, Joseph resta indifférent à une conséquence potentielle beaucoup plus grave de son geste : les isolationnistes risquaient d'exploiter le scandale pour éliminer le soutien américain aux Alliés, faisant ainsi définitivement basculer le rapport de forces en faveur de l'Allemagne nazie.

Quelques heures plus tard, Joseph reçut le feu vert de la Maison-Blanche pour un entretien à Washington et, dans la foulée, ce câble signé Roosevelt :

Cher Joe,

Je suis conscient de la pression croissante que vous avez endurée au cours des dernières semaines, et je crois que vous êtes absolument en droit de prendre un peu de distance et de repos. Selon mon désir, le Département d'Etat vient par conséquent de vous prier de rentrer pour la semaine du 21 octobre [...]. Je n'ai pas besoin de vous rappeler que toutes sortes de problèmes inutiles et de complications indésirables ont été provoqués ces derniers mois par des déclarations à la presse de certains de nos chefs de mission diplomatique à leur retour dans notre pays [...].

Je vous demande donc, explicitement, de ne faire aucune déclaration à la presse, ni pendant votre traversée ni à votre arrivée à New York, tant que vous et moi n'aurons pas eu l'occasion de nous mettre d'accord sur ce qui convient d'être dit [...].

Sincèrement vôtre,
Comme toujours,
FDR

Le scrutin présidentiel de 1940 n'était plus qu'à dix jours, et les spéculations allaient bon train pour savoir si Joseph profiterait de son retour pour apporter son soutien à Wendell Willkie, le candidat républicain, et par conséquent rompre définitivement avec Roosevelt. Si Joseph avait eu l'intention de parler à la presse avant de se présenter à la Maison-Blanche, il sentit que ce ne serait pas possible. Quand son avion toucha la piste de Washington, il fut accueilli par un imposant comité d'accueil formé entre autres de représentants du Foreign Office et de policiers, qui l'escortèrent en tenant les journalistes à distance.

Dès qu'il eut posé ses valises, Joseph téléphona à la Maison-Blanche, où le président déjeunait avec son porte-parole, Sam Rayburn, et Lyndon Johnson, à l'époque officier du renseignement naval en mission spéciale à la Maison-Blanche.

« Ravi d'entendre votre voix, Joe ! s'exclama Roosevelt en prenant le combiné. Passez donc ce soir à la Maison-Blanche pour un petit dîner en famille. Je meurs d'envie de vous parler. »

Johnson, qui idolâtrait le président, devait décrire plus tard l'admiration qu'il éprouva lorsqu'il vit Roosevelt prononcer le mot « meurs » tout en regardant ses compagnons de table et en se passant un doigt en travers de la gorge d'un air complice.

Rose ignorait tout des machinations en cours, à ceci près que Joseph lui avait parlé, dans ses accès de colère, d'accorder son soutien politique à l'adversaire républicain de Roosevelt, un acte susceptible de faire basculer une partie non négligeable des vingt-cinq millions d'électeurs catholiques de la nation. Elle considérait néanmoins Franklin Roosevelt comme « l'homme le plus charmant du monde » et, pendant le vol vers Washington, elle prit soin de rappeler à son mari qu'« aucun autre président » n'aurait nommé un catholique comme lui ambassadeur en Angleterre. Elle le mit aussi en garde contre tout geste déloyal qui risquerait de lui valoir une accusation d'« ingratitude » et de mettre en péril l'avenir politique de leur fils aîné, Joseph Jr.

A dix-neuf heures, la secrétaire personnelle de Roosevelt, Missy LeHand, introduisit les Kennedy dans le bureau du président, où ils furent rapidement rejoints par Roosevelt, sa femme Eleanor, James Byrnes, le puissant sénateur démocrate de Caroline du Sud, et la femme de celui-ci — « ce qui prouve bien, affirmerait plus tard Joseph, que le président ne voulait pas régler ça en tête-à-tête avec moi ».

Roosevelt ne sous-estimait pas les risques que lui faisait courir son encombrant ambassadeur, et c'est pourquoi tout ce qui se passa au fil des deux heures suivantes avait été minutieusement calculé. Pendant que Missy LeHand menait les six convives dans une salle voisine pour un dîner dominical informel composé d'œufs brouillés, de toasts et de saucisses frites, Roosevelt entreprit de mettre Rose dans sa poche en lui parlant constamment de son père adoré, Honey Fitz.

Byrnes, chargé de la mission la plus délicate, entraîna Joseph dans un innocent bavardage qui lui permit de soutirer à son interlocuteur quelques compliments de circonstance sur le président. Soudain, rayonnant, il s'écria : « J'ai une idée superbe, Joe ! Si vous faisiez à la radio un discours sur les bases de ce que vous venez de me dire pour encourager les gens à réélire le président ? »

Joseph ne mordit pas à l'hameçon. Quand les convives revinrent dans le bureau, Roosevelt ne l'avait toujours pas entraîné à l'écart.

N'y tenant plus, il finit par se jeter à l'eau.

« Puisqu'il ne m'est pas possible de parler au président seul à seul, je suppose que je vais devoir dire ce que j'ai à dire devant tout le monde. Premièrement, je suis blessé de la façon dont j'ai été traité. J'ai le sentiment que c'est une attitude déraisonnable, que je ne crois pas avoir méritée. »

Il y eut un « deuxièmement », un « troisièmement », et ainsi de suite. De l'envoi régulier d'émissaires de l'ombre à Londres aux efforts du Département d'Etat pour le laisser dans l'ignorance de ce qui se passait vraiment sur le plan diplomatique, Joseph vida son sac.

« Monsieur le président, enchaîna-t-il avec une bonne dose de tartuferie, comme vous le savez, jamais de ma vie je n'ai dit de vous en privé quelque chose que je ne vous aurais pas dit en face, et je n'ai jamais dit en public quoi que ce soit qui ait pu vous causer le moindre embarras. »

Roosevelt répondit en redoublant de critiques à l'égard des officiels du Département d'Etat que Joseph venait de dénoncer. Tout cela était pour lui une surprise totale, affirma le président d'un ton qui semblait exprimer une indignation grandissante. Après les élections, il allait faire « un grand ménage » et mettre à la porte les malfaisants qui avaient osé faire du tort à son ambassadeur.

Rose, à qui Roosevelt avait passé la pommade toute la soirée, « intervint à cet instant, selon le récit de Joseph, en disant qu'il était difficile d'avoir la bonne perspective sur une situation à cinq mille kilomètres de distance ».

Dans ses mémoires, Joseph raconte que, soudain radouci, il accepta de prononcer à la radio le discours en faveur de Roosevelt qu'on lui demandait, mais qu'il sauva la face en disant : « Mais les frais seront à ma charge, personne ne lira mon texte à l'avance, et je dirai ce que je veux. »

Toutefois, comme Jimmy Roosevelt, Joseph lui-même et d'autres le révéleraient plus tard, il y eut bel et bien un aparté entre le président et son ambassadeur. En lui passant un bras autour des épaules, Roosevelt fit croire à Joseph qu'il aurait son soutien pour la primaire démocrate de 1944 — une « offre » qu'il ferait miroiter à plusieurs autres. Roosevelt joua aussi sur les ambitions que nourrissait Joseph pour ses fils. Comme Joseph le confierait peu après à Clare Booth Luce, son ex-maîtresse, qui le pressait de passer dans le camp de Wendell Willkie, « j'ai simplement conclu un marché avec lui. On s'est mis d'accord sur le fait que si je le soutenais [FDR] à la présidentielle de 1940, il soutiendrait mon fils Joe pour le gouvernorat du Massachusetts en 1942. »

A neuf heures du soir, le 29 octobre, Joseph s'assit donc dans un studio de la chaîne de radio CBS, qui avait fait le nécessaire pour retransmettre ses propos sur cent quatorze antennes locales.

« Malheureusement, déclara-t-il à ses compatriotes dans un discours de soixante-quinze minutes, l'accusation s'est fait jour au cours de cette campagne politique que le président des Etats-Unis cherche à engager notre pays dans la guerre mondiale. Cette accusation est fausse. »

Pour les besoins de la cause, Joseph alla jusqu'à mettre en avant son plus précieux actif. « Après tout, j'ai beaucoup investi ici, dans ce pays. Ma femme et moi avons confié neuf otages au destin. Nos enfants, vos enfants sont plus importants que tout le reste. L'Amérique dont ils hériteront un jour est pour nous tous un grave sujet de préoccupation. A la lumière de ces considérations, je crois que Franklin D. Roosevelt doit être réélu président des Etats-Unis. »

Le télégramme de Roosevelt arriva quelques secondes après que Joseph eut quitté l'antenne :

VENONS D'ENTENDRE UN GRAND DISCOURS STOP MILLE MERCIS STOP HÂTE DE VOUS VOIR TOUS DEMAIN SOIR

FRANKLIN D. ROOSEVELT

La presse fut tout aussi extatique. « En matière de chasse aux voix, ce sera probablement le discours le plus performant de toute la campagne », écrivit le magazine *Life*, contrôlé par Henry Luce, le mari de Clare.

Le lendemain soir, la manœuvre de Roosevelt atteignit son point culminant. Le président avait choisi le Boston Garden pour prononcer l'ultime discours de sa campagne, et des milliers d'Irlandais n'avaient d'yeux que pour l'homme qui rayonnait juste à côté de lui.

« Permettez-moi de souhaiter la bienvenue sur les rivages de l'Amérique à ce Bostonien, adoré à Boston et dans bien d'autres endroits, mon ambassadeur à la cour de Saint James, Joseph Kennedy ! » s'exclama Roosevelt, salué par un tonnerre d'applaudissements.

Il proféra ensuite des phrases célèbres, d'un isolationnisme si convaincant que l'antiguerre Willkie lui-même comprit que les carottes étaient cuites.

« Je l'ai déjà dit, et je le redirai encore, encore et encore : vos garçons ne seront pas envoyés dans une guerre étrangère ! »

Joseph se leva pour l'applaudir aussi fort que tous les autres.

Le vendredi suivant l'élection, Joseph, assis en bras de chemise dans une suite de l'hôtel Ritz-Carlton, dégustait une part de tarte aux pommes et des petits morceaux de cheddar. Son prestige, après deux ans d'errements londoniens, était miraculeusement restauré. Roosevelt avait infligé à Willkie une défaite mémorable, et le bruit commençait à courir à Washington que le président allait récompenser Joseph en lui offrant un poste très en vue au sein de son nouveau gouvernement. Par ailleurs, le lancement politique de son fils aîné était presque assuré.

Trois journalistes entouraient l'ambassadeur, notant avec fièvre chacun de ses mots, chacune de ses mimiques. Lewis Lyons, du *Boston Globe*, avait prévu une grande interview pour l'édition dominicale de son journal. Les deux autres reporters, Ralph Coughlan et Charles Edmundsen, du *Saint Louis Dispatch*, l'avaient contacté dans la semaine pour recueillir des informations à son sujet. Au grand dam de Lyons, Joseph avait décidé de faire d'une pierre deux coups en les recevant tous ensemble.

Quand il ne décrochait pas son téléphone pour recevoir des appels de félicitations, Joseph se fendait d'un de ces bons mots qui lui avaient toujours permis de ravir les journalistes. Cette interview de quatre-vingt-dix minutes n'était pas censée traiter de politique ni d'affaires étrangères — Joseph avait reçu en ce sens des consignes explicites du Département d'Etat —, mais il ne tarda pas à dériver malgré tout vers ce territoire familier. Et une fois qu'il fut lancé, les trois journalistes en eurent pour leur argent.

« La démocratie est finie en Angleterre, et il se pourrait bien que ce soit le cas ici aussi, lâcha-t-il. Parce que si la question est de nourrir son peuple, c'est quelque chose de purement économique. Comme je l'ai dit au président à la Maison-Blanche dimanche dernier, "Pas la peine de m'envoyer cinquante amiraux et généraux. Envoyez-moi plutôt une douzaine de vrais économistes." C'est la chute de notre commerce extérieur qui transformera notre forme de gouvernement. Nous n'en avons pas encore ressenti les effets. Ça viendra. »

Il alla encore plus loin, disant tout ce qui lui passait par la tête. L'Amérique refuserait-elle de commercer avec Hitler si les nazis gagnaient la guerre ? « Ce serait un contresens. » Dire que l'Angleterre luttait pour la démocratie était « de la foutaise » ; il ne s'agissait selon lui que « d'autopréservation ».

Avant la fin de l'interview, Joseph déclara également que la reine d'Angleterre ferait mieux de négocier personnellement avec Hitler (« elle a plus de cervelle que tout le Cabinet »), et railla Eleanor Roosevelt, qu'il côtoyait encore sur les estrades des meetings de campagne quelques jours plus tôt, en la dépeignant comme quelqu'un qui « nous dérange davantage dans notre travail que tous les gens de là-bas réunis pour qu'on reçoive tout un tas de petits personnages insignifiants et sans la moindre influence. Elle passe son temps à m'envoyer des notes me demandant d'inviter je ne sais quelles petites Susie Glotz prendre un thé à l'ambassade. »

Deux jours plus tard, la une du *Boston Globe* titrait en gros caractères :

KENNEDY : « LA DÉMOCRATIE EST FINIE EN GRANDE-BRETAGNE ET PEUT-ÊTRE ICI »

Joseph se fit lire l'article au téléphone. Il l'apprécia tellement qu'il appela le journaliste du *Globe* pour le féliciter avec chaleur.

« L'huile est sur le feu, mais je suppose que c'est là que je voulais qu'elle soit ! » s'écria-t-il.

Le reste du pays, qui se sentait de plus en plus concerné par la cause britannique, ne vit pas la chose de la même façon ; ni la reine, ni Eleanor Roosevelt ne furent amusées. De l'Atlantique au Pacifique, les journaux reprirent en écho les propos de Joseph, et des milliers d'Américains écrivirent à la Maison-Blanche en réclamant sa démission immédiate.

« J'espère que vous enfermerez Joseph Kennedy dans un sac et que vous serrerez le cordon le plus possible », disait l'une de ces lettres.

Tout le bénéfice que Joseph avait retiré de son discours radiodiffusé en faveur de Roosevelt s'évapora instantanément. Quand il se rendit compte de son erreur, il désavoua l'interview et se défendit en prétendant qu'il avait cru que l'entretien resterait officieux, mais sans aller jusqu'à contester l'essence de ses déclarations. Le *Globe* rejeta sa demande de rétractation. Somerset Importers, la société de Joseph, lui retira aussitôt une enveloppe publicitaire de plusieurs milliers de dollars.

Franklin et Eleanor Roosevelt passèrent le week-end précédant Thanksgiving dans leur résidence de campagne de Hyde Park. Les rouges et les jaunes flamboyants de l'automne commençaient à disparaître du comté de Duchess, et un vent glacé balayait les branches nues des ormes plantés le long des berges de la Hudson River. Tandis que le couple présidentiel discutait avec Sara Delano Roosevelt, la mère de Franklin, la

148

conversation se porta sur l'interview de Joseph Kennedy au *Boston Globe*.

« Il n'y a qu'à le faire venir ici et entendre ce qu'il a à nous en dire », conclut le président.

Quelques jours plus tard, Eleanor alla chercher Joseph au train du matin à la gare de Rhinecliff et le conduisit directement au président. Les deux hommes disparurent dans le bureau de Roosevelt, situé dans la partie antérieure de la villa. Dix minutes plus tard, un conseiller vint trouver Eleanor et lui glissa à l'oreille : « Monsieur le président souhaite vous voir sur-le-champ. »

« C'était quelque chose d'inédit », devait raconter plus tard Eleanor. Elle se précipita dans le bureau et trouva son mari derrière sa table de travail, « pâle comme un linge ». Roosevelt avait demandé à Joseph de quitter la pièce.

« Fais-le partir, dit-il à Eleanor d'une voix tremblante. Je ne veux plus revoir cet homme jusqu'à la fin de mes jours.

— Mais, chéri... Tu l'as invité pour le week-end, nous attendons des invités pour le déjeuner, et de toute façon, le train ne repart qu'à deux heures.

— Emmène-le faire un tour en voiture dans Hyde Park, fais-lui manger un sandwich, et remets-le au train », répliqua Roosevelt.

Eleanor, qui avait toujours éprouvé de l'antipathie pour Joseph, ne comprit les raisons de la colère de son mari qu'en faisant visiter à son hôte sa maison de Val-Kill ; elle fut bien obligée, pendant tout ce temps, de subir ses sinistres prédictions quant à la défaite britannique et ses éloges de la puissance allemande. Lorsqu'elle le déposa enfin à la gare, elle était à bout de nerfs.

Vingt ans plus tard, à l'occasion d'un déjeuner avec l'écrivain Gore Vidal, Eleanor devait évoquer en riant cet après-midi comme « les quatre heures les plus atroces de [s]a vie ». Jamais son mari, mort depuis longtemps, ne lui avait raconté avec précision ce qui s'était passé entre Joseph et lui, mais elle avait la certitude que c'était « très grave ».

Un an environ après la disgrâce de Joseph Kennedy, Kathleen, sa fille préférée, fut engagée comme secrétaire du directeur du *Times-Herald* de Washington. Quelque temps plus tard, elle en vint à fréquenter un futur journaliste-vedette du journal, John White, le fils excentrique d'un pasteur épiscopalien.

« Un soir, peu de temps après leur premier rendez-vous, raconte la biographe de Kathleen, Lynne McTaggart, elle se tourna vers White et lui lança une allusion appuyée à la Caroline du Nord. "Comment diable sait-elle d'où je viens ?" se demanda-t-il. Peu après, elle mentionna des détails de son passé dont il était certain de ne jamais lui avoir parlé. N'y tenant plus, il finit par lui demander : "Mais d'où est-ce que tu sors toutes ces informations sur moi ?" »

La réponse de Kathleen, selon l'expression de McTaggart, le laissa « sans voix » :

« Chaque fois que l'un de nous sort avec quelqu'un, notre père en doit être informé, expliqua-t-elle.

— Tu veux dire qu'il s'est renseigné à mon sujet ?

— Et comment !

— Alors, comment se fait-il qu'il nous laisse sortir ensemble ?

— Oh, il te juge... frivole, mais inoffensif. »

Ce fut vers cette époque que Kathleen déploya ses premiers efforts pour échapper au contrôle suffocant de son père. Mais elle ne devait réussir qu'à allonger la liste des victimes de la malédiction des Kennedy.

Troisième partie

CALAMITÉS

4

KATHLEEN KENNEDY

Fi de toute prudence

Kathleen Kennedy leva les yeux sur l'immense verrière de la gare Saint Pancras. Le ciel de Londres était étonnamment limpide pour une journée de mars, un répit bienvenu après les pluies et les brumes glacées qui, plusieurs semaines d'affilée, s'étaient abattues sur la Grande-Bretagne en cette fin d'hiver 1944. Les forts rayons du soleil répandaient leur poussière d'or sur le hall noir de monde, où résonnaient les cris d'une foule de soldats américains venus en Angleterre préparer l'invasion de l'Europe occupée par les nazis.

Kathleen offrait une silhouette pleine d'élégance avec son tailleur de grand couturier et son chapeau orné d'une plume à la Robin des bois. A vingt-quatre ans, cette petite Irlando-Américaine d'un mètre soixante, aux yeux gris-bleu pétillants, à la peau incandescente, à la dentition spectaculaire — un héritage du clan Fitzgerald —, était au pinacle de sa jeunesse et de sa beauté. « Kick », comme tout le monde l'appelait, avait aussi hérité la personnalité charismatique de son grand-père Honey Fitz. Mais au-delà du charme, c'était une pure Kennedy. A l'image de son père, elle avait fait sien le principe que les règles ne s'appliquaient qu'aux autres.

Etre une Kennedy impliquait notamment pour Kick de voyager toujours en première classe, même quand elle n'avait pas de billet de première, ce qui était le cas ce jour-là. Elle entreprit donc un contrôleur, usant du charme qui lui servait d'ordinaire à envoûter les fils de ducs, de vicomtes et de marquis, et eut tôt fait de se retrouver confortablement installée, sans avoir de supplément à régler, dans une des meilleures voitures du train.

Son compartiment accueillait cinq autres personnes — un couple d'Anglais, un capitaine de l'armée britannique, et deux officiers américains. Offrant des chocolats à tout va, les Américains ne tardèrent pas à encombrer l'espace sonore de leurs voix fortes et rudes.

« Vous êtes... vous vous appelez Kennedy, n'est-ce pas ? finit par demander un des Anglais à Kick.

— Oui, répondit-elle.

— J'ai vu votre photo dans le journal il y a cinq ans, et de nouveau l'autre jour. »

Kick fut flattée. Elle avait reçu en héritage la soif de réussite mondaine de ses parents. Mais là où Joseph et Rose avaient toujours été handicapés par leur côté bourru, leur fille était dotée d'un esprit léger qui lui avait permis de conquérir d'ardents admirateurs parmi les personnalités les plus illustres d'Angleterre. Lorsque la guerre avait éclaté en Europe à l'automne 1939, Joseph Kennedy, alors ambassadeur des Etats-Unis en Grande-Bretagne, l'avait obligée à rentrer au pays, la privant soudain des attentions dont elle avait bénéficié jusque-là en étant une des jeunes filles les plus en vue de la haute société londonienne.

Aujourd'hui, quatre ans et demi plus tard, de retour en Angleterre, Kick entamait un voyage crucial. Après avoir traversé la banlieue ouest de Londres, le train vira au nord et s'enfonça dans la campagne. Kick devait descendre à Bakewell, dans le Derbyshire, un village qui était la porte d'entrée de l'immense domaine des Cavendish, le clan le plus riche et le plus puissant de Grande-Bretagne après la famille royale. Kick était consciente que les deux jours à venir, qu'elle passerait chez les Cavendish, risquaient d'être déterminants pour le cours futur de son existence, et peut-être même pour le destin de sa famille.

A Bakewell, un chauffeur l'accueillit et chargea ses bagages dans une vieille automobile. Ils empruntèrent la route étroite et sinueuse qui reliait Bakewell à Churchdale Hall, le manoir des Cavendish, construit au XIVe siècle sur la commune d'Ashford-in-the-Water, un village médiéval voisin.

L'intimidante lady Mary, duchesse du Devonshire, avait invité Kick à sa résidence de campagne pour discuter des éventuelles fiançailles de la jeune Américaine avec son fils aîné, William Robert John Cavendish, marquis de Hartington. Héritier du duché du Devonshire, Billy était considéré comme le plus beau parti d'Angleterre.

Le voyage de Kick représentait le point culminant de plusieurs années de lutte mondaine. Elle rêvait d'épouser un homme comme Billy depuis ses spectaculaires débuts officiels à Saint James en 1938, concoctés par son ambassadeur de père. L'attention dont elle avait fait l'objet cette année-là, amplement répercutée par la presse londonienne, avait donné à Kick une haute idée de ce qu'elle pouvait accomplir dans la noblesse britannique. Et en effet, depuis lors, elle avait fait tourner la tête à plus d'un noble héritier avec son esprit, son caractère intrépide, et ses manières séductrices.

Ainsi que devait l'affirmer un ami de John, le frère préféré de Kick : « Je ne pense pas avoir rencontré de ma vie une fille ayant autant de sex-appeal. »

Kick avait un talent particulier pour séduire les aristocrates britanniques les plus guindés : sans jamais la trouver grossière, tous s'émerveillaient de sa décontraction « si américaine ». Proche de son frère John par le tempérament, elle ne laissait jamais transparaître le moindre sentiment personnel devant son carrousel de cavaliers, au point que certains d'entre eux la soupçonnèrent de chercher à les cataloguer secrètement en fonction de leur fortune et de leur influence potentielle.

Sur ce plan, Billy Hartington surpassait largement tous ses rivaux.

« Kick cherchait à mettre le grappin sur Billy, explique un proche. Il allait hériter d'un joli titre bien ronflant, d'un immense domaine, et ainsi de suite. Ce n'était pas une chose à dire, mais tout le monde le savait parce que c'était terriblement évident. »

Jeune homme charmant, mais timide, Billy se laissa éblouir par l'énergie débordante de Kick. Même sur le plan physique, leur couple avait quelque chose d'incongru : du haut de son mètre quatre-vingt-dix, il la dominait de plus d'une tête. Etant donné son futur rôle de pilier de la noblesse anglaise et de l'Eglise anglicane — on citait souvent Billy comme possible prétendant de la princesse Elizabeth —, rares étaient ceux qui croyaient que sa relation avec Kick puisse être autre chose qu'une aventure de jeunesse.

Mais jamais Kick ne renonça à son rêve de gloire. Aucun des soupirants qu'elle vit défiler devant elle en Amérique ne se comparait à Billy Hartington en termes de fortune ou de prestige — des critères qui comptaient vraiment pour elle. Quand Page Huidekoper, qui débutait avec Kick en tant que journaliste au *Times-Herald* de Washington, lui annonça son intention d'épouser un soldat mobilisé de bonne famille, mais désargenté, Kick s'esclaffa : « Mais voyons, Page, moi qui te croyais *ambitieuse* ! »

Durant les premières années de la guerre, Kick resta confinée à Washington pendant que ses anciens amis se casaient les uns après les autres. Apprenant un beau jour que Billy Hartington venait de se fiancer à Sally Norton, une nièce de lord Mountbatten, Kick tira immédiatement la sonnette d'alarme familiale — et se trouva un poste à la Croix-Rouge en Grande-Bretagne. Un mois à peine après son retour à Londres, elle avait réussi à rompre les fiançailles de Billy et à le reprendre sous sa coupe.

Son mariage avec Billy Hartington n'était pas le seul enjeu de sa visite à la mère de Billy. Lady Mary, duchesse du Devonshire, était aussi dame d'honneur et lingère de la reine, une charge héréditaire qui faisait d'elle, en termes d'importance, la deuxième dame de la noblesse anglaise. Sa position impliquait notamment des devoirs protocolaires étroitement liés à l'organisation de l'Eglise anglicane. Cette situation en soi aurait dû suffire à disqualifier Kick — petite-fille catholique d'un tenancier de saloon irlandais de Boston —, mais avec son orgueil typiquement Kennedy, la jeune femme ne voyait aucune raison de se laisser barrer la route par des siècles d'histoire, de rituels et de traditions.

Comme avant elle Honey Fitz et Joseph Kennedy, Kick — une incarnation féminine typique de la malédiction des Kennedy — allait ainsi s'installer dans une trajectoire de collision frontale avec la réalité. Plusieurs siècles de sanglants affrontements religieux entre catholiques et protestants rendaient-ils inconcevable l'union d'une Kennedy catholique et d'un Cavendish anglican ? Pas dans la vision mégalomane de Kick. Billy Hartington lui-même décrivait-il parfois leur relation comme « une histoire à la Roméo et Juliette » ? Kick refusait de voir les sombres implications d'un tel parallèle.

Et pourtant, les faits ne pouvaient être ignorés.

Les Cavendish exécraient les catholiques. Leur antipathie remontait à quatre cents ans, époque où Henry VIII avait rompu avec Rome et récompensé un de ses plus fidèles partisans, William Cavendish, en lui offrant un titre et de vastes propriétés confisquées à l'Eglise catholique romaine. Un ancêtre de Billy, William, premier duc du Devonshire, avait fondé un parti politique dans le but exprès de s'opposer à la création d'un Parlement irlandais à Dublin. Au XIXe siècle, le huitième duc, lord Frederick Charles, avait été abattu par des républicains irlandais deux jours après être devenu gouverneur d'Irlande. Et le duc actuel, le père de Billy, Edward William Spencer Cavendish, était un anglican dévot et notoirement anti-catholique, à demi persuadé que les catholiques cherchaient à remettre la main sur les biens anglicans par le subterfuge du mariage.

Même les membres de la famille Cavendish les plus larges d'esprit s'inquiétaient du catholicisme de Kick. Ils savaient que l'Eglise romaine exigerait qu'elle élève ses enfants dans la foi catholique — sous peine de damnation éternelle. Kick avait espéré, assez naïvement, que Billy suivrait l'exemple de son cousin David Ormsby-Gore, qui avait épousé une catholique dévote et consenti à élever leurs enfants dans le giron de l'Eglise romaine bien que sa baronnie protestante fût en jeu.[1]

C'était sous-estimer la détermination de Billy sur le plan de la foi. Etant donné les vastes responsabilités publiques et religieuses que lui conférait son statut de pair, il estimait que ses parents faisaient déjà une concession suffisante en acceptant ce mariage. Pour rien au monde, déclara-t-il à Kick, il n'accepterait d'être le père d'un duc du Devonshire catholique.

« C'est dommage, car je sens que je pourrais être une duchesse du Devonshire extrêmement efficace dans la période de l'après-guerre », écrivit Kick à son frère John, qui commandait alors la vedette lance-torpilles *PT-109* dans le Pacifique sud. « Ayant un château en Irlande, un autre en Ecosse, un dans le Yorkshire et un dans le Sussex, je pourrais aussi y héberger mes vieux marins de frères à l'âge de leur retraite. »

Ce ne fut certainement pas par pur amour que Kick fonça tête baissée vers ces fiançailles malgré tous les obstacles. Elle avait confié à John et à d'autres que, malgré son affection pour Billy, elle n'était pas sûre de l'aimer vraiment.

Quelque chose d'autre alimenta sa détermination. Femme de son époque, Kick avait des possibilités d'expression très limitées. Elle ne pouvait envisager de suivre son père ou ses frères dans la voie des affaires ou de la politique. La seule arène qui lui permît de concourir avec les hommes de sa famille sur un pied d'égalité était celle du mariage.

Comme bien d'autres Kennedy, elle souffrait d'un manque profond d'estime de soi. Elle avait endossé tous les stéréotypes négatifs des Irlando-Américains qui subsistaient à l'état latent dans la culture protestante dominante. Pour contrer le sentiment de honte inévitablement associé à son identité d'Irlandaise, elle s'était façonné une image d'elle-même résolument mégalomane, qui ne pouvait se satisfaire que d'un mariage avec un des plus hauts représentants de la noblesse anglaise.

1. En 1961, sur demande personnelle du président Kennedy, David Ormsby-Gore fut nommé ambassadeur de Grande-Bretagne à Washington.

Pour une Kennedy comme elle, la première place était la seule envisageable.

Tandis que la vieille auto négociait un virage serré sur la petite route du Derbyshire, Kick entrevit enfin la demeure de ses rêves. A sept kilomètres de distance se dressait la masse rectangulaire du château de Chatsworth, le magnifique palais depuis lequel la famille Cavendish régnait sur un petit empire de près de quatre-vingt mille hectares — plus de deux cents fois Central Park.

Chatsworth était généralement considéré comme le plus beau domaine privé de l'empire britannique. Des lacs artificiels alimentaient les jets d'eau les plus sophistiqués d'Angleterre et, de loin, le château paraissait surgir des profondeurs d'un bassin miroitant. Les jardins de quatre cent cinquante hectares, où la forêt sauvage se mêlait à une grille géométrique de bâtiments et d'allées, étaient une création de Lancelot « Capability » Brown, le génial architecte paysager du XVIIIe siècle.

Un examen plus attentif permettait néanmoins de constater que Chatsworth avait connu des jours meilleurs. Le mobilier du corps principal, qui recelait en temps normal ce qui était peut-être la plus grande collection privée de trésors artistiques d'Angleterre, avait été évacué et mis en lieu sûr peu de temps après le déclenchement des hostilités. De ce fait, et bien que le grand-père de Billy fût mort depuis déjà six ans, le duc actuel, son père, n'avait pas encore établi sa résidence à Chatsworth. Sa famille et lui continuaient d'habiter à Churchdale Hall, une demeure nettement plus modeste, bâtie sur le même domaine.

En outre, la plupart des cent soixante-quinze fenêtres de Chatsworth House étaient condamnées, de même que bon nombre de pièces. Une des grandes ailes servait temporairement de pension à trois cents bruyantes jeunes filles — élèves de Penrhos College, une école galloise —, ainsi qu'à leurs professeurs.

Les vents du changement historique avaient frappé de plein fouet les murs altiers de Chatsworth. Les deux guerres mondiales avaient privé la Grande-Bretagne de la fleur de sa jeunesse mâle ; elles avaient aussi porté un coup terrible à la puissance de l'aristocratie. La réduction drastique de ses revenus fonciers avait forcé le duc du Devonshire à vendre de nombreuses terres. Une société administrait à présent son patrimoine. Si sa fortune surpassait probablement encore celle de la plupart des autres seigneurs terriens, ses héritiers risquaient de devoir verser d'énormes impôts, surtout si le Parti travailliste de Clement Atlee arrivait au pouvoir après la guerre, comme beaucoup le prédisaient.

Après quatre siècles de privilèges ininterrompus, les Cavendish faisaient face à un avenir incertain. Ils avaient douloureusement conscience que leur déclin offrait un contraste spectaculaire avec la prospérité croissante de certains nouveaux riches américains, comme les Kennedy, dont chaque année de conflit semblait accroître encore un peu la fortune. Ce fait explique que les parents de Billy soient restés cordiaux, et même chaleureux, vis-à-vis de Kick après que leur fils eut annoncé son intention de l'épouser. Depuis des temps immémoriaux, l'objectif principal du mariage chez les nobles britanniques était d'assurer la continuité et la prospérité du lignage. Le père de la jeune femme, Joseph Kennedy, que le magazine *Fortune* présentait comme la quatrième puissance financière d'Amérique, était en position de voler au secours des Cavendish.

La duchesse du Devonshire reçut Kick dans un salon de Churchdale Hall, le manoir où Billy et ses deux sœurs cadettes avaient grandi. Avec ses traits chevalins et ses cheveux bruns à la Jeanne d'Arc, lady Mary ne correspondait guère à l'image de la doyenne des dames d'honneur qui, un jour prochain, serait appelée à présider aux rites du couronnement de la jeune reine Elizabeth.

Elle était en compagnie d'un vieil ecclésiastique à lunettes qu'elle présenta à Kick, le révérend Edward Keble Talbot. Ancien père supérieur de la communauté de la Résurrection, une prestigieuse confrérie anglicane, il officiait à présent en tant que chapelain personnel du roi. Après les amabilités

Le grand-père du président Kennedy, Patrick Joseph (P.J.) Kennedy, à l'âge de vingt-deux ans, en 1880. Les premières tragédies qui frappèrent les Kennedy, leurs parents et alliés, remontent au XIXe siècle.
(John F. Kennedy Library, Boston)

Patrick Kennedy, Rose Fitzgerald, John F. Fitzgerald, dit « Honey Fitz » (premier, deuxième et troisième à partir de la gauche) et Joseph P. Kennedy Sr. (deuxième à partir de la droite) sur la plage d'Old Orchard Beach, dans le Maine. Il faut remonter aux Grecs anciens et aux Atrides pour trouver une famille ayant été sujette à une suite aussi invraisemblable de calamités.
(Corbis)

EN HAUT, À GAUCHE Elizabeth Ryan, une « artiste » surnommée Toodles. Parmi ses nombreux admirateurs figurait Fitzgerald, le maire de Boston, qui la couvrait de caresses et de baisers. (Reproduit avec l'autorisation du *Boston Globe*)

EN HAUT, À DROITE L' « affaire Toodles » fit les grands titres des journaux, comme le montre ce numéro du *Boston Globe* du 20 janvier 1915, ce qui contraignit Honey Fitz à se retirer de la course à la mairie de Boston.
(Reproduit avec l'autorisation du *Boston Globe*)

EN BAS Le maire de Boston en majesté au cours d'une parade. Homme politique né, Honey Fitz se vit affubler du sobriquet de « Fitzblarney » pour sa tendance excessive au bavardage. (AP Wide World Photos)

CI-DESSUS (à partir de la gauche) Teddy, Jean, Bobby, Pat, Eunice, Kick, Rosemary, Jack (John), Rose et Joe Kennedy, vers 1933, à Palm Beach.
Quand l'un des enfants Kennedy échouait à être le premier, il ou elle était renvoyé aux cuisines pour y prendre seul(e) son repas. Chacun devait sans cesse tenir son rang — et gagner l'approbation des parents. (Photofest)

CI-CONTRE L'ambassadeur Joseph P. Kennedy à Londres, à la veille de la Deuxième Guerre mondiale. Sa passion du pouvoir l'amena à admirer Hitler, qui personnifiait les théories de Nietzsche.
(John F. Kennedy Library, Boston)

CI-DESUS L'ambassadeur Kennedy et son épouse Rose aux côtés du roi George VI et de la reine Elizabeth, en 1939. Le comportement de Rose coïncidait parfaitement avec les idées de Joe, convaincu que la promotion à des postes importants dans la haute fonction publique entraînait des promotions du même ordre dans la haute société américaine. (Photofest)

CI-CONTRE Joseph P. Kennedy Jr., lieutenant dans la Navy, pendant la Deuxième Guerre mondiale. « Dans ma famille, personne n'a besoin d'assurance », se vanta-t-il avant d'entreprendre une mission suicide. (Bettmann / Corbis)

CI-DESSUS Kathleen (Kick) Kennedy
et Robert John Cavendish, marquis
de Hartington, tout sourire pendant
leur mariage, à Londres, en 1944.
Même les membres de la famille Cavendish
aux idées les plus avancées n'appréciaient
guère son appartenance à l'église catholique.
(Bettmann / Corbis)

CI-CONTRE Peter Fitzwilliam dansant
pendant un bal. Kick était très attirée par
cet homme marié, et protestant qui plus est,
parce qu'il était — tout comme son père —
plus âgé, sophistiqué et tombeur.
(*Illustrated London News* Picture Library).

Les frères Kennedy — de gauche à droite Jack (John), Bobby et Teddy — photographiés à une date indéterminée. « Notre père voulait nous voir sourire quelles que soient les circonstances, remarqua Teddy. " Je ne veux voir personne bouder chez moi ", clamait-il. » (Photofest)

CI-CONTRE Joseph Kennedy et ses fils (de gauche à droite Edward, John et Robert). Ce sont les Kennedy eux-mêmes, et non leurs détracteurs, qui furent les premiers convaincus de l'existence d'une « malédiction des Kennedy ».
(John F. Kennedy Library, Boston)

CI-DESSOUS Le président Kennedy embrasse son père Joe, après l'attaque subie par celui-ci. Le « donjuanisme » compulsif de John (dit Jack) peut s'expliquer par son besoin désespéré de trouver ce qui manquait tant à son existence — un lien parental réellement intime.
(John F. Kennedy Library, Boston)

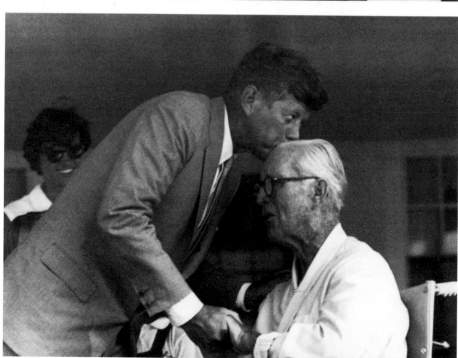

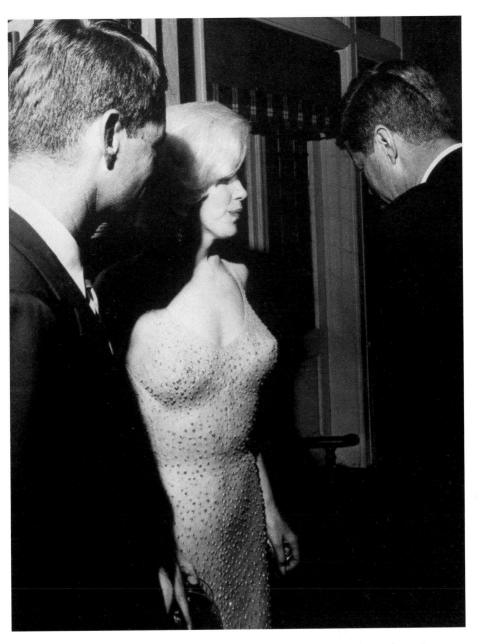

Marilyn Monroe en compagnie de Bobby et de John « Jack » Kennedy après sa fameuse interprétation de « Joyeux anniversaire, M. le Président » au Madison Square Garden. Pendant longtemps, on soupçonna les frères Kennedy d'avoir été impliqués dans la mort de l'actrice.
(Cecil Stoughton / TimePix)

Trois générations de Kennedy à Hyannis Port, en septembre 1962. Quatre décennies plus tard, la famille ferait songer à la queue d'une comète, dont l'éclat aveuglant se serait terni.

(John F. Kennedy Library, Boston)

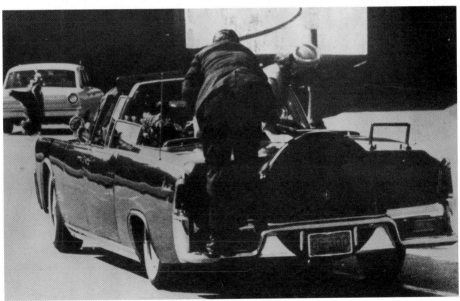

EN HAUT Le président Kennedy en promenade à Boston, en compagnie de Dave Powers et de ses gardes du corps. Beuveries et orgies sexuelles devinrent parties intégrantes des voyages présidentiels et amenèrent certains agents des services secrets à être victimes de la malédiction des Kennedy. (Bettmann / Corbis)

AU-DESSOUS Jacqueline Kennedy se précipite vers l'arrière de la limousine présidentielle, à Dallas. « On entre aujourd'hui au pays des fêlés », avait déclaré le président à son épouse, avant son assassinat. (Bettmann / Corbis)

EN HAUT John Jr. et Caroline avec leur nounou, Maude Shaw, à Hyannis Port, en août 1963. Après l'assassinat du président cette même année, l'impulsivité de John s'aggrava au point de devenir un réel problème.
(Cecil W. Stoughton/ John F. Kennedy Library, Boston)

AU-DESSOUS Jackie morigène le jeune John Jr. à Hawaii, en 1966. « J'ai toujours dit à John qu'il devait veiller à ne rien faire qui puisse ternir le nom de la famille, confia Jackie à l'auteur. Mais je ne suis pas sûre qu'il m'écoutait. » (Photofest)

EN HAUT Une foule de spectateurs regarde les policiers inspecter la voiture d'Edward Kennedy après que celle-ci eut été repêchée sur l'île de Chappaquiddick. La vie de Teddy avait été brisée par l'assassinat de ses deux frères. (Photofest)

AU-DESSOUS Teddy après Chappaquiddick. « Chez Ted Kennedy, le législateur consciencieux se transformait parfois en étudiant attardé, macho et aviné, l'homme d'Etat en partouzeur, la légende des Kennedy en désastre nauséabond », écrivit le magazine Time. (John Loengard / TimePix)

EN HAUT Saisie au vol par un paparazzi, cette photo scandaleuse montre Teddy Kennedy en grande intimité avec une femme non identifiée à bord d'un canot automobile sur la Côte d'Azur, en 1989. Au vu de ce cliché, un collègue sénateur lança à Ted : « Si j'ai bien compris, vous avez changé de position concernant les forages offshore... » (Pierre Aslan / Sipa Press)

AU-DESSOUS Vue aérienne du domaine des Kennedy à Palm Beach, en Floride. La promesse d'« un petit verre tranquille à la maison » était un moyen infaillible d'attirer dans la propriété de jeunes femmes pour des divertissements fort éloignés des jeux de plage. (Bob Shanley / *Palm Beach Post*)

CI-CONTRE JFK Jr. à Hyannis Port, en 1980. Pour attirer l'attention, John ne reculait pas devant les postures exhibitionnistes : en se montrant torse nu en plein Central Park, à New York, ou en se laissant photographier à bord d'un voilier avec Carolyn, par exemple. (Paul Adao / New York News Service)

JFK Jr. et Carolyn Bessette naviguant au large de Cape Cod. Les conversations de l'auteur avec Jackie l'amènent à penser que, si elle avait survécu, celle-ci aurait désapprouvé l'union de son fils et de Carolyn. (Paul Adao / New York News Service)

Caroline Kennedy et son époux, Edwin Schlossberg, quittent leur appartement de Manhattan pour assister à l'inauguration, en avril 2001, de l'exposition consacrée aux robes que portait sa mère à la Maison-Blanche. Après la disparition de son frère, Caroline reprit le flambeau et accepta d'assumer un rôle public plus important. (William Reagan / AP Wide World Photos)

d'usage, la duchesse s'excusa, laissant seuls ses deux invités devant l'âtre grondant.

Au vif soulagement de Kick, le père Talbot ne fit rien pour décourager son intérêt pour Billy. Il préféra se lancer dans un discours sur les différences fondamentales entre les rites anglicans et catholiques. L'Eglise anglicane, à la différence de l'Eglise catholique, s'appuyait fortement sur la noblesse anglaise pour établir le lien entre la communauté et le culte. Les héritiers de Billy seraient notamment chargés de nommer des évêques de l'Eglise anglicane et de se plier à toutes sortes de devoirs cérémoniels. Et ils seraient dans l'impossibilité de s'en acquitter s'ils étaient catholiques.

Une solution — c'était probablement la seule — pourrait être apportée au problème si Kick se convertissait. Le duc avait plus d'une fois tâté le terrain avec elle — notamment en lui envoyant, à titre de cadeau d'anniversaire, un exemplaire du Livre de prières communes de l'Eglise d'Angleterre —, mais pas lady Mary, qui avait toujours laissé le soin à des intermédiaires d'aborder le sujet.

« Bien entendu, ni la duchesse ni le père Talbot n'envisagent un instant de me faire renoncer à quoi que ce soit, écrivit Kick à ses parents pour se justifier. Ils espèrent simplement que je retrouverai la même chose dans la version anglicane du catholicisme. »

Quand le moment fut venu pour la jeune Américaine de quitter Churchdale Hall, la duchesse l'inonda d'aimables attentions. Billy avait rejoint son régiment des Coldstream Guards pour préparer le débarquement allié en Normandie. Tout le monde s'attendait à de lourdes pertes.

« Il est désespérément cruel d'être en permanence obligée de garder à l'esprit les grandes souffrances du deuxième front, écrivit la duchesse à Kick dès le lendemain de son départ. Je sais combien vous devez vous sentir seule, presque oubliée, mais nous devons nous en remettre à Dieu pour que les choses se terminent au mieux. »

Le 29 avril 1944, à Hyannis Port, les Kennedy reçurent un câble de Londres, annonçant que Kick et Billy avaient trouvé un moyen de résoudre l'obstacle religieux. Ils envisageaient de se marier civilement.

Pour une catholique aussi confite en dévotion que Rose Kennedy, une union de ce type constituait un péché mortel. Pour Joseph, qui se contentait d'afficher une piété de façade, le mariage imminent de Kick représentait quelque chose de très différent. Même s'il ne put jamais se résoudre à l'avouer à sa femme, Joseph admira l'aplomb avec lequel sa fille préférée avait réussi un type de coup d'Etat mondain que lui-même avait été impuissant à provoquer.

« Tu es la crème de la crème, écrivit-il en secret à Kick. Je suis prêt à parier n'importe quelle somme et à n'importe quel moment sur ton jugement. »

Joseph n'avait qu'une inquiétude : les dommages potentiels que le mariage civil de sa fille risquaient d'infliger à la carrière politique de son fils aîné. Malgré sa disgrâce auprès de Franklin Roosevelt, Joseph croyait que le président honorerait quand même sa promesse de soutenir la candidature de Joseph Jr. pour le gouvernorat du Massachusetts. Mais les électeurs catholiques sur lesquels il comptait pour élire son fils ne pardonneraient vraisemblablement pas à Kick d'avoir jeté sa religion aux orties et choisi d'épouser un rejeton de l'exécrée noblesse anglaise.

Il fallait donc trouver un moyen de persuader l'Eglise catholique de bénir cette union. Joseph savait qu'un mariage aux conditions des Cavendish nécessiterait une dispense extraordinaire du Vatican. Ainsi, fidèle à ses méthodes habituelles, chercha-t-il à obtenir un arrangement avec le pape.

Avant son accession au trône de saint Pierre, le pape Pie XII avait été le cardinal Eugenio Pacelli, secrétaire d'Etat du Vatican. Joseph l'avait rencontré en 1936, quand Roosevelt lui avait demandé — parce qu'il était le plus célèbre catholique laïc de l'Amérique — d'escorter Pacelli lors de sa première visite officielle aux Etats-Unis. Pacelli avait fait sauter le jeune Teddy sur ses genoux chez les Kennedy à Bronxville, et lui avait administré sa première communion. Plus tard, mandaté par Roosevelt pour le représenter au couronnement de Pacelli, Joseph avait emmené sa famille à Rome.

Négocier en tête-à-tête avec un pape en exercice étant impossible, Joseph fit appel à un ami proche, le cardinal Francis Spellman, de New York, pour établir le dialogue avec le Vatican. En temps de guerre, les câbles étaient fatalement lus par des yeux indiscrets, et Spellman prit donc l'habitude de signer les siens « Archie Spell ». Toutefois, après plusieurs semaines d'échanges télégraphiques, il informa Joseph qu'il ne pouvait rien faire pour atténuer la transgression de Kick.

En général, quand une situation n'évoluait pas dans le sens qu'il aurait souhaité, Joseph fermait les yeux sur la réalité. Toutefois, pour Rose, ce fut une autre affaire. Depuis des semaines, elle livrait à Kick une sorte de guerre psychologique, se contentant d'ignorer purement et simplement le sujet du mariage dans sa correspondance avec elle. Cette tactique ayant échoué, elle choisit de se réfugier dans un assourdissant silence. Il n'était pas question pour elle d'admettre la décision de Kick.

« Naturellement, j'étais perturbée, horrifiée, écrivit Rose à une amie après avoir lu le calamiteux télégramme de sa fille. Après avoir parlé une minute de notre responsabilité, car nous l'avons laissée s'empêtrer dans ce dilemme, nous avons décidé que nous devions réfléchir à un moyen pratique de l'en sortir [...]. EFFONDRÉS — PENSONS — SENTONS QUE TU AS SUBI UNE MAUVAISE INFLUENCE — T'ENVOYONS UN AMI D'ARCHIE SPELL POUR DISCUTER. TOUT CE QUE NOUS FAISONS POUR NOTRE SEIGNEUR SERA RÉTRIBUÉ AU CENTUPLE [...]. Je craignais que cela puisse avoir de puissantes répercussions, que toutes les petites jeunes filles se disent : si K. Kennedy peut le faire, pourquoi pas moi ? Pourquoi faire tant d'histoires ? Et ensuite, tout le monde montrerait du doigt notre famille, ce modèle de bonne tenue, d'équilibre, de dévotion. Quel coup dur pour le prestige familial ! »

Parmi les enfants Kennedy, les deux plus croyants, Eunice et Bobby, se rangèrent dans le camp de leur mère et attaquèrent Kick dans des lettres nerveuses. John, le seul de ses frères à qui la jeune femme avait confié ses sentiments profonds, préféra railler les siens en soulignant leur tartuferie. Il écrivit par exemple à son ami Lem Billings, qui se disait amoureux de Kick : « Tu ferais bien toi aussi de t'y faire. Car comme l'a dit avec tant de vérité sœur Eunice, du haut de son juste courroux catholique : "C'est quelque chose d'affreux, mais il sera très agréable de lui rendre visite après la guerre, et nous ferions donc mieux de nous résigner." »

Le seul acteur du drame à se distinguer par sa franchise fut Billy Hartington. Il reconnut que sa fidélité à l'anglicanisme était moins une affaire de foi que de positionnement patriotique en faveur du roi et de son pays.

« Je sais qu'il ne serait légitime que je permette que mes enfants soient élevés dans la foi catholique [...] que si j'estimais préférable pour l'Angleterre de devenir un pays catholique, écrivit-il à Rose. Par conséquent, croyant très fortement en l'Eglise nationale d'Angleterre et jouissant de toutes sortes d'avantages, avec les responsabilités qui en découlent, je suis convaincu que je fournirais un très mauvais exemple en cédant, et que rien ne justifie que je le fasse. »

En privé, cependant, Billy proposa à Kick un moyen efficace de sortir du dilemme. Comme ses parents, il sentait bien que les temps changeaient et que la structure de classes extrêmement rigide de la Grande-Bretagne risquait de ne pas survivre à la guerre. Si le duc réussissait à garder ses privilèges et son pouvoir, expliqua-t-il à Kick, leurs enfants seraient élevés dans la religion anglicane. Mais si les bouleversements sociaux à venir sapaient les institutions aristocratiques et tranchaient le lien historique entre le duc et l'Eglise anglicane, ils pourraient grandir dans la foi catholique.

Kick sauta sur son offre.

La nouvelle des fiançailles fut publiée dans les journaux de Boston le 4 mai, suivie de rumeurs selon lesquelles la cérémonie nuptiale aurait lieu à Londres deux jours plus tard.

A Hyannis Port, Rose, de plus en plus désespérée, tenta d'orchestrer une campagne de résistance dans la presse.

« Des membres de la famille Kennedy nous ont déclaré ici hier soir que, même si Mlle Kennedy et lord Hartington entretenaient "une très belle amitié", remontant à l'époque où le père de Mlle Kennedy était ambassadeur en Grande-Bretagne, ils n'étaient pas informés d'un projet de mariage », put-on lire dans le *Boston Herald*.

Le lendemain, 5 mai, l'imprévisible Honey Fitz s'immisça dans le mélodrame, en déployant une logique à peu près aussi vaseuse que lorsqu'il s'adressait aux circonscriptions irlandaises de Boston :

« Quand des jeunes non catholiques étaient invités chez les Kennedy le week-end, déclara-t-il au *Herald*, Kathleen les emmenait tous à la messe le dimanche matin. Elle n'a que des qualités, et il faut que ce garçon en ait aussi pour l'avoir conquise. »

Rose parut finalement se résoudre à l'inéluctable. Le dernier câble qu'elle écrivit à Kick — et qu'elle n'eut pas le courage d'envoyer — offrait une suite incohérente de mots souvent biffés. Cela donnait :

ARCHIE SPELL~~MAN~~ A MENÉ ENQUÊTE — TOUS CAS DE FIGURE ICI ET LÀ-BAS. PEUX-TU ÉCRIRE QUELLES CONCESSIONS TON AMI ~~PEUT~~ VEUT BIEN ENVISAGER ~~PEUT-ÊTRE DANS LETTRE À TA MÈRE~~. ESPÉRONS SOLUTION MAIS PARAÎT EXTRÊMEMENT DIFFICILE.

Quand les journalistes cherchèrent à savoir si Rose comptait prendre l'avion pour assister à la cérémonie civile en Angleterre, on les informa qu'elle venait d'être hospitalisée et que son état physique ne lui permettait pas de voyager. En vérité, Rose s'était fait admettre d'elle-même au New England Baptist Hospital pour une série d'examens de routine.

Peu avant midi, le samedi 6 mai, Kick et son frère aîné, le lieutenant de marine Joseph P. Kennedy Jr., sortirent d'une auto dans le centre de Londres. Evitant la meute de journalistes, ils gravirent en hâte les marches de la mairie pour gagner le bureau d'enregistrement des mariages de Chelsea.

Kick, qui avait toujours rêvé de se marier à la cathédrale de Westminster, se retrouva dans un petit bâtiment sordide — un endroit plus propice, ainsi qu'elle l'écrirait plus tard, aux mariages mixtes, aux plates cérémonies entre athées et agnostiques ou, pire encore, aux rites terminaux du divorce. La pièce était décorée d'œillets roses du Devonshire, triste rappel du fait que Billy était le premier Cavendish titré depuis quatre siècles à se marier hors la chapelle familiale de Chatsworth.

Les robes nuptiales traditionnelles étaient rares à Londres en temps de guerre. La plupart des mariées devaient se contenter d'une tenue déjà portée plusieurs fois. Ce n'était pas le cas de Kick. Sa longue robe de crêpe de soie rose pâle avait été terminée dans la nuit par le meilleur couturier de Londres. Kick arborait aussi un turban orné de plumes d'autruche bleu et rose, et s'était fait prêter un sac à main à mailles d'or incrusté de diamants et de saphirs.

Joseph Jr. escorta sa sœur jusqu'au terne bureau du premier étage où l'attendait Billy dans son uniforme empesé des Coldstream Guards, flanqué de ses deux parents ; de sa grand-mère, la duchesse douairière ; de lady Adele Cavendish, sa tante américaine, la sœur de Fred Astaire ; et de ses deux cadettes, Anne et Elizabeth.

Charles Granby, fils du duc de Rutland et témoin de Billy, qui n'avait jusque-là jamais mis les pieds dans un bureau d'enregistrement, fut choqué par la superficialité de la cérémonie, expédiée en dix minutes. Il n'y eut pas même d'échange de vœux. Billy passa une bague de famille sertie d'un gros diamant carré au doigt de Kick. Joseph Jr. et le duc signèrent le registre en leur qualité de témoins, et ce fut fini.

Le somptueux hôtel des Cavendish à Londres était en ruine, frappé par un missile V1 allemand, et lord Hambleden, un cousin de la famille, avait ouvert sa résidence d'Eaton Square pour la réception.

Au moins cent cinquante invités affluèrent, c'est-à-dire beaucoup plus que ce qu'on aurait pu attendre en de telles circonstances. Une foule de bénévoles de la Croix-Rouge papillonnait autour de Kick, qui exhibait à son poignet le bracelet de diamants offert par sa belle-famille. Des GI ivres de champagne faisaient la conversation à des douairières.

Quelques heures plus tard, alors que Kick et Billy s'apprêtaient à partir en lune de miel pour une semaine à Compton Place, une villégiature côtière des Cavendish, un sergent américain attrapa Billy par le bras.

« Hé, l'Angliche, beugla-t-il, vrillant son index dans la poitrine du marié, tu sais que tu t'es dégotté la meilleure nana que l'Amérique ait produite ! »

Pendant que la réception battait son plein à Londres, Rose Kennedy prenait place dans une auto à destination de l'aéroport international de Boston, où un avion devait la transporter à New York. Son teint était « blafard après deux semaines d'hospitalisation », exagéra le *Boston Globe*, augmentant de onze jours la durée de son séjour à l'hôpital. Selon l'article, elle comptait prendre un repos « bien nécessaire » à Hot Springs, en Virginie-Occidentale.

Couverte de bijoux, arborant une étole de renard gris et un béret tricorne dont la voilette lui dissimulait le visage, elle semblait en route vers les funérailles de sa fille.

« Désolée, mais je ne me sens pas physiquement assez bien pour vous accorder une interview, déclara-t-elle aux journalistes à l'aéroport. Je regrette qu'il en soit ainsi. »

L'embarquement fut retardé d'une heure par les mauvaises conditions météorologiques. Rose passa tout ce temps prostrée dans la salle d'attente, la tête entre les mains.

Les semaines suivantes, des deux côtés de l'Atlantique, des catholiques indignés inondèrent Kick de lettres pour lui rappeler qu'elle vivait désormais, et par sa propre faute, dans un purgatoire terrestre. Selon le dogme, elle avait commis un péché mortel et n'était par conséquent plus qualifiée pour recevoir la sainte communion.

Kick ne parut pas perturbée outre mesure. Elle était certaine que son père finirait par trouver une solution et lui obtiendrait une dispense du Vatican. Digne fille de Joseph, elle pensait pouvoir se tirer d'affaire. Il suffisait de voir la façon dont elle avait obtenu son mariage. Elle avait réussi à devenir marquise de Hartington tout en restant catholique. Elle avait gagné sur les deux tableaux.

« Tu as fait tout ce qui était en ton pouvoir, assura-t-elle à sa mère. Tu as accompli ton devoir de mère catholique romaine. Tu n'as pas failli. Rien n'a manqué à mon éducation religieuse [...]. D'après [David James Matthew, l'évêque auxiliaire de Westminster] que j'ai consulté maintes fois, il se peut qu'à une date ultérieure, notre mariage soit validé par l'Eglise. Jusque-là, je dois continuer à prier et à vivre comme une vraie catholique romaine, et à espérer. S'il te plaît, s'il te plaît, fais de même. »

L'unique soutien de Kick dans la famille, Joseph Jr., était pourtant le plus improbable des alliés.

En tant que fils aîné, il avait toujours été l'adjudant de la fratrie, celui qui était chargé de faire respecter le « code de la victoire à tout prix » si cher aux Kennedy et qui corrigeait régulièrement ses frères et sœurs quand ils donnaient un signe de faiblesse, en leur montrant tranquillement qu'il était capable d'accomplir mieux qu'eux n'importe quelle tâche.

Il était également empressé à faire respecter les prescriptions catholiques de Rose et à les respecter lui-même. Dans sa caserne anglaise, par exemple, il s'agenouillait quotidiennement pour faire ses prières pendant que ses compagnons d'escadrille jouaient au poker.

Et pourtant, c'était bien lui, Joseph, qui s'était précipité à Londres la veille du mariage de Kick et qui avait réglé les détails juridiques et financiers du contrat avec les avocats de Billy. C'était Joseph qui avait pris sur lui de donner le bras à la mariée et d'être son témoin officiel. Et c'était encore Joseph qui avait écrit à sa mère : « Pour ce qui est du salut de l'âme de Kick, j'aimerais avoir la moitié de ses chances de voir un jour les portes du paradis. Quant à ce qu'en diront les gens, qu'ils aillent au diable. Je suis sûr que nous saurons tous faire face. [...] Je sais ce que tu ressens, mère, mais je crois que tout se passera bien. »

Dans la mesure où Joseph Jr. ne s'était jamais jusque-là dressé contre l'autorité parentale, son attitude surprit tout le monde. Ni son père, ni son frère John n'avaient jugé opportun de prendre ouvertement le parti de Kick. Et Joseph Jr. lui-même ne plaisantait qu'à demi quand il déclara à sa sœur que, quand les électeurs irlandais catholiques verraient dans le journal une photo de lui au mariage de sa sœur dans un décor qui n'avait rien de catholique, il serait « fini à Boston ».

Pour expliquer l'attitude de Joseph Jr., il convient de prendre en compte la récente modification de son statut au sein de la famille. Peu de temps auparavant, il était encore le fils consacré, l'élu, celui qui était censé porter le nom des Kennedy jusqu'à la Maison-Blanche. Mais l'été précédent, John — un cadet sur lequel on ne comptait pourtant guère — avait acquis la stature d'un héros de guerre après qu'un destroyer japonais eut harponné sa vedette lance-torpilles *PT-109* dans le Pacifique sud. Enthousiasmé, son père s'empressa de transformer l'accident en mythe, en faisant le nécessaire pour que le *Reader's Digest* et *The New Yorker* publient des récits éloquents de la façon dont il avait sauvé son équipage.

Rien, dans l'éducation de Joseph Jr., ne l'avait préparé à subir une telle éviction au profit de son jeune frère dans le cœur paternel. En septembre, après qu'un juge eut levé son verre à la gloire de John lors de la soirée d'anniversaire de leur père à Hyannis Port, il avait craqué, mouillant son oreiller de larmes jusqu'à une heure avancée de la nuit. Dès lors, la malédiction familiale ne fit que resserrer son étau sur Joseph Jr., qui adopta des conduites de plus en plus téméraires afin de prouver sa valeur.

En permission en octobre à Londres, il se joignit à Kick, à William Randolph Hearst, et à quelques autres pour un dîner au Savoy. Il se retrouva assis face à Patricia Wilson, une beauté brune aux yeux perçants et au rire contagieux. Fille d'un riche éleveur de brebis australien, « Pat » avait connu un premier mariage sans amour avec George Child-Villiers, un jeune et riche comte britannique. Après son divorce, elle s'était remariée à Robin Filmer Wilson, un banquier stationné depuis deux ans en Libye sous les drapeaux de l'armée britannique.

Hypnotisé par Pat, Joseph accepta avec empressement une invitation à Crastock Farm, sa maison de campagne du nord de Londres, à une heure de trajet. Jusque-là, Joseph Jr. avait toujours suivi l'exemple paternel, traitant les femmes comme des objets jetables. Mais avec Pat Wilson, pourtant mariée, ce fut très différent. Au dire de tous ceux qui le connaissaient, il exprima bientôt l'envie de l'épouser — ce qui, comme dans le cas de sa sœur, ne pouvait se faire qu'en dehors de l'Eglise catholique.

A l'approche du jour J et du débarquement allié en Normandie, Kick et Billy rejoignirent Joseph et Pat à « Crash-Bang », comme ils avaient surnommé la maison de campagne de Pat. Ils y passèrent de longues heures à jouer au gin-rummy et au bridge, à danser, et à se faire des blagues. Kick avait peine à reconnaître son frère aîné. L'ancien adjudant de la famille semblait avoir décidé de se ruer tête baissée, lui aussi, vers un état de péché mortel.

Le 26 juillet, Joseph passa ce qui devait être son dernier week-end en Angleterre avec Kick et Pat à Crastock Farm.

Il avait effectué ses trente-cinq missions de bombardement et devait rentrer au pays. Lors de ses dernières sorties, il avait fait preuve d'une grande imprudence, allant jusqu'à désobéir aux ordres pour survoler à basse altitude l'île de Guernesey, tenue par les Allemands — un rase-mottes parfaitement inutile, d'où il était revenu le fuselage grêlé de balles.

Et voici qu'il annonçait à Kick et à ses parents qu'au lieu de rentrer aux Etats-Unis, il avait décidé de prolonger son séjour en Angleterre. Il ne pouvait se résoudre à quitter Pat Wilson et, peut-être afin de l'impressionner, s'était porté volontaire pour une mission ultrasecrète dont il n'avait pas le droit de divulguer les détails.

« Je vais faire quelque chose d'assez différent pendant les trois semaines à venir, écrivit-il à ses parents. C'est secret, je n'ai donc pas le droit de dire de quoi il s'agit, mais ce n'est pas dangereux, aussi ne vous inquiétez pas. »

D'Amérique, son père le supplia par écrit : « Ne force pas le destin, Joe. Rentre à la maison. »

Kick n'eut droit qu'à cinq semaines avec son mari avant que Billy ne reçoive l'ordre de réintégrer son régiment en vue de l'assaut allié sur la France.

Peu de temps après son départ, le cousin de celui-ci, David Ormsby-Gore, et sa femme Sissy, emmenèrent Kick en voiture jusqu'à une église catholique du nord de Londres. Là, Kick se surprit à envier les Ormsby-Gore. Ils s'étaient adaptés aux rites catholiques malgré les objections de la famille anglicane de David. Dans la nef étroite, Kick regarda David et Sissy se lever ensemble au moment de la communion, un rituel dont elle était dorénavant exclue.

Avant son mariage, Kick était allée chercher du réconfort auprès du père Martin d'Arcy, un jésuite londonien qui avait converti au catholicisme un de ses amis, le célèbre romancier satirique Evelyn Waugh, et était apprécié pour ses interprétations subtiles du dogme romain. Mais plutôt que de la soulager, le père d'Arcy lui avait brossé un tableau effrayant de l'avenir spirituel qui la guettait — une existence vide de toute participation, suivie de damnation éternelle. Sa seule chance de rédemption consistait à se confesser en cas de mort de Billy, un verdict qu'elle jugea pervers.

Après sa visite à l'église, Kick revint à Compton Place, où elle passait l'été au bord de la mer avec le duc, la duchesse et les sœurs cadettes de Billy, Anne et Elizabeth. Kick consacrait le plus clair de son temps à apprendre ses nouveaux devoirs de marquise de Hartington. Même si sa belle-famille la traitait avec chaleur — Anne et Elizabeth étaient même devenues de ferventes alliées —, Kick n'était pas sûre de l'opinion du vieux duc.

« Même si sa belle-fille a toujours acquiescé à toutes ses exigences, écrivit-elle à sa famille, [le duc] voit toujours en moi une influence maléfique. Je suppose que je vais devoir faire mes preuves sur une période de quelques années. »

Deux semaines plus tard, un dimanche, Kick passait tranquillement l'après-midi dans l'appartement londonien que les Devonshire avaient loué pour elle en l'absence de Billy quand on frappa discrètement à la porte. Ayant ouvert, elle se retrouva face à deux officiers de la Royal Air Force à la mine sombre.

Ils avaient essayé de la joindre toute la journée. L'avion de Joseph Jr. avait explosé la veille, vingt-huit minutes après son décollage. Cinquante-neuf bâtiments avaient été endommagés lors de la chute de l'appareil sur la localité côtière anglaise de Newdelight Wood. Aucune trace du corps n'avait été retrouvée. Il se pouvait qu'une défaillance du système électrique ait provoqué l'explosion.

Peu après, Mark Soden, compagnon de chambrée de Joseph, téléphona à Kick pour lui faire part des dernières volontés de son frère. Il était censé lui remettre ses biens les plus chers — une machine à écrire Underwood, un poste de radio Zenith, un appareil photo Zeiss, et le phonographe Victrola sur lequel Kick et lui avaient fait tourner tant de disques à Crash-Bang.

Elle fondit en larmes.

« Je m'excuse d'avoir craqué ce soir, écrivit-elle à Soden quelques heures plus tard, pour lui donner l'adresse à laquelle envoyer les objets de son frère. Cela n'arrange jamais rien. Je ne sais pas si je voudrai un jour utiliser cette machine à écrire dont nous avons tant parlé, mais elle me rappellera toujours Joe, qui ne mâchait pas ses mots. »

Kick apprit de Pat Wilson quelques semaines plus tard que Joseph avait confié à un ami, avant sa mission, qu'il n'avait qu'une chance sur deux d'en revenir.

Ses chances étaient vraisemblablement encore plus maigres, et il le savait. Joseph s'était porté volontaire pour un projet ultrasecret, de nom de code « Enclume », qui constituait une sorte de tentative de la dernière chance de détruire les inexpugnables blockhaus allemands d'où partaient les fusées V1 à destination de l'Angleterre. Les soutes de son bombardier PBY-4 avaient été bourrées de dix tonnes de TNT — une quantité d'explosifs représentant l'équivalent d'une des bombes les plus puissantes jamais fabriquées.

Si Joseph avait réussi, il était à peu près certain qu'il aurait été décoré de la Navy Cross, la deuxième plus haute distinction militaire, c'est-à-dire nettement mieux que John, qui avait reçu deux distinctions de moindre valeur, la médaille de la Navy et la médaille du corps des Marines pour son rôle dans l'éperonnage de sa vedette.

La veille de son décollage, Earl Olsen, l'électronicien responsable de son appareil, l'avait entraîné à l'écart pour lui conseiller de reporter sa mission car il souhaitait contrôler les circuits du tableau électrique commandant la mise à feu de la charge explosive. Olsen craignait que ces circuits ne soient défectueux et que l'avion n'explose prématurément. Ses supérieurs refusèrent de retarder le vol, et Joseph ne vit aucune raison de s'opposer à leur décision.

« Vous ne voyez donc pas que vous risquez votre peau pour rien ! » protesta Olsen.

Les aviateurs présents sur le tarmac, habitués aux bravades de Joseph, s'imaginèrent que sa réaction était moins due à un désir de mort qu'à une croyance mégalomane en sa propre invulnérabilité. Juste avant le décollage, l'un d'eux demanda à Joseph s'il était en règle avec son assurance. Joseph lui décocha un sourire flamboyant. Ses dernières paroles contiennent l'essence même de la malédiction des Kennedy :

« Dans ma famille, personne n'a besoin d'assurance. »

Le premier week-end de septembre, à Hyannis Port, John invita à la maison ses anciens hommes d'équipage de la vedette *PT-109* pour une petite réunion commémorative. Kick se joignit à eux au dernier moment. Elle avait décidé de s'attarder quelque temps aux Etats-Unis après son retour au pays pour les funérailles de son frère aîné.

Au fil de la soirée, les rires devinrent de plus en plus bruyants, et le vacarme finit par pousser « l'ambassadeur », comme Joseph aimait encore être appelé, à ouvrir la fenêtre de sa chambre et à rabrouer les fêtards en les sommant de rester dignes par respect pour son fils mort.

Peu après, Bobby, qui à dix-neuf ans n'était alors qu'un élève officier maigrichon de la Navy, émergea de la maison et répéta servilement le message paternel.

« Papa est fou furieux », avertit-il.

Kick s'en prit à lui.

« Tu ferais peur à nos invités ! »

Cet accrochage familial ne tarda pas à être remplacé par une attitude collective de stoïque résignation.

« Je suis une Kennedy, écrivit peu après Kick à Lem Billings, l'ami de John. J'ai le sentiment très fort que cela fait une différence dans la manière de faire face aux événements. J'ai vu comment mon père et ma mère ont réagi pour Joe, et je sais que nous avons tous la capacité de ne pas nous laisser abattre. »

Deux semaines plus tard, lors d'un voyage en famille à New York, Kick monta au premier étage du grand magasin Bonwit Teller, très impressionnée par l'abondance de produits introuvables à Londres. Elle était en train de choisir un assortiment de cadeaux destinés à ses amis de l'aristocratie anglaise quand sa sœur Eunice la rejoignit, en avance pour le déjeuner.

« Avant d'aller au restaurant, je crois que nous devrions passer voir papa à l'hôtel, déclara Eunice d'un ton lugubre.

— Il s'est passé quelque chose, répondit Kick.

— Si tu allais voir papa ? » répéta sa sœur.

Elles parcoururent à pied, et en silence, la dizaine de blocs d'immeubles qui les séparaient des tours du Waldorf Astoria, où leur père avait sa suite. Joseph Kennedy les attendait à la porte de la chambre. Un télégramme ouvert était posé sur le secrétaire.

Il annonça à Kick que son mari était mort.

Plus tard, Joseph téléphona à Patsy Field, une amie de Kick, pour lui demander de venir à l'hôtel. Ses enfants évitaient soigneusement d'aborder le sujet de Billy, expliqua-t-il, et Kick avait besoin d'en parler à quelqu'un.

« Que fais-tu depuis que tu as appris la nouvelle ? demanda Patsy à Kick peu après son arrivée.

— Je vais surtout à la messe, répondit tristement Kick. Ma mère me dit tout le temps : "Dieu ne nous impose pas de croix plus lourde que celle que nous pouvons porter." Elle répète ça inlassablement. »

Kick ayant beaucoup de mal à trouver le sommeil, Patsy lui donna un flacon de cachets soporifiques.

En se réveillant quelques heures plus tard, la jeune veuve ouvrit son journal intime.

« Ainsi finit l'histoire de Billy et de Kick !!! » écrivit-elle.

S'étant ravisée, elle raya les points d'exclamation.

Kick repartit à Londres pour les funérailles de son mari.

Elle emménagea avec les Devonshire et ses belles-sœurs, et se mit à passer le plus clair de son temps avec les amis au sang bleu de son défunt mari. Parmi eux, une rumeur ne tarda pas à circuler : la mère bigote de Kick, par un curieux renversement de logique, en était venue à voir sous un jour positif les morts quasi jumelles de son fils et de Billy Hartington.

Selon cette rumeur, Rose aurait dit à Kick qu'elle croyait que si Joseph Jr. et Billy avaient tous deux été fauchés dans la fleur de l'âge, c'était une réponse divine au mariage sacrilège de Kick. Leur disparition ouvrait la voie au retour de sa fille égarée dans le giron de l'Eglise catholique romaine.

Comme la suite des événements devait le prouver, l'Eglise catholique était effectivement prête à reprendre Kick dans son giron. Selon l'expression du père d'Arcy, l'austère jésuite londonien, il suffisait à la jeune femme de confesser ses péchés et de faire acte de contrition.

Kick se plia aux rituels malgré son sentiment de n'avoir rien à se faire pardonner. Quelques jours plus tard, elle écrivit à une amie, amère : « Je suppose que Dieu a réglé le problème à Sa façon, n'est-ce pas ? »

La marquise de Hartington, née Kathleen Kennedy, debout sur l'estrade de l'immense salle de bal de l'hôtel Dorchester, accueillait les invités les uns après les autres. C'était un soir de juin 1946, presque deux ans après la mort de Billy, et Kick effectuait son grand retour dans le carrousel du monde en tant que présidente d'honneur du bal des commandos, le plus prestigieux événement mondain de Londres en cet immédiat après-guerre.

Avec ses cheveux coupés court, selon les derniers canons de la mode, et sa robe rose pâle à broches serties de diamants, Kick paraissait aussi jeune et aussi longiligne que la débutante qu'elle avait été huit ans plus tôt. La classe dirigeante britannique se sentait tenue de montrer sa gratitude aux vétérans qui avaient sauvé le pays de la défaite, et cette soirée charitable visait à honorer une unité militaire spéciale créée par Winston Churchill en 1940, l'année la plus noire de la guerre.

Kick, jeune veuve de guerre américaine de vingt-sept ans, cessa un instant de tendre la main aux dignitaires qui venaient vers elle pour adresser une révérence à la jeune princesse Elizabeth. Peu après, son regard, qui vagabondait sur la salle, s'arrêta sur un homme de haute taille, à la beauté rugueuse, qui lui décocha un sourire insolent. Une Distinguished Service Order, la plus haute récompense militaire britannique, ornait son large torse. Il l'avait obtenue en forçant un blocus naval allemand aux commandes d'un bateau-torpille.

Quelques secondes plus tard, le héros de guerre en question, Peter Fitzwilliam, se matérialisa au côté de Kick. Et pour la première fois de sa vie, ainsi qu'elle-même devait l'avouer plus tard, elle se sentit rougir de manière incontrôlable.

« Je suis enchanté d'avoir enfin l'occasion de vous rencontrer », déclara Fitzwilliam en lui prenant la main, l'entraînant sur la piste de danse.

Le huitième comte Fitzwilliam, dont la fortune rivalisait presque avec celle des Cavendish, était tout ce que le timide Billy Hartington n'avait jamais été. Flambeur notoire, c'était aussi un sportif et un homme à femmes. Il s'était distingué lors d'un certain nombre d'opérations militaires à haut risque. En temps de paix, il naviguait en douceur entre les salons de l'aristocratie anglaise et les tripots du demi-monde londonien.

Peter Fitzwilliam séduisait les hommes autant que les femmes. Même le romancier Evelyn Waugh, qui venait de publier *Retour à Brideshead,* et avait, d'une formule célèbre, traité Fitzwilliam de « dandy roi et rebut », ne put résister à son charisme anglo-irlandais.

« Peter possédait tout le charme du monde, au point d'en être dangereux, vraiment », se souvient un compagnon d'armes, Harry Sporberg.

Selon Jane Kenyon-Stanley, une amie de Kick qui l'accompagnait à cette soirée de gala, la fascination qu'exerçait Fitzwilliam sur Kick venait de sa ressemblance avec son père.

« Il était comme Joseph Kennedy — plus âgé qu'elle, raffiné, tout à fait le grand mâle dominant, raconte-t-elle. Peut-être, en dernière analyse, étaient-ce les qualités qu'il fallait avoir pour la faire tomber profondément amoureuse. »

A trente-sept ans, Fitzwilliam avait dix ans de plus que Kick. Ce n'était pas un vulgaire playboy ; il était marié depuis treize ans à la même femme. Celle-ci, née Olive Plunkett, était l'héritière d'une fortune familiale amassée grâce au brassage de la Guinness. C'était aussi une sportive émérite. « Obby », comme on la surnommait, tenait l'alcool mieux que beaucoup d'hommes. Un jour, elle s'était tellement saoulée qu'elle était passée à travers une porte en verre. Malgré tous les efforts des meilleurs chirurgiens plastiques, son visage portait encore les marques profondes de ce vieil accident.

Quand Fitzwilliam avait hérité de son titre en 1943, Obby était une alcoolique forcenée, capable de tenir la dragée haute à son mari en matière de frasques extraconjugales. Leur couple n'existait plus que sur le papier. Obby restait néanmoins une figure mondaine dont il fallait tenir compte ; elle jouait même un rôle considérable dans le gala de ce soir en sa qualité de présidente du fonds de bienfaisance des commandos.

Tandis que Fitzwilliam faisait tournoyer Kick sur la piste, Obby les observait du coin de l'œil, sifflant verre après verre, de plus en plus rouge.

Kick n'avait l'habitude ni de boire, ni de coucher à droite et à gauche. Malgré sa spontanéité, elle était toujours restée la fille de sa mère — une écolière catholique sexuellement frustrée. Mais dès lors qu'elle se retrouva enveloppée par la puissante aura mâle de Peter Fitzwilliam, ses inhibitions fondirent, et elle connut enfin l'éveil sexuel.

Leur liaison mettait en péril la place déjà fragile de Kick dans la haute société britannique. A cette époque, ses beaux-parents, les Devonshire, avaient déjà officiellement annoncé que le titre ducal serait transmis à leur fils cadet, Andrew. L'épouse de celui-ci, née Deborah Mitford, était dorénavant la véritable marquise de Hartington et serait la prochaine duchesse. Kick n'avait conservé qu'un titre honorifique qui ne lui laissait aucun rôle officiel.

Le duc et la duchesse l'avaient pourtant encouragée à rester en Angleterre pour continuer à leur rappeler leur cher disparu. A cet effet, ils lui achetèrent un petit hôtel particulier géorgien de pierre blanche sur Smith Square, à Londres. Kick, qui restait un personnage de la vie mondaine de la capitale, attira plusieurs prétendants de la noblesse britannique. Mais la mort de Billy ayant anéanti son rêve de devenir duchesse du Devonshire, elle n'avait plus à cœur d'entrer par le mariage dans une autre famille noble. C'eût été se contenter de la deuxième place.

Durant les premiers mois de sa liaison avec Fitzwilliam, Kick s'efforça de préserver les apparences. Quand elle le retrouvait en public, c'était en général pour un déjeuner mondain au Ritz. Ils se voyaient aussi aux dîners donnés par Kick dans son hôtel particulier. Et ils prenaient toutes sortes de précautions pour que leurs tête-à-tête de fin de soirée se déroulent le plus discrètement possible.

Kick trouvait irrésistible l'esprit sarcastique de Fitzwilliam, si semblable à celui de son père. Ils échangeaient des plaisanteries salaces qui provoquaient chez les Anglais des commentaires réprobateurs sur leur « grossièreté » irlandaise. Fitzwilliam lui rappelait son père sur d'autres plans. En dépit de sa fortune, il continuait à gagner de l'argent en jouant ou en se lançant dans des affaires à haut risque ; il décida notamment d'investir dans ce que beaucoup considéraient comme le meilleur champ de courses d'Angleterre. Comme Joseph Kennedy, Fitzwilliam ne se souciait de la prospérité de son pays que dans la mesure où celle-ci l'affectait personnellement. Pendant que la plupart des Britanniques commémoraient le jour de la victoire en Europe, Fitzwilliam tentait de rafler la franchise Coca-Cola pour le nord de l'Angleterre.

Au fil du temps, Kick commença à prendre davantage de risques. Elle s'affichait désormais sans chaperon avec son amant marié dans des lieux publics. Elle portait des vêtements et des bijoux de plus en plus ostentatoires. Et elle tendait à imiter le style flamboyant et le côté esbroufeur de Fitzwilliam. Un chroniqueur mondain alla jusqu'à la surnommer « la marquise au chewing-gum ».

Ses amis ne savaient trop que penser de ce changement. L'attitude de Kick ressemblait à une répudiation délibérée de tout ce pour quoi elle s'était battue naguère. Elle semblait foncer vers l'autodestruction.

Fitzwilliam avait consenti à l'épouser s'il parvenait à divorcer de sa femme Obby en évitant un scandale majeur. Mais il se révéla aussi inflexible que Billy en matière de religion. Il n'avait aucune intention ni de se convertir au catholicisme, ni d'admettre que ses héritiers puissent être élevés dans la foi catholique.

De toute façon, Kick ne semblait plus guère y attacher d'importance.

« Billy, je crois, avait été de sa part un choix très réfléchi, mais pas Fitzwilliam, se rappelle Charlotte McDonnell, une amie d'enfance catholique, qui avait gardé la confiance de Kick. C'était de la passion. C'était quelque chose d'hystérique [...]. Si le mariage était impossible, elle était prête à s'enfuir avec lui. Elle ne se souciait plus des conséquences. »

Elle était otage de la malédiction.

Kick était assise avec ses parents dans la grande salle de bal de l'hôtel Greenbrier, un établissement balnéaire de style avant-guerre, niché dans les collines de White Sulphur Springs, en Virginie-Occidentale.

Sous les poutres roses du haut plafond, des serveurs allaient et venaient entre les tables pour débarrasser les services à thé. Plus de deux cents dignitaires, célébrités, et mondains internationaux, dont le duc et la duchesse de Windsor en exil, s'étaient réunis pour les festivités du week-end, qui visaient à célébrer la réouverture de l'hôtel après la guerre. Joseph Kennedy, qui connaissait bien le propriétaire, Robert Young, y avait amené les siens pour fêter le rassemblement annuel d'hiver des Kennedy à Palm Beach.

Depuis que Kick était rentrée passer ses vacances en Amérique, deux mois plus tôt, les colonnes de potins avaient laissé filtrer un certain nombre d'allusions suggérant qu'elle avait une liaison avec la canaille la plus célèbre et la plus titrée d'Angleterre, Peter Fitzwilliam. Et pourtant, elle n'avait pas encore osé aborder le sujet avec ses parents.

Tout à coup, comme si elle lisait dans les pensées de sa fille, Rose Kennedy rompit le silence :

« Il est divorcé, lâcha-t-elle, les traits pincés. C'est un sacrilège ! »

Elle avertit Kick que si celle-ci s'obstinait à épouser le comte, elle la déshériterait. Par ailleurs, enchaîna-t-elle en jetant un coup d'œil appuyé à Joseph, elle ferait en sorte que son père lui coupe les vivres et la déshérite aussi. Bref, Kick serait considérée comme morte aux yeux des siens si elle se mariait avec Fitzwilliam.

Les yeux de la jeune femme s'emplirent de larmes. Plus tard, elle apprendrait que Rose avait promis à Joseph de le quitter s'il ne la soutenait pas sur la question de Fitzwilliam. C'était pour elle l'ultime menace, qu'elle n'avait encore jamais brandie après les innombrables infidélités de Joseph, et il était évident, à la façon dont elle l'avait proférée, qu'elle était prête à la mettre à exécution.

Le mariage de Kick avec Billy Hartington avait obligé Rose à se réfugier à l'hôpital — et dans un silence impuissant. Cette fois, confrontée à une situation qu'elle jugeait nettement plus grave, elle refusait d'être une spectatrice passive.

Peu après son ultimatum de l'hôtel Greenbrier, Rose rejoignit Kick dans son hôtel particulier londonien de Smith Square, dont le salon était orné de compositions florales et de précieuses antiquités prêtées par les Cavendish.

Pendant quatre jours, Rose sermonna sa fille presque sans interruption sur la gravité du péché qu'elle commettrait en épousant Peter Fitzwilliam. Lentement, mais sûrement, face aux harangues maternelles, la détermination de Kick donna des signes de fléchissement. Enfin, apparemment vidée de tout désir de résistance, elle promit d'obéir à sa mère et de ne plus penser au mariage.

Cela ne suffit pas à Rose. Elle exigea de Kick qu'elle couche sa décision noir sur blanc et envoya la lettre à Fitzwilliam.

Dès que Rose fut repartie, la gouvernante de Kick, Ilona Solynossy, rejoignit sa maîtresse dans le salon. Elle avait tout entendu.

« Vous avez vingt-huit ans, vous êtes veuve et résidente britannique, lança-t-elle. Comment votre mère pourrait-elle vous empêcher de vous marier ? »

Il s'avéra que Kick n'avait aucune intention de tenir la promesse faite à sa mère. Elle mit même au point un stratagème pour tenter d'obtenir l'aide de son père. Son plan était simple : Fitzwilliam et elle avaient prévu une escapade romantique de deux jours à Cannes, les 13 et 14 mai. Or, Joseph Kennedy devait passer à Paris le 15. Kick persuada Fitzwilliam de faire escale à Paris pendant le voyage de retour, ce qui lui permettrait de le présenter à l'ambassadeur lors d'un déjeuner au Ritz.

« Je ferai tout ce que je peux pour faire basculer le vieux, promit Fitzwilliam à Kick. Si c'est la religion qui pose problème, je suis prêt à lui construire une église, bon sang. »

Le matin du 13 mai, Kick avait rendez-vous avec Peter Fitzwilliam sur une piste de l'aérodrome de Croyden, près de Londres. Elle portait un tailleur bleu marine et un collier de perles. Ses deux valises contenaient plusieurs tenues d'été et un déshabillé sexy.

Après l'avoir gratifiée d'une tendre accolade, le comte se tourna vers leur pilote, Peter Townshend, un ancien officier de la Royal Air Force, et l'interrogea sur la météo. Townshend répondit qu'un gros orage était en formation au-dessus de la vallée du Rhône, mais que cela ne leur poserait pas de problème : s'ils suivaient leur plan de vol, ils seraient largement en avance sur la perturbation.

Sitôt que Townshend eut posé son DeHaviland Dove à l'aéroport du Bourget pour une escale technique, Fitzwilliam descendit du petit appareil de huit places et téléphona à des amis du milieu hippique. Puis, obéissant à une impulsion typique, il commanda un taxi pour présenter Kick à ses amis autour d'un déjeuner au Café de Paris.

Avant leur départ de l'aéroport, Townshend rappela une fois de plus au couple que le temps était compté et qu'il leur faudrait impérativement décoller juste après le déjeuner. D'après le dernier bulletin météorologique, le gros orage qui était en train de se former au sud de la France devait croiser leur route à dix-sept heures.

Trois heures s'écoulèrent. Kick et Fitzwilliam n'étaient toujours pas revenus. Townshend, pilote prudent, sentait sa colère monter à chaque minute.

« Nous allons être en retard, se plaignit-il à un officiel français de l'aéroport. C'est exaspérant. »

Enfin, un coup de klaxon retentit. Fitzwilliam, Kick et leurs compagnons du déjeuner émergèrent de deux taxis, les joues rougies par l'excès de vin.

Tous les vols commerciaux au départ du Bourget avaient été reportés, et Townshend faisait grise mine. Il n'était pas question de faire décoller son DeHaviland dans ces conditions, annonça-t-il à Fitzwilliam. Ils allaient devoir attendre la fin de l'orage.

Mais Fitzwilliam et Kick n'étaient pas le genre à se laisser impressionner par une argumentation rationnelle — ni par les forces de la nature. Pour eux, un orage était un défi à relever. Une occasion supplémentaire de prouver leur invulnérabilité.

Pendant vingt minutes, ils s'acharnèrent sur le pilote. S'ils ne partaient pas cet après-midi, insistèrent-ils, il ne leur resterait plus qu'à annuler leur bref séjour à Cannes, ou alors à manquer leur rendez-vous avec l'ambassadeur.

De guerre lasse, Townshend finit par céder. Et à quinze heures trente, le DeHaviland Dove s'éleva dans un ciel de plus en plus noir.

Trois heures plus tard, alors que Paul Petit était assis devant sa ferme vieille de neuf cents ans à proximité du Coran, un sommet des Cévennes, un bruit strident attira son attention, et il leva la tête vers le ciel.

A cet instant, un petit avion creva le plafond de nuages sombres au nord-est, fit entendre un nouveau fracas, puis un autre. Une aile parut se détacher du fuselage. L'avion piqua à la verticale et disparut derrière la crête.

Quelques heures plus tard, tandis qu'une pluie lancinante martelait les flancs de la montagne, Petit guida un groupe de gendarmes sur un sentier rocailleux jusqu'à un cratère de six mètres, jonché de débris du DeHaviland Dove. A l'intérieur, Peter Townshend et son copilote étaient affalés contre le tableau de bord. Tous deux étaient morts, de même que Peter Fitzwilliam, coincé sous un siège.

Le corps de Kick fut le seul à pouvoir être retiré par l'équipe de sauvetage. Elle gisait étendue, avec sa ceinture de sécurité, la joue entaillée par une plaie profonde. Les gendarmes estimèrent qu'elle dormait au moment de l'impact. Elle s'était réveillée en sursaut une fraction de seconde avant de mourir.

Joseph Kennedy fut le seul membre de la famille à assister aux funérailles de Kick, célébrées en l'église catholique de Farm Street, à Londres.

Le patriarche semblait crouler sous le poids de son chagrin. Il resta debout jusqu'à la fin de la messe, entouré de membres éminents du gouvernement britannique et d'amis de Fitzwilliam et de Kick. Presque toutes les personnes réunies dans la nef étaient des anglicans de haute souche — ceux-là même qui avaient eu tendance à snober Joseph du temps où il était ambassadeur. Parmi les fleurs et les couronnes déposées autour du cercueil de Kick, un message manuscrit du Britannique que Joseph, toujours aussi isolationniste, haïssait sans doute plus que tous les autres, l'ex-Premier ministre Winston Churchill.

Malgré sa migraine, Joseph réussit à trouver la lucidité nécessaire pour concocter une explication officielle de la mort de sa fille en compagnie de son amant. Il était crucial pour lui que l'histoire n'embarrasse pas la famille ni ne nuise aux aspirations politiques de son deuxième fils, John, lequel avait repris le rôle de porte-drapeau des Kennedy à la mort de Joseph Jr.

Même si toute la haute société londonienne était au courant de la scandaleuse liaison de Kick avec Fitzwilliam, Joseph imagina une version de l'accident capable de blanchir la réputation de sa fille. L'avis de décès, paru dans le *Boston American*, est assez représentatif de la façon dont la presse en général, aux Etats-Unis et en Grande-Bretagne, rendit compte de l'accident :

UNE RENCONTRE FORTUITE FATALE À KATHLEEN

Tandis que les membres endeuillés de la famille de Joseph P. Kennedy se réunissaient aujourd'hui sur les deux rives de l'Atlantique pour rendre un dernier hommage à Kathleen, marquise de

*Hartington, décédée à l'âge de vingt-huit ans, on apprenait à
Londres qu'une rencontre fortuite était à l'origine de la tragique disparition de la jeune femme dans un accident d'avion en montagne
au sud de la France.*

*Elle a trouvé la mort dans un bimoteur affrété à l'aéroport de
Croyden, Londres, par lord Fitzwilliam, trente-sept ans, qui souhaitait rendre visite à des éleveurs français de chevaux de course.*

*Rentrée en Angleterre deux jours plus tôt après une réunion de
famille en Amérique, Kick n'avait pas pu trouver de place à bord
du train de luxe* Golden Arrow *pour se rendre à Paris où elle avait
un rendez-vous prévu avec son père.*

*Au bar de l'hôtel Ritz, toutefois, elle avait croisé lord et lady
Fitzwilliam et, au terme d'une brève conversation, ceux-ci lui
avaient proposé une place dans l'appareil qu'ils avaient eux-mêmes
affrété.*

*Pour conclure son récit de cette malheureuse coïncidence, le secré-
taire des Fitzwilliam a ajouté :*

*« Lady Hartington était une vieille amie de lord et de lady
Fitzwilliam. Elle a été ravie d'accepter leur offre. »*

Rose avait la conviction que Kick était morte dans le péché
et que son âme séjournait désormais au purgatoire. Mais au fil
du temps, sa position publique se radoucit quelque peu.
Chaque fois qu'elle apprenait qu'une connaissance partait
pour l'Angleterre, elle lui suggérait d'aller se recueillir sur la
tombe de Kick, à Chatsworth. Puis, comme pour se justifier,
elle ajoutait :

« Elle était duchesse, vous savez. »

La mort brutale de Kick bouleversa John, le plus proche de
ses frères et sœurs.

« John éprouvait de terribles difficultés à s'endormir le soir,
raconte son ami Lem Billings. A la seconde où il fermait les
yeux, il était assailli par le souvenir de Kathleen, avec laquelle
il avait souvent veillé jusqu'au petit matin en échangeant des
souvenirs de fêtes et d'amours. Il s'efforçait de refermer les
yeux, mais ne réussissait pas à chasser ces images. C'était plus

facile, disait-il, quand il avait une fille dans son lit, parce que dans ces cas-là, il s'imaginait que la fille était une amie de Kathleen et que, le matin venu, ils prendraient leur petit déjeuner tous les trois. »

Quand John vint à Londres cet été-là, il alla rendre visite à Ilona Solynossy, l'ex-gouvernante de Kick, et la questionna sur les moindres détails de la vie avec sa sœur. Au moment de repartir, il stupéfia Ilona en déclarant, d'un ton froid et détaché : « Nous ne reparlerons plus d'elle. »

Le clan Kennedy allait respecter cette règle tout au long des décennies suivantes. Treize ans plus tard, par exemple, lorsque John accéda à la présidence, la biographie officielle de la Maison-Blanche se contenterait de mentionner Kathleen Kennedy comme « la sœur décédée dans un accident d'avion ».

5

JOHN FITZGERALD KENNEDY

Le chemin de Dallas

« Je ne veux pas de bulle de plexiglas sur la limousine, annonça le président Kennedy à Kenneth O'Donnell. Je veux que toutes les nanas du Texas puissent voir la beauté de Jackie. »

La scène se déroulait peu après midi, le mercredi 20 novembre 1963, pendant que le président se dirigeait vers la piscine couverte de la Maison-Blanche pour sa séance de natation quotidienne. Emmitouflé dans un épais peignoir en mousse et chaussé de sandales de plage, il ne ressemblait plus guère au fringant jeune homme qui avait inspiré toute une génération par les envolées rhétoriques de son discours inaugural. Les injections quotidiennes de cortisone destinées à traiter sa maladie d'Addison avaient alourdi son mètre quatre-vingts et soufflé ses traits. Cet excédent de poids, ajouté au fardeau de ses mille jours de mandat, avait vieilli John Fitzgerald Kennedy au point de le faire paraître nettement plus âgé que ses quarante-six ans.

Il avait demandé à ses deux plus fidèles assistants, Kenny O'Donnell et Dave Powers, de l'accompagner jusqu'à la piscine afin d'arrêter avec eux les dispositions de son voyage au Texas, qui commençait le lendemain. La nouvelle était parvenue à Washington que l'ambiance régnant à Dallas, ville considérée comme la « capitale de la haine » sudiste, s'était dégradée au point de devenir carrément meurtrière. A peine un mois auparavant, des manifestants de droite avaient menacé la vie de l'ambassadeur américain aux Nations-Unies, Adlai Stevenson. Et quelques jours plus tôt, la ville avait été inondée de tracts ultraconservateurs montrant une photo de John Kennedy accompagnée de la légende : « RECHERCHÉ POUR TRAHISON ».

A la Maison-Blanche, l'angoissante question de la sécurité du président mettait les nerfs à fleur de peau. Un comité de citoyens influents de Dallas avait averti l'entourage de John Kennedy des risques d'assassinat qu'il encourait, et certains collaborateurs de la Maison-Blanche le pressaient même d'annuler sa visite. J. William Fulbright, sénateur de l'Arkansas, un Etat du Sud, lui avait dit : « Dallas est une ville très dangereuse [...]. Moi-même, je n'irais pas. N'y allez surtout pas. » Et le projet de discours que le vice-président Lyndon Johnson avait prévu de prononcer à Austin après l'étape de son patron à Dallas — projet que les conseillers de John Kennedy avaient vraisemblablement lu et approuvé — était censé commencer ainsi : « Monsieur le président, grâce au ciel, vous êtes ressorti de Dallas vivant ! »

Kennedy lui-même semble avoir eu des prémonitions peu encourageantes. Quelques semaines plus tôt, un de ses anciens compagnons d'armes de la Seconde Guerre mondiale, Paul « Red » Fay Jr., avait signé le scénario d'un petit film amateur dans lequel le président, Jackie, et quelques-uns de leurs amis devaient jouer un rôle. Dans ce film, tourné par un photographe de la Navy, le personnage choisi par John Kennedy finissait assassiné.

En dépit de ces sombres présages, le président refusa de modifier son projet de voyage. En tant que leader du Parti démocrate, il jugeait essentiel d'aller au Texas, où de furieuses querelles intestines entre démocrates menaçaient d'anéantir ses chances de remporter cet Etat crucial lors de la présidentielle de 1964, qui devait avoir lieu moins d'un an plus tard. Son taux d'approbation dans les sondages était tombé de soixante-seize à cinquante-neuf pour cent dans l'année et, selon son biographe Richard Reeves, Kennedy pressentait que « pour l'emporter haut la main en 1964, la clé était une victoire au Texas et en Floride, parce que cela permettrait de combler toutes les pertes subies dans les autres Etats du Sud ».

Face à tous les signaux d'alerte qui arrivaient du Texas, un homme prudent aurait réfléchi à deux fois avant d'entreprendre une telle tournée. Mais comme toujours, Kennedy fit passer son image avant la réalité. Il craignait qu'une annulation de dernière minute ne nuise à l'image de virilité brute de décoffrage qu'il s'était construite avec tant d'effort.

« Si John était décidé à aller à Dallas, c'est à cause de son stupide orgueil, raconte Jay Tunney, fils de l'ancien champion du monde des poids lourds de boxe Gene Tunney, un proche des Kennedy. John était incapable de jouer la carte de la prudence. Les Kennedy n'étaient pas fabriqués sur ce modèle-là. »

Pendant que le président et ses conseillers se dirigeaient vers la piscine couverte, Kenny O'Donnell, à qui incombait la charge de planifier le trajet en voiture du cortège présidentiel dans le centre de Dallas, tenta d'alerter Kennedy.

« Monsieur le Président, les services secrets ne veulent pas que vous circuliez dans une auto découverte. »

Tous les présidents souffraient de la barrière protectrice dressée autour de leur personne par les services secrets. Elle faisait obstacle à ce qui constituait la moelle même de la vie politique — le contact physique entre le politicien et ses électeurs. Sachant à quel point Kennedy attachait de l'importance à ce type de contact, O'Donnell pesa chacun de ses mots avec soin. Il évita à dessein de dire que *lui-même* pensait que le président ferait mieux d'accepter la bulle de plexiglas, préférant laisser la responsabilité de cette recommandation aux services secrets.

John Kennedy ne se sentait jamais aussi à l'aise qu'en compagnie d'hommes qui, selon l'expression d'un biographe, « exhibaient un tempérament macho quasi adolescent ». C'était le courage — et non la prudence, la compassion, ou la justice — qui entre toutes les vertus était considéré comme la plus haute à la Maison-Blanche de Kennedy.

« Les personnes sont souvent obsédées par des valeurs qui correspondent à leurs doutes personnels les plus profonds et qui ont pour elles un sens névrotique, explique Nancy Gager Clinch. La fascination de Kennedy pour les limites du courage humain, tant politique que physique, suggère qu'il doutait de posséder lui-même ces qualités. »

Tous ceux qui ne correspondaient pas à l'idéal humain de Kennedy avaient tôt fait de sentir dans leur chair la désapprobation du président, qui pouvait se montrer très brutal avec les membres de son entourage proche. Son secrétaire de presse Pierre Salinger devait plus tard évoquer « son caractère hérissé, ses froids sarcasmes ».

Donc, ce que Kenny O'Donnell, principal organisateur du voyage à Dallas, craignait par-dessus tout, c'était de passer pour un froussard aux yeux de son président.

« Dans les années ultérieures, Kenny ne se pardonnerait jamais de ne pas avoir été plus loin pour empêcher le président d'aller à Dallas, m'a confié Dave Powers. Il avait le sentiment qu'il aurait dû tenter plus énergiquement de le protéger. »

Propos confirmés par la fille d'O'Donnell, Helen : « Mon père s'est toujours attribué une énorme responsabilité après ce qui est arrivé à Dallas, m'a-t-elle dit. Il a toujours pensé qu'il aurait dû anticiper le drame, qu'il y avait forcément quelque chose qu'il aurait pu faire, et que s'il avait fait cette chose-là, le cours de l'histoire en aurait été changé. »

Arrivé à la porte de la piscine, Kennedy se tourna vers O'Donnell. Ainsi que me l'a raconté Dave Powers, il lui tint les propos suivants : « Kenny, si le temps est clair et qu'il ne pleut pas, faites-moi enlever cette bulle. Je ne veux pas non plus de gars des services secrets sur mes marchepieds. Et dégagez-moi ces motards des côtés de la voiture, je ne veux pas les voir. »

Après avoir envoyé Kenny O'Donnell transmettre ses instructions aux services secrets, John Kennedy et Dave Powers pénétrèrent dans le local embué de la piscine couverte. Pendant la séance de natation quotidienne du président, l'accès à cette piscine n'était autorisé qu'à quatre hommes : Bobby et Teddy Kennedy, Powers, et O'Donnell. Même les agents des services secrets détachés à la Maison-Blanche restaient à la porte.

Un des murs de la salle était recouvert d'une fresque représentant un coucher de soleil sur Saint Croix, dans les Iles Vierges. L'œuvre avait été commandée en 1961 par le père du président à l'artiste Bernard Lamotte. Sur une table, près du bassin, il y avait une carafe de daiquiri et plusieurs verres.

Kennedy se servit un verre, puis s'installa dans un fauteuil. Presque aussitôt, des voix féminines se firent entendre dans le gymnase mitoyen. Dave Powers déverrouilla la porte de celui-ci, et deux jeunes femmes d'une vingtaine d'années firent leur apparition au bord de la piscine.

Les hommes des services secrets les avaient surnommées « Fiddle » et « Faddle ». L'une d'elles travaillait sous les ordres d'Evelyn Lincoln, la secrétaire particulière du président ; l'autre pour Pierre Salinger, le secrétaire de presse de la Maison-Blanche. Fiddle et Faddle accompagnaient le président pendant la plupart de ses sorties hors de Washington, et étaient souvent appelées en pleine nuit pour accomplir leur « devoir ».

« Un jour, écrit Thomas C. Reeves, Peter Lawford [le beau-frère du président] apporta du nitrite d'amyle à la Maison-Blanche. Apprenant que cette substance, qu'on appelait également « poppers », était censée accroître la puissance sexuelle, John voulut l'essayer. Lawford refusa, invoquant son extrême dangerosité et enjoignant le président de ne pas prendre un tel risque. John donna donc la drogue à Fiddle et à Faddle, et les deux hommes regardèrent avec intérêt les deux jeunes femmes tomber quelques instants en état d'hyperventilation. »

Après avoir reposé son verre, le président ôta son peignoir. Il ne portait rien dessous. Il entra dans l'eau, fortement chauffée pour lui permettre de soulager ses douleurs chroniques du dos. Fiddle et Faddle le suivirent dans la piscine. Le président leur fit signe d'approcher, les prit toutes les deux sur ses genoux. Ses mains cherchèrent leurs seins. Puis, de ce même ton autoritaire qu'il avait utilisé pour ordonner à Kenny O'Donnell de faire retirer la bulle de plexiglas de sa limousine de Dallas, John Kennedy expliqua précisément à Fiddle et à Faddle ce qu'il voulait qu'elles fassent.

La règle implicite, parmi les agents des services secrets, était qu'il ne fallait pas discuter de ce que faisait le président derrière la porte verrouillée de la piscine. Ce jour-là, ils le suspectèrent naturellement d'être en train de s'amuser dans le bassin avec ses compagnes habituelles, Fiddle et Faddle. Mais ils n'avaient aucun moyen d'en être sûrs. Car, en violation flagrante des procédures de sécurité, personne ne s'était donné la peine de communiquer aux services secrets l'identité de ces femmes.

Si les services secrets étaient plus ou moins maintenus dans l'ombre, l'opinion américaine, elle, ne savait strictement rien des frasques de John Kennedy à la Maison-Blanche. La plupart de ses concitoyens tenaient pour vrai le portrait du président, forgé par sa machine à fabriquer de l'image, qui le représentait en père de famille idéal, fidèle à son épouse et dévoué à ses enfants.

La fidélité conjugale n'était pas le seul domaine où le mythe peinait à rendre compte de la réalité. Alors que les Américains admiraient Kennedy pour sa santé florissante, il souffrait beaucoup de sa maladie d'Addison et était souvent alité quand le commun des mortels le croyait en train de diriger les affaires de l'Etat. Les Américains étaient également impressionnés par sa virilité ; Jackie s'était retrouvée enceinte à deux reprises au cours des trois dernières années — une fois pendant la campagne présidentielle, et la deuxième après son arrivée à la Maison-Blanche. Rares étaient ceux qui savaient que Kennedy était affligé de maladies vénériennes chroniques et qu'il avait contaminé son épouse, ce qui avait peut-être provoqué la naissance prématurée d'un bébé malade en août de l'année précédente. Le petit garçon, prénommé Patrick, n'avait vécu que deux jours.

Les fabricants d'image du président avaient eu de la chance que leur poulain soit arrivé sur la scène exactement au moment idéal — à un point de rupture de l'histoire culturelle de l'Amérique. Au début des années 1960, le flot d'opulence généré par l'après-guerre était en passe de balayer la plupart des vieilles restrictions puritaines du pays, suscitant parmi la population une forte revendication de liberté personnelle. Les Américains ne voulaient plus d'une figure paternelle de type Truman ou Eisenhower à la Maison-Blanche. Ils rêvaient d'un dirigeant incarnant l'esprit de son temps, avec un accent narcissique mis sur les « relations libres » et le « sexe cool ».

John Kennedy était résolument cool. « Ce côté "cool", écrit l'historien Arthur Schlesinger, était en soi une nouvelle frontière. Il représentait la liberté par rapport aux comportements stéréotypés du passé [...]. Sa personnalité était l'instrument le plus puissant qu'il eût à sa disposition pour susciter le désir national de quelque chose de nouveau et de meilleur. »

Kennedy était en parfaite harmonie avec ce moment culturel. S'il avait été élu, rappelle l'historien Theodore H. White, c'était « surtout parce qu'il était élégant, gai, spirituel, jeune et séduisant. C'est cette image qui lui fit gagner les élections ; plus son talent superlatif au jeu de la politique ; plus la lame de fond de son époque, avec une rupture vis-à-vis des vieux préjugés et l'émergence balbutiante de nouvelles formes de politique. »

Les rendez-vous sexuels de Kennedy étaient organisés par Dave Powers et par d'autres membres de la mafia irlandaise pendant les fréquentes absences de Jackie.

« Il y avait une conjuration du silence pour garder le secret vis-à-vis de Jacqueline et l'empêcher de savoir, raconte Traphes Bryant, le responsable du chenil de la Maison-Blanche. Les journaux annonçaient le départ de la Première Dame pour un énième voyage, mais ce qu'ils ne disaient pas, c'était à quel point le président était souvent impatient de la voir partir. »

Fiddle et Faddle ne furent pas les seules employées de la Maison-Blanche à avoir des relations intimes avec le président. La secrétaire de presse de son épouse, Pamela Turnure, une beauté brune qui ressemblait beaucoup à la Première Dame, eut elle aussi une aventure avec Kennedy pendant son mandat. Au plus fort de la crise des missiles de Cuba, l'œil de Kennedy fut un jour attiré par une jeune secrétaire temporairement prêtée à la Maison-Blanche par le département du Commerce. « Trouvez-moi son nom, ordonna-t-il au secrétaire à la Défense, Robert McNamara. La guerre nucléaire pourrait être évitée ce soir. »

Selon Peter Lawford, le président aimait aussi mêler ses amis à ses jeux sexuels de la Maison-Blanche. Un jour, il organisa un concours — doté d'un prix en espèces — pour récompenser le premier d'entre eux qui réussirait à faire l'amour à une femme autre que la sienne dans la chambre à coucher de Lincoln. Lawford réussit à y entraîner une lesbienne, qui à son grand dam refusa ses avances. Il prétendit néanmoins être arrivé à ses fins et empocha le montant du prix.

Avide de chair fraîche, Kennedy finit par demander à Dave Powers de lui amener des femmes extérieures à son cercle habituel. Parmi les fréquentes visiteuses de la Maison-Blanche, il y eut ainsi Judith Campbell, maîtresse du parrain de la mafia Sam Giancana, lequel fut impliqué dans un plan de la CIA visant à assassiner Fidel Castro. Il y eut également Mary Pinchot Meyer, artiste de Washington et belle-sœur du journaliste Benjamin Bradlee. Au cours de leurs rendez-vous sexuels à la Maison-Blanche, Mary Meyer initia Kennedy à la marijuana, à la cocaïne, au haschisch et au LSD. Il y eut encore Marilyn Monroe, qui mettait une perruque brune et des lunettes de soleil quand elle montait avec John Kennedy à bord de l'*Air Force One*, le Boeing présidentiel.

Ce ne sont que quelques exemples parmi les plus célèbres. D'innombrables autres femmes défilèrent à la Maison-Blanche — hôtesses de l'air, danseuses de cabaret de Las Vegas, reines du strip-tease, collaboratrices de campagne, mondaines de Palm Beach, starlettes d'Hollywood, prostituées...

« Plus inquiétant, selon l'historien James Giglio, Kennedy avait parfois des relations avec des rencontres de hasard ou des quasi-inconnues, qui se faufilaient subrepticement par l'entrée de service sud-ouest de la Maison-Blanche sur la sollicitation d'amis ou de conseillers [...]. Elles venaient pendant les fréquentes absences de Jacqueline, rejoignant le président à la piscine ou dans les appartements familiaux. »

« Les amis et les proches collaborateurs [du président], dont quelques-uns étaient affolés par ce va-et-vient, faisaient semblant de ne rien voir ou traitaient cela comme un simple violon d'Ingres du patron, écrit Richard Reeves. Après tout, cela lui demandait moins de temps que le tennis, et les partenaires étaient plus faciles à trouver. Pour certains, c'était un rite de passage, qui leur donnait le sentiment excitant d'être admis au sein du premier cercle de Kennedy [...]. Etre dans les parages, faire le ménage après coup, garder le secret, tout cela faisait partie du jeu. La conjuration du silence rapprochait les hommes. "Nous ne sommes qu'une bande de vierges, de vierges mariées, déclara un jeune membre de l'état-major présidentiel, le secrétaire au Cabinet, Fred Dutton. Et lui, il est comme Dieu, il baise tout ce qu'il a envie de baiser, dès qu'il en a envie." »

Le besoin de John Kennedy de multiplier les aventures sexuelles sous le nez de son épouse montre clairement l'investissement total de son ego dans la séduction des femmes.

« Un homme à femmes comme Kennedy n'était pas uniquement poussé, comme on le pense souvent, par le désir d'être un macho, analyse la psychologue Sue Erikson Bloland, la fille du célèbre psychanalyste Erik Erikson, elle-même spécialisée dans la psychologie des gens célèbres et de leurs enfants. Kennedy lui-même donnait un indice de la vérité chaque fois qu'il se plaignait de ce que sa mère n'avait jamais été là pendant son enfance, qu'elle s'était toujours montrée froide et distante et qu'elle ne lui avait jamais témoigné d'affection. Son obsession des femmes peut être considérée comme l'effort désespéré d'un narcissique pour obtenir ce qui manquait à sa vie apparemment resplendissante — l'expérience d'un lien authentiquement intime.

» En même temps, poursuit Bloland, quelqu'un ayant ses origines [irlandaises] pouvait avoir tendance à considérer la dépendance vis-à-vis des femmes comme un signe de manque de virilité. Ainsi son comportement sexuel débridé lui permettait-il de combiner deux besoins apparemment contradictoires — être le plus souvent possible proche des femmes, et cependant rester un homme libre, capable de les prendre puis de les jeter. »

Cette image d'un John Kennedy prisonnier du sexe n'est pas celle qu'eurent la plupart des Américains de son vivant. Et même à ce jour, il reste des gens pour croire qu'on a accordé bien trop d'attention aux traumatismes d'enfance de John Kennedy et à sa vie sexuelle d'adulte. Ceux-là considèrent qu'un président devrait être jugé uniquement sur la qualité de son action en cours de mandat, et non sur le caractère moral ou immoral de sa vie personnelle.

Toutefois, comme les Américains ont eu l'amertume de le découvrir par la suite avec les présidents Johnson, Nixon, et Clinton, le caractère personnel d'un leader est indissociable de sa prestation publique. La psyché d'un président, ainsi que l'a un jour observé Michael Harrington en parlant de Richard Nixon, est une question éminemment politique.

« La prise d'une décision à la Maison-Blanche met clairement en jeu l'expérience, le talent politique, l'idéologie d'un président et les circonstances du moment, avec notamment les conseils reçus et les convenances politiques, écrit Thomas C. Reeves dans un ouvrage désormais classique, *A Question of Character : A Life of John F. Kennedy*. Toutefois, le caractère fournit le cadre vital au sein duquel ces divers éléments s'organisent. Savoir ce que le président considère comme bien ou mal, bon ou mauvais, permet de dresser un tableau plus complet et plus exact de la stature de l'homme et de son type de gouvernement. »

Explorer la vie personnelle de John Kennedy — et en particulier le lien entre son rapport à sa mère et la promiscuité sexuelle dont il fit montre ultérieurement — nous permettra de mieux cerner le trouble narcissique qui est à la source de la malédiction des Kennedy.

Il est généralement considéré comme admis par les historiens que Rose était une mère absentéiste. Ce qui est peut-être moins clair, c'est la confusion profonde qu'elle introduisit dans la vie affective de ses enfants. D'un côté, elle s'efforça toujours de faire étalage à l'extérieur d'une vitrine de solidarité familiale sans faille ; de l'autre, elle écrasait dans l'œuf le moindre signe d'anxiété ou de tension apparu au sein de son étrange foyer. Il était inévitable que cette attitude contradictoire imprime sa marque sur John Kennedy.

« John était totalement incapable d'entrer en relation affective avec qui que ce soit, se souvient une amie de longue date. Tout était tellement superficiel chez lui dans ses relations avec les autres... »

Bien que son père ait été un tyran, John réservait ses critiques les plus dures à la figure froide et lointaine de sa mère.

« Ma mère, confia-t-il un jour à un ami, est une rien du tout. »

Etant donné ses sentiments pour sa mère, il n'est guère surprenant que les relations de John avec les femmes qu'il a connues sexuellement soient restées creuses et superficielles. Souvent, il ne faisait même pas l'effort de retenir leur nom, se contentant de les appeler « chérie » ou « mignonne ».

« Il était aussi compulsif que Mussolini, se rappelle l'une d'elles. Mettez-vous debout contre le mur, *Signora*, si vous avez cinq minutes, ce style-là. Ce n'était pas un homme sensuel, de ceux qui aiment toucher. Et même [...], c'était plutôt le genre à ne pas se laisser toucher. »

Après ses ébats aquatiques, le président remettait son peignoir et ses sandales, puis empruntait un passage privé pour prendre l'ascenseur qui menait directement à ses appartements familiaux du premier étage. Fiddle et Faddle repartaient par où elles étaient venues — le gymnase. Et Dave Powers, ayant rouvert la porte de la sacro-sainte piscine, annonçait aux agents des services secrets de faction à l'extérieur que le président était remonté chez lui faire un somme postcoïtal.

Les agents fulminaient contre Powers ; alors qu'ils étaient censés suivre Kennedy en permanence, il leur rendait souvent la tâche impossible.

« Dave Powers savait que nous essayions de protéger le président, a raconté Larry Newman — qui avait rejoint l'équipe présidentielle des services secrets en 1961, l'année où Kennedy était entré à la Maison-Blanche — à Seymour Hersh pour son livre *La Face cachée du clan Kennedy*. Nous n'avions aucun moyen de vérifier que ces femmes ne portaient pas de micro, qu'elles n'étaient pas armées d'une seringue contenant un poison quelconque, ou qu'elles n'avaient pas sur elle un mini-appareil photo Pentax pour photographier le président et le faire chanter. La sécurité d'une personne ne vaut que par ce qu'elle est à son maillon le plus faible, et en l'occurrence, le maillon faible était Powers, qui faisait entrer toutes ces filles. »

Bien entendu, Newman savait que Dave Powers ne faisait qu'exécuter la volonté du président. « Il faut admettre que ça partait d'en haut et que ça descendait ensuite jusqu'à nous. Cette situation nous posait tout un tas de problèmes d'éthique. Nous qui étions censés exercer la plus haute mission des services secrets, nous nous retrouvions obligés d'attendre devant une porte ou un ascenseur pendant que le président était enfermé avec deux putes. Il y avait là-dedans quelque chose qui ne cadrait pas. »

Dans l'atmosphère de laisser-aller qui régnait à la Maison-Blanche, des femmes étaient introduites dans le bureau Ovale sans avoir à inscrire leur nom sur le registre des visiteurs. Peu d'entre elles étaient soumises à une enquête de moralité. Du coup, les agents des services secrets passaient leur temps à se ronger les sangs, conscients que le président était profondément vulnérable au scandale et au chantage — sinon pire.

« On nous avait simplement dit de ne pas nous mêler [du flot régulier de femmes], témoigne l'agent Larry Newman dans *La Face cachée du clan Kennedy*, de Seymour Hersh. Nous ne savions pas si le président serait mort ou vivant le lendemain matin. »

Les agents trouvaient d'autant plus difficile de se plaindre que bon nombre d'entre eux participaient à la couverture de ses débordements sexuels. Par exemple, pendant les voyages de Kennedy à New York, où il avait des relations avec de multiples femmes, les services secrets l'aidaient à esquiver les regards indiscrets de la presse en le guidant à travers les tunnels percés sous l'hôtel Carlyle, où était situé l'appartement en terrasse familial.

« C'était un spectacle plutôt étrange, raconte Charles Spalding, un ami du président. John et moi, avec deux hommes des services secrets, en train de marcher sous les rues de la ville, longeant un de ces gros tunnels bordés d'énormes canalisations, chacun avec sa lampe de poche. Un des agents avait un plan du réseau souterrain et, de temps en temps, il disait : "On tourne ici, monsieur le Président." »

« Ses aventures étaient tellement routinières, tellement banales, m'a confié Anthony Sherman, un ancien agent des services secrets, qu'on se retrouvait presque réduits à protéger Kennedy de sa femme en le prévenant si jamais elle revenait à la Maison-Blanche plus tôt que prévu. »

On peut dire, sans risque d'exagérer, que l'imprudence du président générait une profonde tension chez les hommes des services secrets, qui avaient juré de le protéger au prix de leur vie. Ils savaient que sa nonchalance en matière de sécurité était un tort, mais leurs supérieurs les exhortaient à regarder ailleurs.

« Vous allez voir pas mal de bordel par ici, expliqua un superviseur à un de ses agents. Des trucs autour du président. Il faudra simplement oublier tout ça. Le garder pour vous. N'en parlez même pas à votre femme. »

Les agents redoublèrent d'inquiétude à la fin de l'année 1961, après avoir assisté à un briefing officieux organisé par un colonel de l'armée, qui leur expliqua que la CIA avait des ordres pour assassiner Fidel Castro, le président de Cuba, et qu'il existait une forte probabilité pour que Castro cherche à s'en prendre à Kennedy en guise de représailles. Les agents des services secrets furent également informés de rumeurs selon lesquelles la CIA s'était acoquinée avec la mafia pour mener à bien son projet d'assassinat de Castro.

Après la mort de Kennedy, certains historiens furent déconcertés par la façon dont les services secrets avaient perdu le contrôle de la situation. Les agents tentèrent de justifier leur attitude en expliquant qu'ils n'avaient pas autorité pour renforcer la protection présidentielle. Seul le président lui-même aurait pu le faire.

La vraie explication est cependant plus profonde. Beaucoup d'agents avaient grandi dans de petites villes où le patriotisme était instillé dès le berceau et où le courage était considéré comme la plus haute des vertus. Ils idolâtraient John Kennedy en tant que héros de la Seconde Guerre mondiale, et leur adoration les aveuglait souvent dans leur devoir.

« J'ai servi sept présidents, et tous n'étaient pas populaires, mais le président Kennedy était très apprécié au sein des services secrets, raconte Hammond "Ham" Brown, affecté à l'antenne de la Maison-Blanche et futur président de l'Association des anciens agents des services secrets. Kennedy aimait vraiment ses agents. Il nous connaissait tous par notre prénom et s'adressait à nous personnellement. Il nous voyait, il nous parlait. Je le croyais capable de décrocher la lune.

» Il n'y a aucun doute sur le fait qu'il dégageait une forte aura. C'était un homme jeune, vibrant. A l'époque, tout le monde était jeune. Ça, oui, il y avait de la testostérone dans l'air. Les gars l'adoraient, ce qui, franchement, est une mauvaise chose. On ne devrait jamais s'impliquer sur le plan affectif avec la personne qu'on protège. »

Fascinés par John Kennedy, les agents en venaient à nourrir l'illusion d'appartenir au premier cercle du président. Comme Lewis Lapham devait l'écrire plus tard à propos d'Edward Kennedy, le benjamin des frères du président, les agents des services secrets finirent par « imaginer que leur propre vie ne [prenait] sens qu'à condition qu'ils [évoluent] dans la sphère d'un objet magique. On retrouve le même type d'adulation autour des stars du rock, des criminels célèbres et des grosses fortunes. »

L'atmosphère bambocheuse de la Maison-Blanche de Kennedy pénétra et contamina les services secrets. « Certains agents avaient l'impression que si le président pouvait faire ce genre de truc, eux aussi, m'a confié l'agent Anthony Sherman. Cela se faisait par osmose. L'idée a pris pied chez certains agents et a fini par affecter leur conduite. Il y avait un tas de filles à prendre autour du président, et certains agents ont vraiment participé au laisser-aller ambiant. L'alcool, la fête et le sexe ont fini par faire partie intégrante des voyages présidentiels. »

Il n'est pas exagéré de dire que les services secrets furent victime de la malédiction des Kennedy. A de rares exceptions près, les agents assignés à la Maison-Blanche se comportèrent comme s'ils étaient au-dessus des lois humaines et divines. Ils se laissèrent griser par un sentiment d'omnipotence au contact de ce président charismatique. John Kennedy était une drogue dont ils finirent par devenir dépendants, et cette addiction allait avoir les plus profondes conséquences pour le président, les services secrets, et le pays.

Le jeudi 21 novembre à treize heures trente, John et Jacqueline Kennedy se posèrent à San Antonio à bord de l'*Air Force One*. Après avoir inauguré un centre médical, ils rallièrent Houston pour un dîner officiel, puis reprirent l'avion pour Fort Worth, où une suite les attendait à l'hôtel Texas.

Pendant leur sommeil, les premiers exemplaires de l'édition du vendredi du *Dallas Morning News* sortirent des presses. Le journal renfermait ce jour-là une publicité en pleine page, encadrée de noir, accusant le président des Etats-Unis d'actes de trahison, notamment « d'emprisonner, d'affamer, et de persécuter des milliers de Cubains » et de « vendre de la nourriture à des soldats communistes qui tuaient des Américains au Viêtnam ». Cette publicité était une incitation patente à la violence contre John Kennedy.

Dans la nuit du 21 au 22 novembre, tandis que les liasses d'exemplaires du *Dallas Morning News* étaient chargées sur des camions de livraison, plusieurs agents des services secrets au repos se retrouvèrent au Press Club de Fort Worth, où ils commandèrent des boissons alcoolisées. Après la fermeture du club, ils migrèrent vers un bar pour beatniks, le Cellar Coffee House. Bien que tous ces agents soient censés reprendre leur service au plus tard à huit heures du matin, la plupart d'entre eux restèrent au Cellar Coffee House jusqu'à trois heures du matin, et l'un d'eux s'attarda même jusqu'à cinq heures.

Les agents prétendirent plus tard n'avoir consommé en moyenne qu'un verre et demi de boisson alcoolisée par tête au cours de leur virée. Il ne fut fait aucune mention de drogues, de type marijuana ou champignons hallucinogènes, pourtant très faciles à obtenir dans des établissements comme le Cellar Coffee House. Même si leurs protestations unanimes de sobriété étaient sincères — ce qui semble hautement douteux —, le règlement interne des services secrets interdisait formellement à tout agent accompagnant le président en voyage officiel de boire de l'alcool ou de consommer de la drogue. Toute violation, ou même toute légère entorse à ces mesures était passible de limogeage.

Et pourtant, après l'assassinat de JFK, le patron des services secrets déclara devant la commission Warren qu'il n'avait entrepris aucune action disciplinaire contre les agents en faute. Le faire, expliqua-t-il, « aurait pu donner prise à l'idée que la violation du règlement avait contribué à la tragédie du 22 novembre ».

La commission Warren accepta cette excuse. Dans son rapport final, elle déclarait notamment : « Il est concevable que ces hommes, qui avaient peu dormi et consommé des boissons alcoolisées, même en quantité limitée, auraient peut-être été plus vigilants sur le parcours présidentiel à Dallas s'ils s'étaient couchés de bonne heure à Fort Worth. Toutefois, aucun élément ne prouve qu'ils aient omis d'entreprendre une action dans le cadre de leurs attributions qui aurait pu éviter la tragédie. »

Cette conclusion de la commission est une insulte au bon sens. L'alcool et la privation de sommeil émoussent les sens et ralentissent les réflexes, et ces agents qui avaient bu (peut-être aussi consommé des drogues) et dormi moins de cinq heures ne pouvaient pas être au sommet de leur forme le matin de l'assassinat du président.

Le comportement des agents à Dallas ne constitua pas une surprise pour tous ceux qui étaient habitués à l'atmosphère de débauche et de décadence de la Maison-Blanche. En mille jours, sous l'emprise de leur charismatique président, les agents des services secrets avaient perdu leur objectivité professionnelle. Ils s'étaient laissés corrompre par l'excès de « testostérone dans l'air » de la Maison-Blanche. Et ils en étaient venus à s'identifier si étroitement à John Kennedy qu'ils agissaient comme s'ils s'estimaient, eux aussi, hors d'atteinte des lois humaines et à l'abri des inévitables conséquences de leurs actes.

Ainsi, en fin de compte, la nonchalance habituelle de John Kennedy face au danger, souvent prise pour du courage, mena-t-elle les services secrets à bâcler la préparation de son excursion à Dallas. Les agents n'inspectèrent même pas les immeubles alignés le long du parcours présidentiel — alors que la menace potentielle d'un tireur embusqué était venue à l'esprit de Kennedy lui-même le matin de son assassinat.

Observant d'une fenêtre de l'hôtel Texas l'estrade qu'on avait construite pour son discours, il avait déclaré : « Regardez-moi cette estrade. Avec tous les immeubles qu'il y a autour, les services secrets ne pourraient pas grand-chose contre quelqu'un qui aurait vraiment envie de m'avoir. »

Et lorsque Jackie lui fit part de sa crainte d'une tentative d'assassinat pendant le trajet, JFK opina en ajoutant : « On entre aujourd'hui au pays des fêlés [...]. Tu sais, hier soir, c'était la situation rêvée pour assassiner un président. Je suis sérieux... Imagine que quelqu'un ait caché un pistolet dans sa mallette. » Kennedy pointa l'index vers le mur, le pouce levé.

« Ensuite, il n'aurait eu qu'à lâcher son flingue et à se fondre dans la foule. »

Et pourtant, malgré ses inquiétudes, il continua à insister pour qu'il n'y ait pas de bulle de plexiglas sur la limousine présidentielle. Ainsi que la commission d'enquête sur les assassinats de la Chambre devait le constater dans son rapport final du 29 mars 1979, c'est-à-dire quinze ans après le drame :

« Non seulement Kennedy aimait voyager, mais il résistait de façon quasi *téméraire* aux mesures de protection que les services secrets le pressaient d'adopter. Il ne tolérait pas les sirènes et n'a permis qu'une seule fois — à Chicago, en novembre 1963 — que sa limousine soit flanquée de policiers à moto. Par ailleurs, il a fait savoir à l'agent spécial responsable de l'antenne de la Maison-Blanche qu'il ne voulait pas d'agents sur les marchepieds de son auto. »

Certains experts affirmeraient par la suite qu'une bulle en plexiglas n'aurait pas sauvé la vie du président. Après tout, à les en croire, celle-ci n'était pas à l'épreuve des balles, et donc sa présence n'aurait pas changé grand-chose au dénouement de l'attentat de Dallas. Mais c'était ignorer un détail essentiel : sous l'aveuglant soleil texan du 22 novembre, la bulle sphérique aurait réfléchi la lumière comme un miroir, compliquant singulièrement la tâche du tireur qui visait le président.

Lorsque le cortège présidentiel passa lentement devant le dépôt de livres scolaires du Texas, puis s'engagea sur Dealey Plaza, rien, ni personne ne gêna la vue imprenable qu'avait Lee Harvey Oswald sur la nuque présidentielle.

Kenny O'Donnell et Dave Powers, installés dans la voiture suivante, étaient à moins de vingt mètres quand les détonations claquèrent.

« Kenny ! s'exclama Powers après le deuxième coup de feu, je crois que le président est touché ! »

« J'ai aussitôt fait un signe de croix, se souvient O'Donnell. Alors que nous fixions tous les deux le président, un troisième coup de feu lui a arraché un morceau de la tête. Nous avons vu des fragments d'os et de cervelle voler en l'air, des touffes de cheveux roux. La force de l'impact l'a soulevé. Il est retombé mollement, comme une poupée de chiffon, et a disparu de notre vue, étalé sur la banquette arrière de la limousine.

» J'ai dit à Dave : "Il est mort." »

Le deuil du président assassiné resserra les rangs du clan Kennedy, dont les membres se sentirent tout à coup plus unis que jamais. Le meurtre de Dallas ne fit que redoubler leur croyance en la mission divine de la famille et renforcer leur détermination à remplacer JFK par un autre Kennedy à la Maison-Blanche.

« Etrangement, raconte le fils aîné d'Eunice, Bobby Shriver, [nous] nous sentions encore plus Kennedy qu'avant — fiers de ce que John avait été, sûrs et certains que notre heure sonnerait de nouveau. Mais à la mort de l'oncle Bobby, il n'y avait plus que l'effondrement. »

L'impact de l'assassinat de Robert Kennedy, cinq ans après Dallas, fut dévastateur, surtout pour ses fils aînés — Joe, Bobby Jr., et David — qui subirent en première ligne le choc de l'abattement maternel. Ne se sentant plus en mesure de maîtriser ses trois garçons, Ethel finit par les envoyer en exil — Joe en Espagne, Bobby Jr. en Afrique, et David en Autriche.

De passage à Hyannis Port, les garçons se retrouvaient sur le terrain de football. « [Mais] leurs jeux s'étaient transformés en furieuses empoignades freudiennes, Joe guettant la moindre occasion de piétiner ses frères pendant que ceux-ci attendaient le moment inévitable où son genou fragile le lâcherait, racontent Peter Collier et David Horowitz. Quand cela arrivait, Joe se tortillait au sol, et Bobby le regardait de haut en ricanant : "Oh, notre sœur se serait donc fait mal au genou ?" Ces scènes étaient tellement sordides que Mary Schreiner, une amie de leur sœur Kathleen, lança un jour à Bobby : "Comment peux-tu espérer devenir président si tu parles de cette façon à ton frère ?" »

Christopher Lawford, le premier fils de Patricia Kennedy, a raconté à Collier et Horowitz que tous les cousins — les

Kennedy, les Lawford, les Shriver et les Smith — se sentaient dorénavant isolés et vulnérables. « Tant que l'oncle Bobby était là, pensait [Christopher], nous savions qui nous étions. Mais il nous a quittés. Qu'allons-nous devenir ? Qu'est-ce qui nous attend la prochaine fois ? »

Quatrième partie

TOURMENTS

6

WILLIAM KENNEDY SMITH

Le crépuscule des dieux

Le soir du vendredi saint, le 29 mars 1991, une bonne dizaine de convives, dont le sénateur Edward M. Kennedy, était rassemblés autour de la grande table de salle à manger de Palm Beach. Le dîner avait été confectionné par Bridie Sullivan, la cuisinière de Jean Kennedy Smith depuis vingt-sept ans, mais personne ne s'intéressait aux plats. Les Kennedy étaient trop occupés à se livrer à une de leurs habituelles joutes verbales de fin de repas — échangeant des histoires grave-leuses, se lançant mutuellement des taquineries, et parfois des petits pains, par-dessus la table.

Le décor de ce dîner tapageur était une grande et vieille bicoque sentant le renfermé, bâtie dans les années 1920 sur commande de Rodman Wanamaker, l'héritier d'un grand magasin de Philadelphie. Originellement baptisée « La Gue-rida », cette vaste propriété donnant sur l'océan était sans doute une des œuvres les moins remarquables d'Addison Mizner, architecte célèbre pour avoir lancé la vogue du style espagnol à Palm Beach. En 1933, Joseph P. Kennedy l'avait rachetée et agrandie pour sa famille et, au fil des décennies, l'état de la maison s'était progressivement dégradé. La moindre vibration, un pas un peu trop appuyé par exemple, pouvait dorénavant déclencher une petite avalanche de mor-ceaux de plâtre du plafond.

Le domaine des Kennedy, comme on l'appelait à présent, figurait néanmoins parmi les propriétés les plus connues de

Palm Beach, le président John F. Kennedy ayant décidé en son temps d'en faire sa « Maison-Blanche d'hiver ». Tout le monde à Palm Beach en connaissait l'emplacement, sur North Ocean Boulevard. Mais comme la fine fleur de la haute société de Palm Beach ne fréquentait pas les Kennedy, aucun ou presque des riches résidents d'hiver de la ville n'avait jamais mis les pieds dans l'enceinte délimitée par le mur en stuc du domaine.

« C'est bizarre, mais de fait, les Kennedy n'ont jamais été acceptés à Palm Beach, a confié à Dominick Dunne une mondaine ayant vécu là-bas toute sa vie. Jeunes, John et Kathleen étaient très appréciés des membres de leur génération. Mais les Kennedy n'ont jamais appartenu à aucun club, et je crois qu'ils ne se sont jamais sentis tout à fait chez eux à Palm Beach. »

Parce que peu de gens connaissaient le domaine des Kennedy de l'intérieur, la maison était parée d'une aura de mystère, et les hommes de la famille ne manquaient jamais d'exploiter la curiosité qu'elle suscitait le week-end de Pâques, lorsqu'ils partaient à la chasse aux femmes. L'invitation à boire « un petit verre tranquille à la maison » était une technique très sûre pour les rabattre vers le domaine.

Une fois dans la place, ces femmes passaient de mains en mains, d'un Kennedy à l'autre, avant d'être renvoyées chez elles. Le sexe n'était pas en soi l'objectif premier de ces parties fines ; il fournissait surtout une occasion aux Kennedy de faire étalage de leur virilité devant les autres et de montrer qu'ils considéraient les femmes comme des produits jetables.

Amener des inconnues au domaine en pleine nuit n'allait pas sans risque ; il y avait toujours la possibilité d'un vol, de voies de fait, d'un chantage ou d'une accusation politiquement embarrassante d'inconduite sexuelle. Mais les Kennedy se comportaient comme s'ils se sentaient invulnérables et n'avaient rien à craindre. Palm Beach était leur sérail, un vrai lieu de débauche. Là, ils se saoulaient jusqu'à l'inconscience et faisaient du sexe un jeu de séduction, de manipulation, et de contrôle.

Après le dîner, le sénateur Edward Kennedy rejoignit la terrasse aménagée sur le haut mur d'enceinte surplombant l'océan. L'air était lourd de la senteur des jacarandas et des hibiscus, et la pleine lune projetait des ombres acérées sur la plage. Sirotant son habituel whisky-soda, il engagea la conversation avec sa sœur Jean et un de leurs vieux amis communs, un agent retraité du FBI, William Barry, qui était au côté de Bobby Kennedy le jour où celui-ci avait été abattu, et avait arraché le pistolet des mains de son assassin, Sirhan Sirhan.

Après avoir évoqué une énième fois le souvenir de Bobby, ils échangèrent quelques paroles sur le défunt mari de Jean, Stephen Smith, qui jusqu'à sa mort, l'été précédent, avait géré l'argent et orchestré les campagnes politiques de la famille. Considéré par beaucoup comme un personnage aussi rusé et implacable que le vieux Joseph, Steve avait été un véritable maître du montage médiatique. Selon les termes d'un auteur, c'était « celui qui veillait à ce que le couvercle reste fermé, l'ultime recours en cas de dégâts médiatiques ». Il avait sauvé la carrière politique de Ted après son accident de Chappaquiddick et permis à d'innombrables autres membres du clan d'échapper aux conséquences de la malédiction familiale.

C'était la première fois depuis sa mort que les Kennedy se retrouvaient en famille. Ted alla se servir un autre verre, revint d'humeur chagrine.

« Steve était un frère pour moi, bégaya-t-il. Nous avons tous laissé quelque chose de nous-mêmes en l'enterrant. Steve nous a quittés, comme Bobby, comme John... »

Sentant son frère au bord des larmes, Jean tenta de le consoler :

« C'est une chance pour la famille que tu sois encore là, toi. »

La chance n'était pas un mot fréquemment associé à Ted Kennedy, dont la vie avait été brisée par les assassinats de ses deux frères.

« Ces fractures, écrivit à son sujet le magazine *Time*, ont engendré un modèle de formidables contradictions ; aux "brefs et radieux moments" se substituaient de longues et sordides répercussions. La tragédie grecque — la "malédiction des Kennedy" — dégénérait en ignobles révélations de comptoir [...]. Le majestueux législateur Ted Kennedy se muait de temps à autre en un grossier ivrogne, l'homme d'Etat en un noceur invétéré, le roman des Kennedy en un chaos vénéneux et nauséabond. Le patriarche de la famille, le plus âgé des rescapés de sexe mâle, régressait à l'état de gros bébé flasque. »

Palm Beach offrait le décor idéal pour un personnage à la Falstaff comme Ted. Son climat tropical et sa fabuleuse opulence agissaient comme des stimulants sur les sens exacerbés du sénateur ; il pouvait compter sur la complaisance de la police locale pour pardonner ses débordements. Cela dit, Ted ne réservait pas l'exclusivité de ses inconduites à Palm Beach. Des récits de ses turpitudes fleurissaient un peu partout — à Hyannis Port, aux îles Vierges, à Londres, à Washington, à New York...

« Ces dernières années, écrivit Dominick Dunne dans *Vanity Fair*, il y [a eu] un épisode d'ivresse à table avec une serveuse, ainsi qu'une fornication publique avec une employée de la Chambre à La Brasserie, un restaurant de Washington. Il y [a eu] aussi la photographie aujourd'hui célèbre du sénateur en train de chevaucher une femme sur le pont d'une vedette rapide en Méditerranée — une image qui aurait incité un autre sénateur à dire à Ted Kennedy : "Si j'ai bien compris, on dirait que vous avez changé de position concernant les forages offshore..." »

Ted Kennedy se souvient de s'être retiré dans sa chambre vers onze heures et demie ce soir-là. Cependant, il ne tarda pas à constater qu'en dépit — ou peut-être à cause — de la quantité d'alcool ingéré, le sommeil s'obstinait à le fuir.

Il ressortit donc en titubant, longea le court de tennis, et à tâtons trouva la poignée de la porte de la chambre où dormaient son fils Patrick, élu de Rhode Island, et son neveu, William Kennedy Smith, en passe d'obtenir son diplôme de médecine à l'université de Georgetown.

« Ils semblaient endormis quand j'ai ouvert, raconte Ted. Je leur ai demandé s'ils avaient envie de boire une bière ou deux. »

Le sénateur, qui venait d'avoir cinquante-neuf ans — un âge auquel la plupart des hommes ont renoncé depuis longtemps aux comportements infantiles —, était très fier de son rôle de père de trois enfants et de patriarche de substitution pour tous les autres rejetons du clan Kennedy. Et pourtant, il ne voyait aucun mal, ni rien d'inconvenant, à réveiller en pleine nuit son fils de vingt-quatre ans et son neveu de trente et un ans pour les entraîner dans une virée dans les bars susceptible de finir en aventure sexuelle.

Personne — peut-être encore moins Ted Kennedy que quiconque — ne saura jamais ce qui lui vint à l'esprit à l'instant où il réveilla Patrick et Willy. Peut-être se rappelait-il que l'avant-veille au soir, tous trois étaient sortis en ville et avaient ramené plusieurs femmes pour boire « un petit verre tranquille à la maison ». Peut-être espérait-il que la jeunesse de son fils et de son neveu aiderait le bonhomme vieillissant, obèse et alcoolique qu'il était, à trouver chaussure à son pied cette nuit encore.

Peu après minuit, donc, Patrick Kennedy s'installa derrière le volant d'une Chrysler Le Baron blanche de location et partit avec son père et Willy Smith vers le night-club Au Bar, un des principaux points chauds de la nuit de Palm Beach.

C'était une des plus grosses soirées de l'année, et quand les Kennedy arrivèrent, le club était plein à craquer de clients obligés de se serrer les uns contre les autres et de se crier dans l'oreille pour se faire entendre malgré les lourdes pulsations de la musique. Les femmes étaient plus nombreuses que les hommes autour des tables, assises dans les fauteuils rayés de rose et de blanc, signe distinctif du club. Beaucoup d'entre elles avaient parcouru une distance considérable pour être à Palm Beach ce soir-là. Elles espéraient attirer les regards d'un homme riche.

« Nous sommes entrés, raconte Ted. Il y avait deux ou trois rangées de clients le long du comptoir [...]. Des gens étaient perchés un peu partout sur des tabourets. Nous avons longé le bar jusqu'au fond, là où les serveuses prenaient leurs plateaux et repartaient vers les tables. Il y avait un peu moins de monde à cet endroit, et nous sommes restés debout. »

Ted commanda un double whisky-soda, puis se retourna face à la salle. Les gens autour d'eux ne se gênèrent pas pour fixer le célèbre sénateur et son fils, mais remarquèrent à peine Willy Smith, qui ne possédait ni la fameuse crinière, ni la dentition étincelante des Kennedy.

Willy n'attirait pas les regards. Il avait les épaules tombantes, des cheveux noirs en désordre, et le sourire incertain de quelqu'un qui semble en état de perpétuelle hébétude. Il avait toujours montré une certaine ambivalence en ce qui concernait ses liens avec les Kennedy ; en 1980, alors qu'il était en deuxième année à l'université de Duke, ses parents l'avaient poussé à prendre un congé d'un semestre pour travailler avec Ted, qui tentait alors de détrôner Jimmy Carter comme candidat démocrate à la présidence. La campagne était dirigée par son père, Steve Smith, et le taciturne Willy se retrouva contraint de travailler main dans la main avec des cousins furieusement extravertis qui eurent tôt fait de le surnommer « le non-Kennedy ».

« Je ne m'étais jamais senti exposé à la célébrité avant la campagne, et notre rôle consistait à jouer les vedettes », confia-t-il à l'époque au journal universitaire de Duke.

Comme son père, Willy faisait de son mieux pour éviter la publicité. Un jour, il raconta à une meute de photographes qui le poursuivaient qu'il n'était qu'un « ami » des Kennedy. Et lorsqu'il présenta son dossier de candidature à l'internat de médecine, il inscrivit la lettre K au lieu de « Kennedy » dans le champ réservé à son nom intermédiaire.

Willy ressemblait aussi à son père sur un autre plan. Quand il buvait, Steve Smith devenait violent, surtout vis-à-vis de sa femme. L'alcool provoquait chez Willy un changement de personnalité du même ordre. Chez ses riches amis de la côte est, il était réputé pour son appétit sexuel frénétique ; de ce point de vue (à défaut d'autre chose), on le comparait parfois à son défunt oncle John F. Kennedy, également affligé de satyriasis. Mais si John Kennedy n'avait jamais fait pression sur une femme pour avoir avec elle un rapport sexuel, Willy avait tendance à devenir agressif et brutal quand on rejetait ses avances.

Une demi-heure après l'arrivée des trois hommes au night-club, Willy engagea la conversation avec une jolie jeune femme en robe noire. Elle s'appelait Patricia Bowman, et se rappela plus tard avoir trouvé que Willy « avait l'air d'être un type vraiment sympa ».

« Il était avec son oncle et son cousin, qu'il m'a présentés comme "Oncle Ted" et "Patrick", déclara-t-elle lors d'une des dépositions qu'elle allait faire ensuite à la police de Palm Beach. Il m'a dit qu'il s'appelait William Smith, il m'a demandé si je voulais danser, et j'ai dit oui. »

Il fallut quelque temps à Patty pour comprendre qui était vraiment « Oncle Ted ».

« Quand je me suis enfin rendu compte que j'avais affaire à Ted Kennedy, poursuivit-elle, j'ai dit en riant à William : "Tu dois me trouver plutôt lente à la détente." Nous en avons ri ensemble. »

A la fin de la danse, Patty guida Willy jusqu'à sa table, où elle le présenta à quelques-uns de ses amis. Willy salua ainsi Chuck Desiderio, qui travaillait comme gérant du Renato's, un restaurant connu de Palm Beach appartenant à son père, et avait été accusé en 1979 de vol de pièces automobiles, une affaire classée sans suite. Chuck était soupçonné de trafic de drogue et faisait à l'époque l'objet d'une enquête de police. Sa fiancée, Anne Mercer, travaillait par intermittence comme vendeuse dans une boutique de prêt-à-porter de luxe de Worth Avenue. Et à côté d'Anne se trouvait son père, Leonard Mercer, collaborateur présumé de Nicodemo « Little Nicky » Scarfo, un parrain de la mafia de Philadelphie. Leonard avait été libéré sur parole après avoir purgé partiellement une peine de quatre ans de prison pour fraude fiscale, escroquerie bancaire et parjure.

Patty Bowman avait eu elle-même un passé difficile. Son père avait physiquement et affectivement abusé d'elle pendant son enfance ; il avait aussi été accusé d'avoir incendié sa maison et condamné à suivre un traitement psychiatrique. A huit ans, Patty avait été violée par un jardinier ; vingt et un ans plus tard, elle consultait toujours un thérapeute pour se délivrer des séquelles de ce traumatisme. Dans sa jeunesse, elle s'était brisé la colonne vertébrale dans un accident de voiture, et continuait de consommer des médicaments contre la douleur. Plus récemment, elle avait subi trois avortements, mis au monde un enfant naturel non reconnu par son père, et eu des problèmes de cocaïne.

Toutefois, à la différence de certains de ses compagnons de table, Patty ne vivait pas en marge de la loi. Après le divorce de ses parents, sa mère s'était remariée à Michael O'Neill, fils de William O'Neill, le fondateur de la General Tire Company. Ce beau-père immensément riche avait pris Patty sous son aile et lui avait acheté une maison dans un quartier chic de Jupiter, une ville voisine.

La réputation de bambocheuse qui lui collait à la peau et ses liens avec les O'Neill avaient valu à Patty le surnom de « Patty O ». Mais depuis la naissance de sa fille Caroline, deux ans plus tôt, la jeune femme avait fait une croix sur son ancienne vie pour devenir une mère attentionnée. Cette soirée à Palm Beach était d'ailleurs sa première sortie depuis de nombreux mois.

Quand la foule eut commencé à s'éclaircir, Patty et Willy purent enfin discuter sans hurler. Elle lui expliqua que sa fille était née prématurément et avait connu de ce fait un certain nombre de problèmes médicaux. Et elle lui raconta comment les violences dont elle avait été victime enfant continuaient d'affecter sa vie d'adulte.

« Je n'ai jamais vraiment pu faire confiance à personne, dit-elle. D'autres ont sûrement connu pire, mais ma vie, par moments, n'a vraiment pas été terrible... »

Ted et Patrick Kennedy finirent par les rejoindre à leur table. Tous deux faisaient grise mine, peut-être parce que, à la différence de Willy, ni l'un ni l'autre n'avait réussi à mettre le grappin sur la moindre femme.

« Ils se sont assis sans rien dire, raconte Anne Mercer, l'amie de Patty, et cela a causé une sensation très désagréable [...]. Pour détendre l'atmosphère [...], j'ai regardé Patrick et je lui ai dit en plaisantant : "C'est fou ce que vous avez l'air de vous amuser !" [...] Le sénateur Kennedy me lance : "Qui êtes-vous pour lui dire ça ?" Et je réponds : "Je suis Anne Mercer. Et vous, qui êtes-vous pour me dire ça ?" Il me dit : "Vous ne connaissez rien à la politique mondiale..." Et là-dessus, il se lève. »

Laissons Patrick Kennedy enchaîner : « Ensuite, tout ce dont je me souviens, c'est qu'*elle* s'est levée aussi, en fixant mon père, et mon père, je l'ai senti, était très mal à l'aise [...]. Il me semble qu'elle a pu dire quelque chose comme : "Vous avez trop bu." [...] [Mon père] a répondu : "Vous savez, Patrick est à la Chambre des représentants." Anne a été piquée au vif, un peu comme si elle avait l'impression qu'on cherchait à la rabaisser. »

Au moment où Ted et Patrick s'apprêtaient à quitter le night-club, une jeune femme qui avait précédemment décliné l'invitation à danser de Patrick s'approcha de lui et le prit par la main. Elle s'appelait Michelle Cassone et travaillait comme serveuse dans un restaurant de Palm Beach, le Testa's.

« Vous partez ? demanda Patrick.

— Oui, répondit Michelle Cassone.

— Ça vous dirait d'aller boire un petit verre tranquille à la maison avec nous ? suggéra Patrick. [...] Vous n'avez qu'à nous suivre en voiture. »

Il était environ trois heures du matin quand Willy Smith et Patty Bowman décidèrent de rentrer.

« Mon oncle est déjà reparti, dit Willy. Pourriez-vous me déposer ? Je suis au domaine.

— Bien sûr, répondit Patty. Je sais où c'est. »

Ils s'installèrent dans la voiture de la jeune femme, un coupé sportif à deux places, et eurent tôt fait de parcourir la brève distance qui les séparait du domaine des Kennedy. Quand ils eurent stoppé dans l'allée, Willy embrassa Patty en guise d'au revoir, sortit du coupé, et contourna le capot pour venir côté conducteur. Il se pencha sur la portière et proposa à Patty de venir « boire un petit verre tranquille ».

« Et là, j'ai dit oui, parce que j'avais envie de savoir à quoi ressemblait la maison des Kennedy. »

En entrant dans la cuisine, ils rencontrèrent Ted et Patrick, tous deux en état d'ébriété avancée. Sitôt qu'ils eurent vu que Willy était accompagné, ils se retirèrent de la cuisine en emportant deux bouteilles de vin.

« Nous sommes restés à parler un certain temps, raconte Patty. [...] Puis Willy m'a demandé si je voulais aller nager, et j'ai dit non, mais il m'a demandé si je serais d'accord pour faire un tour sur la plage, et j'ai dit oui.

» Quand nous sommes arrivés [sur la plage], la nuit était magnifique [...]. J'avais rencontré quelqu'un dont je pensais qu'il pourrait devenir un ami [...]. Nous nous sommes embrassés deux fois, rien de grandiose ni de sublime — comment s'appelle le couple de *Tant qu'il y aura des hommes*, déjà ? Vous savez, quand ils se roulent dans l'écume et tout le reste ? Non, rien de ce genre. Je trouvais ça très innocent. »

Sur la terrasse qui surplombait la plage, Ted et Patrick avaient rejoint Michelle Cassone, la jeune femme qui les avait suivis en voiture. Pendant que Patrick remplissait les verres de vin, Ted se mit à raconter une plaisanterie cochonne.

Soudain, Michelle tendit l'index vers la plage, à six ou sept mètres en contrebas.

« Ted, s'écria-t-elle, il y a une femme nue sur la plage. Elle s'apprête à entrer dans votre océan ! »

Ted scruta la lisière du sable et de l'eau. Malgré la luminosité de la pleine lune, il était difficile de dire si cette lointaine silhouette était féminine ou masculine. D'ailleurs, la question ne parut pas l'intéresser plus d'une demi-seconde. Il voulait finir son histoire.

Plus il était ivre, plus ses blagues étaient salaces. Quand Patrick annonça son intention de rentrer dans la maison, Michelle lui fit clairement comprendre qu'elle ne souhaitait pas rester seule avec Ted.

« Ne me laisse pas ici », dit-elle à Patrick.

« Michelle s'est levée, mon père aussi, raconte Patrick, [...] et là-dessus, il est parti. Je ne suis pas sûr de savoir dans quelle direction. Ce que je sais, c'est que Michelle et moi sommes allés dans ma chambre. »

Sur la plage, Willy Smith, qui venait de se débarrasser de sa chemise et de son pantalon, s'apprêtait à prendre un bain de minuit dans l'océan.

« J'étais un peu gênée, raconte Patty Bowman. Je ne trouvais pas cela convenable, et je me suis détournée. Je l'ai entendu entrer dans l'eau, j'ai dit que je m'en allais, et j'ai fait demi-tour vers les marches.

» Je suis arrivée en haut des marches. Je crois que j'avais déjà un pied sur la pelouse quand quelqu'un m'a saisi la cheville. Je me suis sentie tomber, c'était une impression terriblement bizarre. Vous savez, ce garçon paraissait si gentil, et là, tout à coup, quelqu'un m'attrape la cheville. Je me demande qui c'est, et là-dessus, je me rends compte que la seule personne susceptible d'avoir fait ça, c'est lui. J'ai eu vraiment peur, je me suis dégagée, et j'ai commencé à courir [...]. Je me disais, si c'est un jeu, ce jeu est beaucoup trop brutal pour moi. Je ne joue pas à ça. Je me suis cassé la colonne il y a des années, j'en ai peut-être gardé une fragilité, je ne sais pas, mais je ne veux pas qu'on s'amuse avec moi de cette façon [...].

» Pendant que je courais, il m'a de nouveau attrapée et plaquée à terre, et je suis tombée au bord de la piscine, sur le côté sud de la maison [...]. Tout ce que je sais, c'est qu'[...]il m'a plaquée au sol et il a retroussé ma robe et j'ai senti sa main dans ma culotte [...] et il m'a violée [...] et je hurlais "Non ! Arrête !", et il n'arrêtait pas [...]. Je crois qu'il m'a crié quelque chose, mais je ne sais pas quoi [...]. Tout ce que je me rappelle, c'est que je criais "Non ! Arrête !" [...] Et je ne comprenais pas pourquoi, pourquoi il n'arrêtait pas, pourquoi personne ne venait à mon secours. »

Alors qu'elle se débattait avec Willy sur la pelouse, Patty leva les yeux et, brusquement, comprit pourquoi personne ne réagissait à ses cris. Lors d'une déposition enregistrée, l'inspectrice Christine Rigolo, de la police de Palm Beach, l'interrogea sur d'étranges propos qu'elle avait tenus devant son amie Anne Mercer.

« Il semblerait que vous lui ayez dit : "Il regardait... il regardait." Pouvez-vous préciser ce que cela voulait dire ? »

La réponse de Patty fut vague :

« J'avais aperçu Ted et Patrick [Kennedy] sur la plage avant qu'ils ne... décampent, et j'ai pensé... "Il est quatre ou cinq heures du matin. Ils ne sont pas là pour prendre leur petit déjeuner." Ils devaient être dans cette maison. Et je me rappelle avoir flippé à l'idée qu'il ne faisaient rien pour arrêter [le violeur]... »

A l'occasion d'un autre interrogatoire, l'inspectrice Rigolo revint sur cette question : « Vous avez mentionné que Ted Kennedy était présent. »

« J'ai flippé parce que je suis sûre d'avoir vu [Ted] à mon arrivée là-bas, répondit Patty, qui devait par la suite subir avec succès deux passages au détecteur de mensonge et une analyse de fréquence vocale. Et, vous savez, quand [Willy et moi] sommes allés sur la plage, [Ted] était là, et je me suis mise à crier "Non !" et "Arrête !", et je me souviens d'avoir pensé : "Ted Kennedy est là. Pourquoi est-ce qu'il ne descend pas pour arrêter cet homme ?" »

A l'intérieur de la maison, Michelle était avec Patrick sur un des lits de la chambre de celui-ci.

« Ce n'était qu'une chambrette en désordre, avec deux lits jumeaux, raconte-t-elle. Les lits n'étaient pas faits. Patrick et moi... on se pelotait, on s'embrassait, je pense, on riait et on parlait.

» Dix minutes plus tard, au plus, le sénateur est entré par la porte donnant sur le couloir [...]. Et à ce moment-là, il ne portait plus qu'une chemise boutonnée. Il avait retiré son pantalon. Je n'ai pas vu s'il avait un slip ou un caleçon dessous [parce que la chemise] lui venait à mi-cuisses. Il était là, il titubait, et il n'avait plus de pantalon [...]. J'ai vraiment eu très peur. »

Ted affirmerait plus tard qu'il avait mis une chemise de nuit. Mais après tout, cela ne changeait pas grand-chose. Michelle fut épouvantée par la vue du sénateur, ivre et à demi nu, dans la chambre où son propre fils était au lit avec une femme.

« Qu'est-ce c'est que ça ? ! hurla-t-elle. Qu'est-ce qui se passe ? ! »

Elle bondit à bas du lit.

« Je rentre chez moi, annonça-t-elle. Je ne reste pas ici ! »

Selon sa déposition, après s'être longuement débattue, Patty Bowman réussit enfin à échapper à Willy Smith.

Elle se remit debout, s'enfuit à travers la pelouse. Dans son dos, elle entendit Willy crier son nom. Arrivée à l'intérieur de la maison, elle chercha une cachette, se réfugia dans la cuisine, derrière un réfrigérateur. N'osant plus bouger, elle entendit les appels de Willy se rapprocher peu à peu.

Son regard s'arrêta sur le téléphone sans fil du comptoir. Elle s'en empara, téléphona à ses amis Chuck Desiderio et Anne Mercer. Elle leur raconta qu'elle avait été violée et les supplia de venir la chercher au domaine des Kennedy.

Plus tard, elle déclara qu'elle n'avait pas prévenu la police parce que les autorités de Palm Beach traitaient les Kennedy comme des petits dieux.

« On entend régulièrement parler des Kennedy, de leur pouvoir politique. Tout le monde est au courant des problèmes qu'ils ont eus avec la loi sans être [condamnés]. Je craignais que personne ne croie qu'un Kennedy m'avait violée, et j'avais peur des représailles [...]. Je me disais, ce sont les Kennedy, ce sont des politiciens, et [...] que peut-être la police leur mangeait dans la main, et je ne savais pas trop ce qui m'arriverait. Chuck et Anne étaient les seules personnes dont j'étais sûre qu'elles viendraient me chercher. »

Ensuite, Patty se revoit debout sur le seuil d'un bureau aux murs tapissés de livres, face à son agresseur. Willy Smith est assis, les jambes croisées, un petit sourire oblique aux lèvres.

« Tu veux parler ? demande-t-il.

— Tu m'as violée !

— Non, je ne t'ai pas violée.

— Si ! Tu m'as violée !

— De toute façon, personne ne te croira. »

Quelques minutes plus tard, la Jeep d'Anne Mercer s'immobilisait devant la maison.

« Patty pleurait, assise sur les marches du perron, se souvient Chuck Desiderio. Je me suis approché, je lui ai parlé, j'ai essayé de la calmer [...]. Elle était hystérique [...]. Elle pleurait, elle hurlait [...] et je n'arrivais pas à comprendre grand-chose de ce qu'elle disait [...]. Ses paroles n'avaient pas beaucoup de sens. »

Chuck suivit Patty à l'intérieur de la maison obscure. Elle expliqua qu'elle voulait emporter quelque chose qui pourrait par la suite lui permettre de prouver qu'elle avait bel et bien été violée chez les Kennedy, et non ailleurs. Elle rafla une photo de deux jeunes gens dans un cadre en plastique, ainsi qu'un carnet sur lequel étaient notés plusieurs numéros de téléphone. Chuck emporta un vase précieux du XVIIIe siècle. Ils ressortirent en courant et disparurent dans la nuit.

Au petit déjeuner, Willy Smith et Patrick Kennedy plastronnèrent sur leurs prouesses sexuelles de la nuit. Personne d'autre qu'eux n'était présent à la table pour rapporter leurs propos, mais Patrick fit plus tard une déposition sous serment lors de laquelle il évoqua ce dont ils avaient parlé.

A l'en croire, Willy lui décrivit Patty comme une fille dangereusement perturbée, une « déjantée ». Elle lui avait rappelé le personnage de Glenn Close dans le film *Liaison fatale*. Elle avait refusé de quitter le domaine et menacé d'appeler la police. Ses amis, Anne Mercer et Chuck Desiderio, avaient fini par passer la prendre et, juste avant leur départ, Anne s'était excusée auprès de Willy en disant : « Je crois que nous vous avons causé suffisamment de soucis pour cette nuit. »

Plaidant toujours pour son cousin, Patrick ajouta qu'il semblait s'être conduit en parfait gentleman lors de leur rapport sexuel.

« Tu étais protégé ? avait-il demandé à Willy.

— Non, mais grâce à Dieu, je me suis retiré à temps. »

Cette déposition, comme tant d'autres fournies par le clan Kennedy au cours des semaines suivantes, devait se révéler inexacte : du sperme de Willy Smith fut retrouvé dans le vagin de Patty.

A dire vrai, pour l'essentiel, la théorie de Willy ne tenait pas la route. Par exemple, quand Moira Lasch, l'opiniâtre substitut du procureur de l'Etat qui supervisait l'enquête de police, demanda à Patrick s'il avait parlé à son père, à Jean Smith ou à « toute autre personne » présente au domaine de la menace de Patty Bowman de prévenir la police, il répondit par la négative.

« Pourquoi n'en avez-vous pas parlé ? » demanda Moira Lasch, surnommée « Maximum Moira » pour sa tendance à requérir la peine la plus lourde prévue par la loi.

« Parce que tout ça semblait assez surréaliste, répondit Patrick, [...] et que ça ne cadrait pas avec le contexte de la journée, qui s'annonçait superbe. Nous avions programmé un match de tennis et, voyez-vous, je n'y ai plus du tout repensé. »

Les autres témoins du domaine s'avérèrent encore moins utiles. Jean Kennedy Smith se retrancha derrière une totale ignorance du comportement des hommes de la famille au cours de la nuit en question — et de n'importe quelle autre nuit.

« Ils ne discutent jamais — aucun d'eux ne discute jamais devant moi de ce qu'ils font le soir, déclara-t-elle. A part peut-être pour dire qu'ils se sont bien amusés, vous savez, ce genre de remarque. Rien d'autre. »

Pour sa part, Ted s'emberlificota dans un écheveau de mensonges et de contradictions. Il prétendit ne s'être pas donné la peine de demander à Willy comment il était rentré du night-club à la maison la nuit du vendredi saint, ni s'il était revenu seul ou accompagné — une affirmation contredite par le témoignage de Patty Bowman, qui déclarait s'être retrouvée face à Ted et à Patrick dans la cuisine.

Ted fit de l'obstruction et, à certains moments, chercha à entraver la progression de l'enquête. Quand des policiers se présentèrent au domaine peu après treize heures le dimanche de Pâques — le lendemain du jour où Patty Bowman avait déposé une plainte officielle à l'encontre de Willy Smith pour « violences sexuelles » —, ils furent accueillis à la porte de la maison par William Barry, l'ancien membre du FBI, qui se présenta à eux comme le responsable de la sécurité de la famille Kennedy. Barry déclara à l'inspectrice Christine Rigolo, l'enquêtrice en chef, que le sénateur n'était pas là, et que Willy Smith avait probablement déjà quitté la ville.

« En réalité, révèle le magazine *Time*, les deux hommes étaient encore à la maison, et un membre du personnel révéla plus tard aux enquêteurs que Barry et le sénateur avaient fait le point de la situation dans la cuisine juste après le départ des inspecteurs. Les policiers affirment que, quand ils téléphonèrent une heure plus tard, une gouvernante leur déclara que Barry avait emmené le sénateur et Smith à l'aéroport. Et pourtant, Kennedy ne partit que le lendemain. »

Dans sa déposition, Ted soutint qu'il n'avait saisi « la pleine dimension » des allégations concernant son neveu qu'après son retour à son bureau du Sénat, le lundi 1er avril. Toutefois, dès le samedi après-midi, il passa des coups de téléphone urgents à Marvin Rosen, un avocat de Miami qui avait déjà contribué à résoudre certains problèmes juridiques de la famille à Palm Beach. L'associé de Rosen, Mark Schnapp, allait d'ailleurs être enrôlé dans l'équipe chargée de la défense de Willy Smith.

Une autre brèche importante dans la version de Ted fut mise en évidence par un témoin extérieur, lequel déclara avoir entendu le sénateur parler de l'affaire avec Willy Smith dans un restaurant de Palm Beach dès le dimanche de Pâques.

« Je me trouvais juste derrière le sénateur, et je l'ai entendu dire : "... Et elle dira que c'est un viol." »

Après avoir repris l'avion pour Washington, Willy appela son oncle pour évoquer l'affaire.

« Tu veux connaître toute l'histoire ? » demanda Willy.

Ted n'y tenait pas :

« Tu ferais mieux de raconter tout ça à... Marvin Rosen. »

Il devint rapidement clair que l'affaire était en train de virer au cirque médiatique — avec une couverture en direct sans précédent sur Court TV — et qu'il allait falloir quelqu'un de nettement plus rusé et impitoyable que Marvin Rosen pour faire face à la situation.

Jusque-là, ce quelqu'un avait toujours été Stephen Smith, le père récemment décédé de Willy. Dans le domaine du contrôle des dégâts médiatiques, son succès le plus remarquable avait sans aucun doute été sa gestion du drame de Chappaquiddick en 1969, lors duquel Mary Jo Kopechne avait péri noyée. Ted Kennedy s'était refusé pendant dix heures à signaler l'accident à la police. Steve avait réussi l'exploit d'obtenir que Ted s'en tire avec une simple peine avec sursis pour délit de fuite.

Sa façon de faire face, en 1984, à l'overdose fatale de David Kennedy, un des fils de Robert et d'Ethel, à l'hôtel Brazilian Court de Palm Beach, fut nettement plus discrète, mais tout aussi efficace. Dans son effort pour absoudre David et la famille Kennedy de tout lien avec le monde de la drogue, Steve se démena comme un diable pour empêcher la divulgation de tous les rapports d'enquête liés à l'affaire — conclusions du médecin légiste, dépositions de témoins, procès-verbaux de police et photographies.

Steve se démena aussi pour éliminer du dossier le témoignage de Caroline Kennedy, qui avait vingt-sept ans et se trouvait à Palm Beach pour rendre visite à sa grand-mère Rose Kennedy au moment de la mort de David. Les policiers ayant indiqué que quelqu'un avait détruit des pièces à conviction

225

dans la chambre d'hôtel de David avant leur arrivée, une source anonyme avait dénoncé Caroline comme la personne qui avait jeté la drogue de son cousin aux toilettes et tiré la chasse d'eau.

Cette source anonyme devait en fin de compte se révéler mensongère, mais cela n'altéra en rien la volonté de Steve Smith de tenir le nom de Caroline à l'écart des colonnes de la presse. En ceci, il fut soutenu par l'attorney de l'Etat, David Bludworth, qui se battit pour retirer le témoignage de Caroline et interdire aux avocats de la défense de l'interroger.

« Ce qui m'a surtout inquiété, c'est la façon dont on s'est démené pour m'empêcher de [...] voir [Caroline], se souvient Michael Salnick, l'avocat du chasseur de l'hôtel accusé d'avoir vendu de la drogue à David Kennedy. Je me suis toujours demandé qui commandait le tir. »

Il n'y avait plus personne pour orchestrer la défense de Willy.

D'ailleurs, Steve Smith lui-même n'avait jamais eu à faire face à un adversaire aussi déterminé que « Maximum » Moira Lasch. Celle-ci avait vu son patron, David Bludworth, le procureur responsable de l'enquête sur l'overdose de David Kennedy, se faire réprimander par un juge au motif qu'il s'était laissé « gouverner par ce que les Kennedy [voulaient] qu'[il fasse] ».

« Il semble que Lasch ait retenu la leçon, écrivit Mary Jordan dans *The Washington Post*. Au lieu de faire preuve de déférence vis-à-vis de la famille [Kennedy], elle a adopté une posture de défi. »

Moira Lasch était manifestement disposée à faire le procès du sénateur Kennedy et de tout le clan. Et cette fois, les Kennedy étaient extrêmement vulnérables. Au cours des sept ans écoulés depuis l'overdose de David, les goujateries et les escapades sexuelles de Ted Kennedy avaient fait de lui un objet de risée. Sans compter les dizaines de livres et d'articles de presse récemment parus qui, riches en accusations sensationnalistes contre les Kennedy, n'avaient pas peu contribué à entamer la réputation jadis inattaquable de la famille.

Par exemple, dans sa biographie de Peter Lawford, l'ex-mari de Patricia Kennedy, James Spada affirmait que Robert Kennedy s'était rendu au domicile de Marilyn Monroe le jour de sa mort. La romancière Joyce Carol Oates avait signé dans le magazine *Lear's* une œuvre de fiction à faire froid dans le dos, revisitant l'accident de Chappaquiddick du point de vue de Mary Jo Kopechne. Et Thomas Reeves avait dressé le portrait dévastateur d'un John F. Kennedy totalement obsédé par le sexe dans *A Question of Character*.

A cause de ces antécédents, l'opinion publique en était venue à s'attendre au pire de la part des Kennedy. Et même, le sentiment se répandait de plus en plus aux Etats-Unis que la « famille royale » du pays vivait sous l'emprise d'une malédiction à laquelle il lui était impossible d'échapper.

Ainsi la question de la culpabilité ou de l'innocence de Willy Smith cessa-t-elle rapidement d'être l'élément central du futur procès. Il s'agissait plutôt de la survie de la dynastie politique des Kennedy.

Conscient de l'enjeu, Ted Kennedy se tourna vers un vieil ami de la famille, l'avocat Herbert J. « Jack » Miller Jr., pour organiser l'effort de défense. Miller avait servi sous les ordres de Robert Kennedy à la division criminelle du département de la Justice. C'était aussi l'avocat personnel d'Ethel, et il avait servi de conseiller à Steve Smith dans la gestion des crises de Chappaquiddick et de l'overdose de David Kennedy.

Jack Miller ne perdit pas de temps pour former son équipe. Barbara Gamarekian, ancienne correspondante à Washington du *New York Times*, fut recrutée pour s'occuper des relations avec la presse. Cathy « Cat » Bennett, une spécialiste nationalement reconnue de la sélection de jurys, fut engagée comme conseillère. Une dizaine d'experts judiciaires de haut vol, dont le Dr Henry Lee, un spécialiste de la médecine légale, furent mobilisés pour jeter le doute sur la version de Patty Bowman. Et cinq excellents détectives privés reçurent la mission de fouiller dans les poubelles du passé de Patty, d'Anne Mercer et de son ami Chuck Desiderio.

En un mois, les efforts de Jack Miller portèrent leurs premiers fruits. Malgré la stricte législation sur la protection des victimes de viol en vigueur en Floride, qui entre autres visait à les préserver de la presse, NBC News diffusa un reportage dans lequel le nom de Patty Bowman était cité. *The New York Times* prit la relève. Un article peu flatteur, qui paraissait en grande partie fondé sur des informations venues du camp Kennedy, décrivit Patty comme une « dévergondée » et cita pour preuves une série d'amendes pour excès de vitesse et son statut de mère célibataire. L'article allait presque jusqu'à l'accuser d'avoir cherché ce qui lui était arrivé.

« Pendant plusieurs jours, écrivit ensuite Jonathan Alter, de *Newsweek*, le journal fut accablé de critiques qui le taxaient d'infantilisme. Et sa réaction fut infantile. Adoptant une attitude typique du *Times*, le directeur de la publication, Max Frankel, qui avait pris la décision de publier l'article, refusa de répondre aux interviews, tandis que le signataire du papier, Fox Butterfield, se voyait interdire par sa rédaction de défendre son propre point de vue. »

Début mai, l'équipe de défense de Jack Miller fit savoir que ses enquêteurs disposaient de plusieurs témoins prêts à déposer que Patty Bowman était une consommatrice abusive de cocaïne, encline à la promiscuité sexuelle et mentalement instable. En outre, les détectives de Miller approchèrent Chuck Desiderio et tentèrent de le forcer à changer sa version des faits.

« Vous avez reçu la visite à votre restaurant de deux détectives des Kennedy ? demanda Moira Lasch à celui-ci pendant une déposition.

— Oui.

— Et ils vous ont dit que si vous confirmiez ce que vous aviez déclaré à la police, des allégations seraient proférées contre vous concernant la cocaïne ?

— Oui.

— Avez-vous compris que si vous témoigniez au procès, ils parleraient de cocaïne à l'audience de manière à vous salir ?

— [...] J'ai senti que c'était ce qu'ils insinuaient.

— Avez-vous subi des intimidations depuis les faits ?

— Jusqu'à un certain point, oui. »

Cet été-là, Jack Miller annonça qu'il se retirait de l'affaire au profit d'un spécialiste encore plus expérimenté. Son successeur était un célèbre avocat criminel de Miami, Roy Black. Surnommé « le Professeur » en raison de son érudition, Black offrait un contraste plaisant, presque démagogique, avec le côté glacé de Moira Lasch.

Sous ses faux airs de gentleman, Black était un guerrier endurci qui ne faisait aucun quartier dès lors qu'il s'agissait de défendre un client. Afin de percer le bouclier protecteur de la législation de la Floride — et d'obtenir un contre-interrogatoire de Patty Bowman sur ses antécédents sexuels —, Black soumit à la juge, Mary Lupo, un document détaillant les « étranges » problèmes affectifs de Patty, qui remontaient à son adolescence. Selon lui, Patty avait inventé le viol à cause de sa douloureuse histoire de violences sexuelles, physiques et affectives.

Pour apporter du crédit à son accusation, Black chargea David Rothenberg, psychologue de Miami et expert judiciaire chevronné, de réaliser une évaluation psychologique de Patty Bowman et de Willy Smith. Sans surprise, Rothenberg confirma la théorie de Black, selon laquelle Patty avait monté de toutes pièces l'histoire du viol.

« Je suis certain qu'elle [Patty] croit dire la vérité, déclara Rothenberg. La question est : la vérité de qui ? »

Sa relation sexuelle avec Willy Smith, selon lui, avait sans doute ravivé des souvenirs d'agression venus de l'enfance :

« Tout à coup, avec Willy, elle éprouve une sensation de plaisir et se rend alors compte qu'elle n'est pas censée apprécier le sexe. Une voix intérieure lui souffle que le sexe est mauvais, que le sexe est violent, que le sexe est corrompu. Elle dénie donc cette sensation de plaisir en transposant l'image de

Willy sur celle de l'homme qui a abusé d'elle autrefois. Willy devient alors celui qui l'a agressée. »

Quoique préjudiciable à Patty, le rapport de Rothenberg n'était pas totalement à sens unique. Après s'être penché sur les antécédents de Willy, le psychologue concluait que Willy était le produit d'une enfance marquée par la privation affective et la dépression. Il se pouvait que son insécurité affective ait perturbé sa capacité d'action sexuelle et fait de lui un être « sexuellement dysfonctionnel ».

Cette phrase faisait parfaitement écho à la théorie de Moira Lasch sur Willy Smith. C'était même exactement ce dont elle était persuadée depuis le premier jour de l'affaire, à savoir que Willy était le type d'homme capable d'éprouver une excitation sexuelle lorsqu'il agressait une femme.

En juillet, Moira Lasch lâcha sa bombe accusatoire. Elle adjoignit au dossier des documents précisant que trois autres femmes, qui avaient toutes déposé sous serment, étaient prêtes à témoigner que Willy Smith les avait agressées. L'une d'elles affirmait avoir été violée dans l'appartement du jeune homme à Washington. Une autre parlait d'une agression au bord de la piscine pendant une garden-party à la maison familiale des Smith, même si Willy n'était pas allé jusqu'au viol. Et une troisième, amie de Max Kennedy, le cousin de Willy, déclarait que Willy l'avait jetée sur un lit et s'était livré sur sa personne à des attouchements sexuels.

A la veille du procès, en novembre, le juge Lupo déclara irrecevable le témoignage de ces trois femmes, les actes passés d'un accusé ne pouvant pas légalement être retenus contre lui dans ce type d'affaire. Mais à ce stade, en ce qui concernait le tribunal de l'opinion, les dégâts étaient déjà palpables : les trois femmes avaient raconté leur histoire aux médias en long et en large, et d'autres affaires du même ordre mettant Willy en cause commençaient à fleurir un peu partout.

En Angleterre, le célèbre chroniqueur mondain Taki révéla dans son billet hebdomadaire du *Spectator* qu'il connaissait personnellement une victime de Willy Smith.

« Nous avons aujourd'hui l'affaire Willy Smith, un neveu des Kennedy, écrivit-il. Il nous est présenté, par la clique d'apologues que sa famille a chargée de faire défiler devant les caméras, comme un être calme et digne. Il n'est rien de tel. Il y a six ans, ce même Willy Smith a tabassé une Anglaise que je connais. Je l'ai incitée à témoigner contre lui, mais elle m'a répondu qu'elle avait trop peur. »

On devait apprendre plus tard que l'Anglaise en question était Alexandra Marr, la fille de l'agent de change Donald Marr et de lady Weir. Avant de se marier, elle avait fréquenté John Bryan, un homme d'affaires américain. Voici ce que ce dernier a raconté à Dominick Dunne :

« Taki et moi étions à New York. A l'époque, je voyais beaucoup Alexandra, presque chaque soir. Et puis, un soir, elle est sortie avec Willy Smith. Nous l'avons revue le lendemain. Elle avait été battue comme plâtre par ce mec. Taki voulait absolument écrire un article là-dessus. Mais elle a dit : "Je te jure devant Dieu que si tu fais ça, ils me tueront. Ils me l'ont dit." Elle avait le visage tuméfié. Je n'ai pas oublié la terreur absolue de son regard. Elle avait peur de mourir. »

Une autre jeune femme, ancienne camarade de campus de Willy à Duke, a parlé à Dominick Dunne de la réputation de Willy à l'université :

« C'est un vicieux, dit-elle. Je n'ai jamais entendu dire qu'il ait violé quelqu'un, mais il serrait les filles dans les coins. Je le trouvais plus pathétique que violent. Quelqu'un l'avait surnommé "le Frotteur", parce qu'il acculait une fille quelque part et se frottait contre elle. Pour parler cru, il prenait son pied comme ça [...]. Tout le monde prenait de la drogue, il n'était donc pas le seul dans ce cas, mais lui se servait de la drogue pour attirer les filles. "Viens prendre quelques lignes", disait-il. Je me souviens d'une chose qu'il m'a dite un jour : "Tu veux te faire quelques lignes ?" J'ai répondu "Oui." "Tu n'auras qu'à les sniffer sur ma queue." »

Peu après l'ouverture du procès, au début du mois de décembre, les habitués de la Chambre 411 pronostiquèrent que le Professeur, — Roy Black —, allait avoir gain de cause. Et pour soutenir leur propos, ils indiquèrent un certain nombre de facteurs qui jouaient en sa faveur.

Tout d'abord, le récit de Patty Bowman était émaillé de contradictions. Avait-elle été violée une fois, deux fois, ou pas du tout ? Elle avait d'abord raconté à Anne Mercer qu'elle avait subi deux agressions ; plus tard, ces deux agressions s'étaient réduites à une seule. Et son collant ? Elle prétendait ne pas se souvenir à quel moment, ni à quel endroit elle l'avait retiré la nuit du viol. L'avait-elle ôté pour marcher sur la plage ? Ou pour avoir un rapport sexuel avec Willy Smith ?

Il y avait aussi, selon les habitués, la terne prestation de Maximum Moira Lasch. Où avait-elle donc trouvé des vêtements aussi sinistres ? Elle était plus fripée qu'un catalogue de chez Brooks Brothers. Avec son côté distant et froid, elle dégageait de mauvaises vibrations. Elle ne se donnait pas la peine de s'adresser au jury et paraissait ne connaître qu'un seul ton de voix : strident. Et que faisait-elle avec son pied gauche ? Quand elle présidait l'audience, ce pied était en mouvement perpétuel. Elle mettait tout le monde à cran.

Selon les habitués, la présence massive des médias constituait un autre atout pour le Professeur. Et ce n'était guère étonnant : les Kennedy eux aussi étaient là au grand complet. Quelqu'un en compta dix-neuf : Ethel, Jean, Pat, Eunice, Sargent Shriver... ils étaient tous venus. Ils travaillaient en équipe, se relayant à l'intérieur et à l'extérieur du prétoire, abreuvant les caméras de télévision d'images et de petites phrases superbes. Même John Kennedy Jr., que sa mère avait supplié de rester à l'écart de cet ignoble déballage, fut persuadé par son oncle Ted — « pour l'intérêt de ton avenir politique, si tu veux pouvoir compter sur le soutien de la famille » — de faire à l'audience une apparition qui créa l'événement.

Et effectivement, après dix jours de dépositions, le procès prit la tournure que les habitués de la Chambre 411 avaient prédite. Il fallut au jury soixante-dix-sept minutes pour prendre la décision d'acquitter William Kennedy Smith. Curieusement, quand tout fut fini, les Kennedy, quoique soulagés pour leur cousin, ne manifestèrent pas un enthousiasme débordant.

« Après le verdict, nous avons eu des demandes d'interviews de toutes sortes d'émissions, se souvient Barbara Gamarekian, chargée des relations de presse de Willy Smith. J'étais déchirée entre l'envie de faire ce qu'il fallait pour permettre aux gens de mieux le connaître et, d'un autre côté, la nécessité de lui laisser retrouver une vie normale.

» Quand il a été arrêté et mis en examen, personne ne le connaissait vraiment. Il ne donnait jamais d'interview, ne faisait jamais rien de médiatique. On ne voyait partout que cette horrible photo de lui — celle de l'identification judiciaire — qui lui donnait un air porcin.

» Sa mère, Jean Smith, avait envie de parler, mais nous avons finalement décidé que lancer une grosse campagne de relations publiques ne servirait à rien. Acquittement ou non, les gens s'étaient forgé une opinion. Franchement, je crois que quand ils pensent à Willy Smith, c'est l'expression "*ce violeur*" qui leur vient d'emblée à l'esprit. »

Pendant plus de trois décennies, depuis l'assassinat de JFK, le mythe Kennedy s'était nourri d'un rêve impossible : un jour, espéraient avec ferveur les membres de la famille et leurs partisans, un Kennedy s'installerait de nouveau dans le bureau Ovale.

Même après Chappaquiddick, certains apologues de la famille s'étaient obstinés à croire que le sénateur Edward M. Kennedy accéderait d'une façon ou d'une autre à la résurrection politique. Mais les sordides révélations du procès de William Smith l'avaient définitivement grillé.

La plupart des Kennedy de la génération ultérieure s'empressèrent d'ailleurs de suivre leur oncle dans la voie du déshonneur et du discrédit. John F. Kennedy Jr. resta bientôt le seul membre de la famille à disposer à la fois du charisme et de l'autorité morale nécessaires pour provoquer une restauration de la dynastie.

Aux yeux du monde, John était un bel homme au nom célèbre, aux airs de jeune premier, jouissant à la fois d'une vaste fortune personnelle et de l'amour d'une femme à la beauté sublime. En apparence, il avait survécu aux traumas familiaux et évité le destin de tant de Kennedy qui s'étaient attirés des problèmes calamiteux avec l'alcool, la drogue, et la police. Bref, il semblait avoir hérité la gloire des Kennedy tout en échappant au poids de la malédiction.

Mais était-ce vraiment le cas ?

7

JOHN FITZGERALD KENNEDY JR.

Taillé dans le même bois

Les membres de l'équipe éditoriale du magazine *George* trouvaient souvent leur célèbre patron apathique et renfrogné. Il se pouvait que ce soit un effet de la maladie de Graves, affection thyroïdienne qui vidait John-John de son énergie et avait tendance à assombrir son humeur. A moins qu'il ne s'agisse du « problème familial » auquel il faisait parfois allusion avec ses collaborateurs.

Quelque chose le perturbait.

John-John n'était pas homme à s'épancher auprès de ses relations de travail. Il réservait ses confidences à quelques amis très proches. A ceux-là, en revanche, il n'hésitait pas à faire part de sa pire crainte : que sa femme, Carolyn, ait pu lui être infidèle.

Même s'il l'ignorait encore à l'époque, ses soupçons n'étaient pas sans fondement. Carolyn avait renoué avec un ex-petit ami, Michael Bergin, un ancien modèle masculin, spécialisé dans les sous-vêtements, qu'elle avait rencontré — et aimé — du temps où tous deux travaillaient pour la marque Calvin Klein.

« Michael vivait au premier étage d'un immeuble sans ascenseur de Greenwich Village, se souvient un de ses amis. Un jour que j'étais dans son appartement et que nous étions occupés à faire je ne sais plus trop quoi, l'interphone a sonné. Michael m'a tout de suite demandé de partir. En redescendant, j'ai aperçu Carolyn Bessette Kennedy cachée sous l'escalier. Je lui ai dit : "Salut, Carolyn, qu'est-ce que tu fais là ?" Et elle m'a répondu : "Oh, salut... Je monte juste faire un tour chez Michael."

» Quand je suis rentré chez moi, Michael m'a appelé et, avec un accent de panique dans la voix : "Tu as vu Carolyn ! Qu'est-ce qui t'a pris de lui adresser la parole ?" Il adorait Carolyn et voulait la protéger.

» Michael a décidé de cesser de la voir. Il y a quelque chose d'étrangement honnête chez lui, il respectait les vœux du mariage. Cela le gênait de poursuivre une relation avec une femme mariée. Mais Carolyn était complètement obsédée par lui. Et un jour, elle est montée à son étage par l'escalier extérieur et a cassé un carreau pour entrer chez lui. »

Peu de temps après cet incident, Michael Bergin quitta New York pour devenir acteur à Hollywood. Excessivement beau et bien bâti, il rejoignit l'équipe de la série télévisée *Alerte à Malibu* et participa à un téléfilm de deux heures de la Fox, *Hawaiian Wedding*.

Quand j'ai rencontré Bergin, je l'ai interrogé sur l'époque où Carolyn Bessette s'était introduite par effraction dans son appartement de Greenwich Village. Il a commencé par me dire qu'il n'avait aucun souvenir de l'incident. Mais au fil de la conversation, des images de sa liaison avec Carolyn lui sont revenues les unes après les autres.

« Qu'elle soit passée par l'escalier de secours ne m'étonne pas, finit-il par me dire. Si Carolyn voulait entrer chez quelqu'un, elle y arrivait toujours. S'il lui fallait jouer les femmes-araignées pour atteindre son but, elle le faisait. Et si l'envie lui prenait de casser quelque chose, elle le faisait.

» Un soir, Carolyn m'a vu dans un bar en train d'allumer la cigarette d'une ex-petite amie. Elle s'est approchée, elle a repoussé la fille, elle s'est mise à me hurler des insultes à la figure, elle m'a même fait saigner un peu du visage.

» Je suis rentré chez moi, et deux minutes plus tard, Carolyn tambourinait à ma porte. Il a bien fallu que je la laisse entrer, sans quoi elle aurait démoli l'immeuble. J'avais chez moi de grands cierges d'église, très lourds, et elle en a balancé un par la fenêtre, fracassant la vitre, et un autre sur le miroir au-dessus de ma cheminée, qui s'est brisé. Ensuite, elle a jeté mon téléviseur et mon magnétoscope au sol et a sauté à pieds joints sur le magnétoscope pour le piétiner.

» Je suis sorti en courant de l'appartement. Je suis quelqu'un d'athlétique et de rapide, mais elle m'a rattrapé, et s'est mise à me crier dessus et à se moquer de moi en me traitant de bébé. Mon taux d'adrénaline est monté d'un coup, je me suis retourné et je l'ai repoussée ; elle est partie en arrière et a atterri contre le porche d'un immeuble. Ça l'a calmée, et nous sommes retournés chez moi.

» Carolyn et moi nous aimions très intensément. Pendant deux ans, nous avons été inséparables. Et je sais, au plus profond de mon cœur, qu'elle m'aimait encore quand elle a épousé John Kennedy. Certaines histoires ne finissent pas. »

Carolyn réussit un temps à cacher à son mari sa liaison avec Bergin. Mais un jour, pendant une de leurs prises de bec, elle lui jeta la vérité en pleine figure.

Ainsi que John-John devait le raconter plus tard à un ami, ce fut comme si la foudre s'était abattue sur lui. Aveuglé par son égoïsme narcissique, il trouvait inconcevable qu'une femme puisse lui préférer un autre homme.

Il fallut un certain temps à John-John pour se remettre de ce coup dévastateur, mais il arriva finalement à la conclusion que le préjudice était plus grand pour elle que pour lui. Il persuada Carolyn de voir un psychiatre, s'assura qu'elle prenait bien sa dose journalière d'antidépresseurs, lui offrit, pour lui changer les idées, des voyages d'amoureux dans des paradis exotiques. Et en mars 1999, il décida même de se joindre à elle pour une série de séances de thérapie conjugale.

Rien n'y fit.

Quatre mois plus tard, le 12 juillet 1999, Carolyn claqua la porte du cabinet de leur thérapeute après que celui-ci eut abordé le délicat sujet de sa dépendance à la drogue. Suprême acte de rejet, Carolyn décida de dormir dans une pièce vacante dont John-John s'était servi jusque-là pour entreposer son matériel de musculation.

Humilié, désemparé, John quitta le loft de North Moore Street et loua une suite à 2 000 dollars la nuit à l'hôtel Stanhope. Sa chambre donnait sur le musée et sur Central Park, où il avait joué enfant avec sa sœur.

Les épreuves du prochain numéro de *George*, ainsi que plusieurs maquettes de une, gisaient éparses sur la moquette bleu pastel de la suite. Harrison Ford, choisi pour illustrer la prochaine couverture, fixait John depuis le sol avec toute une palette de mimiques. En sa qualité de rédacteur en chef, John choisissait les sujets et les illustrations, et il était particulièrement fier de l'article consacré à Mary Bono, ex-femme du chanteur Sonny Bono et membre du Congrès, illustré par une photo d'elle en tenue légère.

Il y avait un certain nombre d'aspects de son travail pour *George* dont John-John se serait bien passé. Il n'appréciait guère les batailles de diffusion visant à obtenir les meilleurs emplacements en kiosque, ni la guerre de tranchée qu'il fallait sans cesse relancer pour s'assurer les dollars de la pub. En revanche, il adorait tout ce qui l'obligeait à faire bonne impression — les interviews en tête-à-tête avec d'illustres personnages comme Fidel Castro ou Larry Flynt, et ses apparitions régulières à la télévision pour la promotion des prochains numéros.

John-John n'était pas seulement attiré par les activités physiques susceptibles de faire grimper son taux d'adrénaline, comme le roller, le parapente, le kayak, la descente en rappel, le ski ou le pilotage aérien. Il aimait aussi croiser publiquement le fer dans le cadre de ses fonctions de rédacteur en chef d'un magazine national.

Avant de lancer *George*, John-John avait demandé l'avis de sa mère, qui lui avait exprimé ses profondes réserves sur ce qu'elle considérait comme une aventure hasardeuse. Jackie partageait ces inquiétudes avec un certain nombre d'amis du monde des médias, dont moi-même.

« Jusqu'ici, John n'a jamais manifesté le moindre intérêt pour la presse, m'a-t-elle confié un jour. Il n'a aucune expérience du journalisme. Pourquoi tient-il tant à lancer un magazine ayant pour vocation de fouiller dans la vie privée des gens ? Il sait que je ne l'approuve pas. »

Le conflit entre Jackie et John sur *George* est, par bien des aspects, emblématique de leur relation. Car même si Jackie aimait tendrement son fils, il lui inspirait une dose considérable d'angoisse et de chagrin.

Les difficultés avaient commencé de bonne heure dans la vie de John-John. Après l'assassinat de son père, son impulsivité s'était développée à un point alarmant. Turbulent, il montrait un seuil de tolérance à l'ennui extrêmement bas et semblait incapable de rester tranquille ne fût-ce qu'un instant. Il faisait preuve de distraction à l'école, et ses résultats étaient médiocres. Jackie devait constamment le corriger.

Quand il s'avéra que John-John était un fardeau trop lourd pour elle seule, sa mère l'emmena en consultation chez le Dr Ted Becker, un pédopsychiatre renommé de New York. Puis, sur les conseils d'une amie — l'épouse du président d'une entreprise classée au « Fortune 500 »[1] —, Jackie contacta une psychopharmacologue de Moline, dans l'Illinois, et la fit venir à New York par l'avion de la société du mari de son amie.

La spécialiste diagnostiqua chez John-John un déficit de l'attention ainsi qu'une dyslexie — un trouble de la capacité à lire. Elle lui prescrivit de la Ritaline, un médicament similaire par sa composition chimique à la dopamine qui, naturellement produite par l'organisme, aide le cerveau à mieux fonctionner en stimulant les neurotransmetteurs.

John-John allait prendre de la Ritaline jusqu'à la fin de ses jours, avec des résultats mitigés. Il fut obligé de redoubler sa première à la Phillips Academy, un prestigieux lycée privé d'Andover, dans le Massachusetts. Quand il eut obtenu sa

---

1. Classement des 500 entreprises américaines les plus puissantes selon leur chiffre d'affaires. (*NdT*)

licence à l'université Brown, Jackie refusa de le laisser s'inscrire à l'école d'art dramatique de Yale, alors que la comédie était de toute évidence sa vocation.[1]

La friction causée par le désir de John-John de faire carrière dans le monde du spectacle provoqua de fréquentes disputes entre la mère et le fils. A l'occasion de l'une d'elles, sous les yeux d'une connaissance de Jackie, John-John quitta la pièce en trombe et claqua la porte.

Ce ne fut que sur l'insistance de sa mère qu'il fit son droit à l'université de New York, puis rejoignit les bureaux du district-attorney de Manhattan, lequel était un ancien ami et collègue de Bobby Kennedy, Robert Morgenthau (lui-même fils d'Henry Morgenthau, le secrétaire au Trésor de Franklin D. Roosevelt).

« John était un gros travailleur, très consciencieux, m'a confié Morgenthau. Il était constamment sous le feu des projecteurs et en prenait très bien son parti. Le métier de substitut du procureur lui plaisait, mais pas au point qu'il envisage de faire carrière dans cette branche. Je ne le voyais pas beaucoup quand il était là. Je ne voulais surtout pas qu'il ait l'impression d'avoir droit à un traitement différencié du fait de son nom. Il aspirait désespérément à être traité comme n'importe quel autre assistant. La seule fois où j'ai dévié de cette ligne, c'est le jour où je l'ai emmené dans une église de Harlem pour fêter l'anniversaire de Martin Luther King. Ils m'avaient demandé de leur amener John. Et tout le monde l'a adoré. »

John-John et sa mère subirent une cuisante humiliation quand il fut par deux fois recalé à l'examen du barreau de l'Etat de New York. Malgré les vigoureuses objections de son fils, Jackie insista pour qu'il prenne un directeur d'études et demande à passer l'examen à huis clos — un privilège d'ordi-

---

1. A l'été 1985, dans un minuscule théâtre à l'ombre de Broadway, John se produisit en tant que premier rôle masculin dans *Winners*, une pièce de Brian Friel. Le metteur en scène, Nye Heron, déclara qu'il le considérait comme « le meilleur acteur qu'[il ait] vu depuis douze ans ».

naire réservé à ceux qui souffraient de graves problèmes de santé. A sa troisième tentative, John-John réussit l'épreuve.

Dans ses conversations avec moi, Jackie tendait souvent à relier les difficultés de John-John au trauma engendré par l'assassinat de son père. Elle regrettait amèrement que John-John ait été privé si jeune de figure paternelle et, même si elle n'alla jamais jusqu'à me le dire expressément, on sentait bien qu'elle craignait de voir son fils confronté à des problèmes d'identité sexuelle, voire d'homosexualité. Elle avait cherché à compenser cette absence de modèle masculin en invitant chez elle un certain nombre d'auteurs du programme de la « Nouvelle Frontière » du gouvernement Kennedy pour qu'ils parlent à John-John de l'héritage de son père.[1]

Mais plus Jackie replongeait dans les profondeurs de son passé par le biais de sa psychanalyse, plus elle fut amenée à s'interroger sur *son* rôle dans les difficultés de John-John. Depuis longtemps, elle réfléchissait sur la notion de maternité. Elle avait toujours nourri des sentiments ambivalents vis-à-vis de sa mère, Janet Auchincloss, une fanatique de la perfection, toujours encline à confondre discipline et affection. Si Jackie adorait sa mère, elle n'en était pas moins déterminée à ne pas suivre ses traces. Elle n'admirait pas davantage le comportement maternel de sa belle-mère, Rose Kennedy, une femme froide et dominatrice, ni celui de ses belles-sœurs — Ethel, Eunice, Pat et Jean —, qui avaient tendance à faire sentir à leurs rejetons qu'ils seraient des ratés complets s'ils ne se hissaient pas au niveau de leur oncle, le président, en devenant à leur tour puissants et célèbres.

A la lumière de ses progrès introspectifs, Jackie entreprit de réévaluer sa relation avec John-John. Les trois premières années de vie de celui-ci avaient coïncidé avec les années particulièrement formatrices de Jackie à la Maison-Blanche, au

1. Pour une description plus complète de ces cours privés, se reporter à *All Too Human : The Love Story of Jack and Jackie Kennedy* et à *Just Jackie : Her Private Years*, du même auteur.

cours desquelles elle quitta son personnage de trentenaire fragile et hésitante pour devenir une Première Dame de plus en plus sûre d'elle et affirmée. Ces années-là, Jackie fut complètement absorbée par son rôle d'épouse du président des Etats-Unis. Elle fit de longs voyages en Inde, en Extrême-Orient et en Europe, passa de nombreux week-ends dans la campagne à chevaux de Virginie. Elle était si souvent loin de la Maison-Blanche — et de son fils en bas âge — que quelqu'un finit par suggérer à un présentateur de journal télévisé qu'il conclue son édition de la nuit par la phrase : « Où que vous soyez, madame Kennedy, bonne nuit. »

« Il est amusant de voir à quel point nous aimons croire que les gens célèbres sont des parents modèles, constate Sue Erikson Bloland. Mais bien souvent, ce qui ressemble à du dévouement maternel n'est en réalité que le désir qu'a la mère de renforcer sa propre image par le biais de son enfant.

» Depuis longtemps, les Kennedy font parade de l'union extraordinaire de leur famille. Mais il ne s'agit là que d'une compensation par rapport à quelque chose qu'ils n'ont pas. Leur désir de lien est si puissant qu'il donne naissance à cette image irrésistible qu'on voit dans les médias. Et cela déclenche chez nous un désir de même nature. Nous ne pouvons nous empêcher de penser : "Ils doivent vraiment partager cette intimité familiale. Si seulement c'était pareil chez moi !" »

Les substituts maternels de John-John, pendant ses premières années de vie, furent sa nounou britannique, Maud Shaw, et sa gouvernante d'origine italienne, Marta Sgubin. Quand Jackie était là, elle s'intéressait de près à l'alimentation de son fils, à sa scolarité, aux vêtements qu'il portait, à la façon dont il se tenait en public. Comme sa propre mère, envers qui elle s'était pourtant montrée si critique, elle se souciait passionnément de tout ce en quoi John et Caroline contribuaient à son image. Sans doute parce qu'elle avait été précipitée sous les regards du public par la carrière politique de son mari, Jackie voyait ses enfants comme des extensions d'elle-même.

La même chose était vraie du père de John-John, le président Kennedy, avec qui le garçon ne passait que de brefs instants dont la plupart étaient utilisés comme autant d'occasions de séances de pose (*John-John courant accueillir son père au moment où celui-ci descend de l'hélicoptère présidentiel… John-John à quatre pattes sous la table du président dans le bureau Ovale…*). John-John vivait en état de manque permanent, guettant les moments si rares où quelqu'un le mènerait à son père.

Protégé par des marines en uniforme et des agents des services secrets, ce père devait apparaître aux yeux du petit garçon qu'il était comme un personnage extraordinairement impressionnant. Dans l'immense bureau Ovale, où « vivait » ce personnage l'essentiel du temps, il y avait une table de travail en acajou, et sur cette table, des boutons sur lesquels son père n'avait qu'à appuyer pour faire venir les gens. Son père pouvait faire venir qui il voulait — et pas seulement les messieurs en costume sombre qui lui faisaient constamment des courbettes et l'appelaient par son autre nom, « Monsieur le Président », mais aussi la maman de John-John. Il suffisait que son père appuie sur ce bouton pour que sa mère délaisse ce qu'elle était en train de faire, même quand c'était très important, pour venir le rejoindre. Son père avait ce pouvoir-là.

John-John l'appelait « Bille de clown ».

« John Kennedy, faisait semblant de s'indigner son père, tu oses traiter de "Bille de clown" le président des Etats-Unis ? Attends un peu que je t'attrape, petit coquin ! »

Mais John-John n'en démordait pas : « Bille de clown ! »

Soudain, juste avant son troisième anniversaire, Bille de clown disparut de sa vie, et sa mère fut constamment à ses côtés, l'inondant d'un amour et d'une affection dont il rêvait depuis toujours. Et, pendant que tout le monde autour de lui pleurait la mort du président, bien malin qui aurait pu deviner, à l'attitude du petit garçon, ce qu'il ressentait au juste. Dans le fond, il aurait été parfaitement naturel qu'il se réjouisse d'avoir enfin sa mère pour lui seul.

Au regard de ses absences fréquentes et prolongées de la Maison-Blanche, il n'est pas sans ironie que la plus célèbre des citations de Jackie concerne justement l'éducation des enfants :

« Si on rate l'éducation de ses enfants, je ne crois pas qu'aucune autre réussite puisse l'effacer », aimait-elle à répéter.

Dans les années 1960, comme l'écrit l'historien Thomas C. Reeves, les Etats-Unis étaient une nation « soucieuse de l'éducation de ses enfants et d'ascension sociale ». Ses compatriotes voyaient en Jackie une mère idéale, qui avait réussi à élever deux enfants étonnamment « normaux » dans les circonstances les plus difficiles.

Après l'assassinat de son mari, Jackie déménagea à New York, où elle s'estimait davantage en mesure de consacrer du temps à ses enfants privés de père. Même après avoir épousé le richissime armateur grec Aristote Onassis, elle insista pour vivre l'essentiel de l'année à New York, où elle pouvait superviser la scolarité et le quotidien de sa progéniture. Pour cela aussi, elle eut droit à des éloges. Mais Jackie m'a confié un jour qu'elle estimait que personne, y compris elle-même, ne méritait de médaille pour avoir joué son rôle de mère.

« La maternité est une affaire complexe », lâcha-t-elle au cours d'un déjeuner.

Dans les dernières années de sa vie, Jackie a dit que son expérience de la maternité lui rappelait une phrase de J.M. Barrie, l'auteur de *Peter Pan, ou le Petit Garçon qui ne voulait pas grandir* : « Le dieu, à qui les petits garçons disent leurs prières, a un visage très semblable à celui de leur mère. »

Peu de temps avant sa mort, Jackie eut avec John-John une grande discussion sur l'avenir de celui-ci. Elle le pressa de reprendre le flambeau paternel en se lançant dans la politique.

Quand il donnait des interviews, John-John, de manière bien compréhensible, restait prudent en ce qui concernait son intérêt pour la politique, qu'il désignait comme « l'affaire familiale ». Son peu d'empressement visible n'avait rien à voir avec un manque de conviction politique car, comme dans les dynasties Adams et Bush, la politique chez les Kennedy était davantage une affaire de sentiment et d'émotion que d'idéologie.

244

John-John était à la fois le bénéficiaire et la victime de la mystique des Kennedy. Ses compatriotes, qui ont la mémoire courte, se rappelaient les Kennedy comme les dirigeants d'un âge d'or, qui avait existé avant que le pays soit souillé par les assassinats, le Viêt Nam, les conflits raciaux, la permissivité sexuelle, le Watergate, et le désenchantement patriotique. L'opinion semblait projeter sur John-John toutes les qualités des Kennedy, sans quasiment aucun des défauts en général associés à la famille.

Bien que n'ayant aucune idée de ce que représentait John-John sur le plan politique, un grand nombre d'Etasuniens estimaient qu'il devait se présenter à la présidence. A l'exception peut-être de Robert Lincoln, le fils du Grand Emancipateur Abraham Lincoln, il n'y avait jamais eu, dans l'histoire des Etats-Unis, de personnage ayant une position équivalente à celle de John Fitzgerald Kennedy Jr.

La pression était énorme, mais John-John réussissait néanmoins à garder le sens de l'humour. De passage à Chicago afin de glaner des contrats publicitaires pour *George*, il déclara à un groupe d'hommes d'affaires : « Je reviens vers la ville où ma famille a fait ses deux plus grosses acquisitions — le Merchandise Mart[1] et l'élection présidentielle de 1960. »

John-John s'était vu offrir — et avait refusé — un poste de sous-secrétaire au gouvernement du président Clinton. Il avait aussi été le premier choix du parti démocrate new-yorkais (avant Hillary Rodham Clinton) pour être candidat au fauteuil de sénateur laissé vacant par Daniel Patrick Moynihan.

Cependant, la jeune épouse de John n'était manifestement pas prête à se lancer dans le grand bain de la politique. Et à vrai dire, John non plus. Il s'ouvrit un jour de ses sentiments à Cokie Roberts, une correspondante de NBC dont le père, Hale Boggs, avait siégé au Congrès en compagnie de John F. Kennedy.

« Ne croyez-vous pas que [nos pères] penseraient qu'on peut aujourd'hui exercer davantage d'influence dans les médias que dans la politique ? » demanda-t-il à Cokie.

1. Centre commercial de quatre-vingts boutiques à Chicago. (*NdT*)

« C'était de toute évidence une question à laquelle il avait consacré beaucoup de temps avant de décider que, du moins temporairement, il préférait occuper le front médiatique. John-John a pris sa décision après mûre réflexion, se souvient Cokie. Il n'est certainement pas tombé là-dedans [*George*] par hasard. »

Quoi qu'il en soit, certains proches de la famille Kennedy, comme l'ancien secrétaire à la Défense Robert McNamara, avaient la certitude que le prochain chapitre de sa vie serait politique. Et nombre d'observateurs avisés des rouages de la présidence étaient d'accord sur ce point.

L'historien Michael Beschloss, par exemple, discernait chez John-John une « sorte de sensibilité post-moderne — une conscience de ce que la politique [...] est envahie de célébrités, de ce que nous vivons à une époque où les jeunes, surtout, sont sceptiques par rapport aux politiciens. Il tentait de façonner une approche de la politique qui lui permette en un sens de raviver la vieille éthique de service public et d'idéalisme des Kennedy, mais dans la langue de son temps, celle de la génération née dans les années 1960 et 1970. S'il avait postulé à la présidence au XXIe siècle, je crois que, dans une certaine mesure, cela aurait été sur ces bases-là. »

Son oncle, le sénateur Ted Kennedy, affirmait que John avait un destin politique. Et en bon narcissique mégalomane, il encourageait son neveu à briguer le plus haut de tous les trophées — la Maison-Blanche.

A l'été 1999, Ted estima que le temps était venu pour John-John de penser sérieusement à la restauration des Kennedy. De son point de vue, Albany, capitale de l'Etat de New York, constituait pour lui la rampe de lancement la plus efficace en vue d'une future candidature à la présidence. Il pressa son neveu de commencer à lever des fonds et à se mettre en quête de soutiens politiques pour la course au gouvernorat de l'Etat en 2002.

Il n'y avait qu'un seul hic : John-John informa son oncle que son mariage avec Carolyn était au plus mal et qu'il envisageait le divorce, même s'il savait qu'une telle décision soulèverait une tempête médiatique, écornerait gravement son image d'icône, et assombrirait ses perspectives politiques. Déterminé à tout faire pour sauver le couple de son neveu, Ted s'inspira des méthodes jadis employées par le vieux Joseph pour régler les crises conjugales délicates : il demanda de l'aide à un éminent dignitaire catholique — le cardinal de New York, Joseph O'Connor.

« Le cardinal O'Connor adorait être sous les feux de la rampe et avoir affaire à des gens importants, se souvient un proche. A la demande de la famille Kennedy, il est intervenu pour tenter de préserver le mariage de John-John. Le cardinal jouait les médiateurs conjugaux au moment de la mort de Carolyn et de John. »

Après avoir pris ses quartiers à l'hôtel Stanhope le 14 juillet 1999, John passa de longues heures au téléphone, cherchant du réconfort auprès de ses amis. Au détour d'une conversation aussi interminable que décousue avec un de ses proches, il s'exclama : « Ça craque de partout. Tout est en train de s'écrouler ! »

Tout s'écroulait parce que sa mère n'était plus là pour mener la barque. De son vivant, Jackie avait toujours été l'ancre de John-John dans la tempête de ses émotions. Elle l'encourageait à faire montre d'audace et de courage — mais seulement jusqu'à un certain point. La limite était le comportement de casse-cou des Kennedy, qu'elle jugeait autodestructeur.

Par exemple, du temps où John-John étudiait à l'université Brown, il avait voulu prendre des leçons de pilotage aérien. Jackie lui avait fait promettre qu'il ne piloterait jamais lui-même son avion. En lui rappelant au passage qu'au cours du dernier demi-siècle, un Kennedy avait trouvé la mort dans un crash aérien en moyenne tous les sept ans.

« Je t'en prie, ne fais pas ça, insista-t-elle. Il y a déjà eu trop de morts dans la famille. »

Au printemps 1994, quand Jackie se rendit compte qu'elle allait mourir, elle demanda à son compagnon de longue date, le diamantaire Maurice Tempelsman, de veiller sur ses enfants, et en particulier sur John-John. Mais John ne s'était jamais senti proche de Tempelsman, qui occupait une chambre dans l'appartement maternel. Après la mort de celle-ci — et en attendant de pouvoir récupérer son loft de TriBeCa —, il fit savoir à Tempelsman qu'il souhaitait disposer de l'appartement de sa mère. Il lui suggéra aussi de se trouver un autre domicile, ce que le vieil homme fit en s'installant à l'hôtel Sherry Netherlands.

Par ailleurs, ignorant les avertissements de Tempelsman à propos du pilotage, John s'inscrivit à la Flight Safety Academy de Vero Beach, en Floride.

« Cela m'inquiète beaucoup de voir John-John piloter, confia Tempelsman à un ami. Il est tellement distrait ! »

Quand John eut obtenu son brevet, il offrit une photo de lui à ses instructeurs de vol, avec la dédicace suivante :

> « A la Safety Flight Academy,
> Les plus courageux des aviateurs
> Parce qu'on ne se demandera où
> J'ai été formé que si je m'écrase.
> Amicalement, John Kennedy »

Jackie avait également mis en garde son fils contre les risques que comportait le lancement d'un nouveau magazine. Mais un an après sa mort, il concrétisa malgré tout le projet de *George*. Au début, en septembre 1995, lecteurs et annonceurs se bousculèrent, parce qu'ils souhaitaient faire partie du monde de John-John. De ce fait, *George* fut un des lancements de magazine les plus réussis de toute l'histoire de la presse, ce qui donna à John l'impression de s'être pour la première fois imposé par lui-même.

Hélas, les inquiétudes de Jackie à propos de *George* finirent par se réaliser. Le magazine connut une hémorragie financière, au point qu'on lui prédit pour 1999 des pertes proches de dix millions de dollars. Au grand regret de John-John, *George* n'avait pas réussi à gagner le respect de la communauté journalistique, qui le considérait toujours comme une aventure d'amateur.

Pour John-John, l'échec de *George* était impensable. Au-delà de l'humiliation personnelle, l'effondrement de l'entreprise risquait de faire dérailler ses ambitieux projets politiques. Aussi, depuis quelques semaines, cherchait-il des sources alternatives de financement pour son magazine en danger de faillite. Le week-end précédent, il s'était envolé vers Toronto avec un instructeur de vol dans son avion privé, un monomoteur Piper Saratoga, pour rencontrer un bailleur de fonds potentiel. John avait aussi demandé de l'aide à son ami Steve Florio, le puissant président du groupe Condé Nast, propriétaire de titres aussi prestigieux que *Vogue* et *Vanity Fair*.

« J'avais contracté une infection de la carotide chez mon dentiste, et je devais subir une opération à cœur ouvert, m'a confié Florio lors d'un entretien. Peu de temps avant son accident fatal, John m'a téléphoné et m'a dit : "Mon cousin Arnold est ici." Il m'a passé Arnold Schwarzenegger. Celui-ci m'a expliqué qu'il avait eu la même vacherie que moi.

» A ma sortie de l'hôpital, John m'a invité à déjeuner. "Allons à San Domenico, a-t-il suggéré, tu pourras déguster un poisson grillé, et on bavardera tranquillement." Ce que j'imaginais devoir être une causerie sans conséquence s'est révélé quelque chose de beaucoup plus sérieux. Hachette ne s'intéressait plus à *George*, et John voulait savoir si nous, de Condé Nast, nous serions intéressés pour reprendre le magazine. Je lui ai répondu : "Oui, *George* est un bon titre. On en reparlera dans les semaines qui viennent." Hélas, John est mort avant que nous ayons pu prendre la décision de sauver *George*. »

Le lendemain de son installation au Stanhope, le jeudi 15 juillet 1999, John-John rendit visite à son chirurgien orthopédique du Lenox Hill Hospital pour se faire retirer la résine semi-rigide qui lui entravait la cheville gauche. Six semaines plus tôt, il se l'était fracturée dans un accident de parapente. Depuis, il marchait avec des béquilles.

Sa cheville était encore trop fragile pour supporter les quatre-vingt-quinze kilos de sa haute carcasse. Et son chirurgien lui recommanda fortement de ne pas voler en solo pendant au moins dix jours.

Le chirurgien ne fut pas le seul à lui conseiller la prudence. Quelques semaines auparavant, juste après sa chute en parapente, son ami John Perry Barlow s'était inquiété de le voir apparemment devenu un peu trop sûr de ses capacités de pilote. Barlow l'invita à considérer sa cheville brisée comme un avertissement.

Son Piper Saratoga II HP, acheté 300 000 dollars, était un avion excessivement puissant pour sa modeste expérience du pilotage, qui se réduisait en tout et pour tout à trente-sept heures de vol accompagné d'un instructeur certifié. Personne — pas même Carolyn — ne se doutait que le petit nombre d'heures passées par John-John « aux manettes » était inférieur à la limite requise par sa compagnie d'assurance. Quant à sa police de responsabilité civile, elle ne couvrait pas son appareil. Bref, John volait sans assurance, que ce soit pour ses passagers ou pour lui-même.

Pour ce qui allait être la dernière soirée de sa vie, John-John avait prévu de prendre un verre au Stanhope, puis de filer au Yankee Stadium, où Roger Clemens devait lancer contre les Atlanta Braves. Avec son ami Gary Ginsberg, un ancien collaborateur de *George* recruté par la News Corporation de Rupert Murdoch, il était en effet invité dans la loge du principal actionnaire des Yankees, George Steinbrenner, au bord du terrain.

Toujours soucieux de son image, John-John s'habilla avec soin : une élégante chemise repassée de frais dont il retroussa les manches, un pantalon Armani au pli impeccable, des mocassins sur mesure. S'aidant de ses béquilles, il atteignit l'ascenseur de l'hôtel, puis parcourut lentement les quelques mètres qui le séparaient du bar. Le brouhaha de la salle retomba au moment de son apparition. Plusieurs têtes se tournèrent tandis qu'il se rapprochait d'une table d'angle, autour de laquelle l'attendaient deux jeunes femmes. L'une d'elles était son épouse, Carolyn. L'autre était la sœur de celle-ci,

Lauren Bessette, une jolie brune, courtière en investissements chez Goldman Sachs.

Lauren devait raconter à un ami que c'était elle qui avait proposé qu'ils se retrouvent tous les trois autour d'un verre. Terriblement inquiète de la décision de Carolyn et de John de vivre séparés, elle avait pensé que ce serait peut-être une bonne chose pour eux de discuter de leurs problèmes devant elle. Elle espérait pouvoir les aider à surmonter leur blocage affectif.

Malheureusement, les relations entre John et Carolyn étaient tellement tendues que ni l'un ni l'autre ne desserra les dents. Ils restèrent donc assis dans un silence sépulcral. Lauren, semble-t-il, finit par demander à John et à Carolyn de lui donner chacun une main. Ils refusèrent d'abord. Puis, face à l'insistance de la jeune femme, ils s'exécutèrent de mauvaise grâce.

Lauren savait que Carolyn avait fait le vœu de ne jamais monter dans l'avion de John-John. Mais tout en pressant la main de sa sœur, elle la supplia de faire une exception pour cette fois et de s'envoler le lendemain dans le Piper Saratoga de son mari pour Hyannis Port, où des parents et amis avaient prévu de se réunir pour le mariage de Rory Kennedy, la cousine de John-John.

Hormis John lui-même, Rory était peut-être celle qui, de tous les membres de la famille, avait le plus eu à souffrir de la malédiction des Kennedy. Rory n'avait jamais connu son père, Robert Kennedy, car elle était née six mois après son assassinat en 1968. Adolescente, elle avait perdu son frère, David, mort en 1984 d'une overdose d'héroïne. Et en 1997, un deuxième frère, Michael, avait trouvé la mort dans un terrible accident de ski à Aspen, dans le Colorado, tandis que Rory lui faisait du bouche-à-bouche et criait : « Michael, c'est le moment ou jamais de te battre ! Ne nous laisse pas tomber ! »

Lauren savait que John-John avait promis à Rory d'assister à son mariage. Cependant, il ne lui vint apparemment pas à l'esprit qu'avec sa cheville blessée, il risquait d'avoir quelques difficultés à actionner les pédales de son appareil. Elle ne se laissa visiblement pas davantage perturber par l'anxiété, ni par l'état de confusion qu'avaient instaurés chez lui les problèmes de son couple, l'échec de son magazine, et l'annonce récente du cancer testiculaire qui allait bientôt emporter son cousin et meilleur ami, Tony Radziwill.

Personne, Lauren moins que quiconque, n'imaginait John capable de prendre les commandes de son appareil en ayant conscience de mettre en danger sa vie ou celle d'autrui. Tout le monde partait du principe que John-John, à la différence des autres Kennedy, n'était ni téméraire, ni irresponsable. John-John était taillé dans un autre bois.

C'était commettre une erreur d'appréciation fondamentale. Par certains aspects, en réalité, John était encore plus casse-cou que les autres membres du clan. Et les raisons auraient dû paraître évidentes à tout le monde, y compris à Lauren.

Il incombe naturellement à tout petit garçon de tâcher au fil des ans de se réconcilier avec son père et, dans la mesure du possible, de le dépasser. Or, John F. Kennedy Jr. portait un fardeau unique. Il se trouvait être l'héritier d'un homme de stature tellement mythique qu'aucune rumeur concernant ses galipettes à la piscine de la Maison-Blanche ou ses inquiétantes relations avec des poules de luxe contrôlées par la mafia n'avait pu souiller sa mémoire.

Dans l'esprit de la plupart de ses compatriotes, le père de John demeurait le président le plus populaire du XXe siècle — celui à l'aune duquel tous les autres étaient jugés. S'il était déjà difficile pour un président des Etats-Unis de rivaliser avec JFK en termes de rayonnement, on imagine sans peine quels tourments son fils dut endurer pour supporter la comparaison avec un père qui tenait davantage de la légende que de l'être humain.

Comment John-John pouvait-il éclipser un père associé à une telle puissance — politique, militaire et sexuelle ? Comment faire oublier le souvenir du président martyr ? Comment surpasser l'homme qui avait eu droit aux plus grandes funérailles publiques du XXe siècle ?

Pour se mesurer à son père, John-John devait être encore plus audacieux, encore plus téméraire que tout autre Kennedy.

Il devait ignorer la menace omniprésente de kidnapping et d'assassinat qui pesait sur lui et prendre constamment un maximum de risques.

Donc, il voyageait sans garde du corps. Il expérimentait toutes sortes de sports extrêmes. Il plongeait à la recherche de trésors engloutis. Il descendait en rappel les plus abruptes parois montagneuses. Il se mettait à l'épreuve, cherchait constamment à repousser ses limites, pilotait son avion alors qu'il ne l'aurait pas dû — tout cela dans une tentative effrénée d'affirmer sa propre identité.

Mais aucune de ces évidences, apparemment, ne traversa l'esprit de Lauren Bessette. Elle tenait absolument à convaincre sa sœur de partir avec John-John en avion pour Martha's Vineyard le lendemain. Quel était le meilleur moyen de lui faire changer d'avis ?

Ce fut alors qu'elle eut une idée. Pour faire fléchir Carolyn, Lauren proposa de les accompagner à Martha's Vineyard, où elle envisageait de passer le week-end avec des amis. Ils voleraient ensemble, tous les trois.

« Allez, insista-t-elle. Ce sera chouette ! »

John-John fut le premier à accepter, suivi de Carolyn.

« Génial ! conclut Lauren. Rendez-vous demain à l'aéroport. »

ÉPILOGUE

La chute de la maison Kennedy

Le samedi 17 juillet vers midi — presque vingt heures après la disparition de l'avion transportant John, Carolyn et Lauren dans l'épais brouillard qui enveloppait Martha's Vineyard —, les grandes chaînes de télévision diffusèrent leurs premiers flashes spéciaux sur la gigantesque opération de recherche et de sauvetage qui venait d'être lancée.

La nouvelle se répandit comme une traînée de poudre. Les amis de Carolyn — dont certains des jeunes stylistes, coiffeurs, maquilleurs, modèles masculins et publicitaires les plus en vue de New York — ne tardèrent pas à affluer vers son loft de TriBeCa. Ils entrèrent grâce aux clés que Carolyn leur avait remises et se rassemblèrent autour du téléviseur pour une veillée silencieuse et lugubre.

Chaque heure passée réduisait les chances de sauvetage. A un certain moment, un des membres de la bande — un dessinateur de mode — disparut dans la cuisine. Il ouvrit la porte du compartiment à glace du réfrigérateur et en retira la réserve de cocaïne de Carolyn.

« Je ne voulais surtout pas qu'un policier mette la main sur sa poudre et qu'il y ait une fuite dans la presse », expliqua-t-il.

Il fallut trois jours — et les efforts combinés de l'équipe de sauvetage en mer de la police d'Etat du Massachusetts, de la Coast Guard, de l'US Navy, et de la National Oceanic and

Atmospheric Administration (NOAA) — pour retrouver la trace du Piper Saratoga.

Le lundi 19 juillet — soit trente ans jour pour jour après que la voiture de Ted Kennedy, sortie de la route à l'entrée d'un pont, se fut abîmée dans une mare de l'île de Chappaquiddick —, les premiers débris furent repérés par le sonar d'un bâtiment de la NOAA, le *Rude*.

La zone était secouée par des orages et des creux supérieurs à deux mètres, ce qui gêna considérablement les hommes du *Grasp*, le navire de l'US Navy chargé de récupérer l'appareil. Quand, le mardi 20 juillet, les plongeurs de la Navy purent enfin descendre dans l'eau boueuse et glacée, ils retrouvèrent des fragments de l'appareil éparpillés sur une surface considérable par quarante mètres de fond.

La manette des gaz et les commandes de propulsion étaient toutes en position maximale, signe que l'avion avait percuté les flots à grande vitesse. Dans ses derniers instants de vie, John-John, manifestement victime de désorientation spatiale, avait lancé son Piper dans un piqué fatal. La force terrifiante de l'impact avait arraché le moteur à son compartiment, ainsi qu'une grande partie du toit de la cabine. Les sièges d'aluminium étaient totalement déformés.

« Les plongeurs sont entrés dans la cabine et ont retiré les dépouilles, m'a raconté le capitaine Burt Marsh, le superviseur de l'équipe de plongée et de sauvetage de l'US Navy. Ça leur a pris deux heures. Il ne faut jamais négliger l'impact de l'extraction de cadavres dans ce type de circonstances. Aucun plongeur n'aime ça. Ce n'est pas leur activité favorite. »

Les corps des victimes avaient encore plus souffert que le métal de l'appareil.

« Lors de l'impact, m'a expliqué un expert du sauvetage, John-John n'est pas passé à travers le pare-brise. C'est le pare-brise qui est passé à travers lui. »

Caroline et son mari, Edwin Schlossberg, un grand gaillard débonnaire qui dessine des musées et des parcs à thème, se rendirent avec leurs enfants — Rose, quatorze ans, Tatiana, douze ans, et Jack, neuf ans — à l'église Saint Thomas Moore, dans l'Upper East Side de Manhattan, où devait avoir lieu le service funèbre de John et de Carolyn Kennedy. Les trois enfants Schlossberg étaient rarement vus en public. Rose et Tatiana fréquentaient Brearley, une école de filles privée très sélect. Jack était inscrit au Collegiate, où son oncle John F. Kennedy Jr. l'avait précédé. Les parents veillaient jalousement sur la vie privée de leurs enfants et, de ce fait, le grand public savait moins de choses sur Rose, Tatiana et Jack que sur n'importe quel autre Kennedy depuis que Patrick avait posé le pied à Boston cent cinquante ans plus tôt.

Pendant que les Schlossberg s'approchaient de l'église cernée de caméras de télévision, Rose adressa à celles-ci un signe parfaitement illustratif de ce que les siens et elle-même pensaient des médias : elle tira la langue.

En tant qu'ultime survivante de la branche présidentielle de la famille Kennedy, Caroline se retrouvait confrontée à une décision difficile : fallait-il suivre son inclination naturelle et continuer de vivre dans l'ombre, ou reprendre le flambeau lâché par son frère John et assumer un rôle public ?

La réponse ne tarda pas à venir. Quelques mois après la tragédie, Caroline fit une apparition lors d'un gala destiné à collecter des fonds. Arborant les fabuleux pendants d'oreilles en diamant qu'Aristote Onassis avait autrefois offerts à sa mère, elle semblait s'être épanouie du jour au lendemain.

Ce ne fut que le premier pas de sa nouvelle posture publique. En l'absence de son frère, Caroline était dorénavant le seul membre de la famille à remettre chaque année le prix *Profile in Courage* à la bibliothèque Kennedy. Elle qui avait toujours été une piètre oratrice était désormais capable d'enflammer son auditoire.

Caroline publia un recueil des poésies favorites de sa mère et fit paraître une version remise à jour du *Courage dans la politique*, le livre de son père autrefois récompensé par le prix Pulitzer. Pour promouvoir ces deux ouvrages, elle participa à des émissions de télévision où elle répondit avec aplomb aux questions des téléspectateurs.

A la surprise quasi générale, Caroline accepta l'invitation de Joel Klein, directeur des écoles de New York, à devenir le porte-drapeau d'une vaste campagne de collecte de fonds en faveur des écoles publiques de la municipalité, qui en avaient cruellement besoin.

Caroline devait être aussi le moteur de l'exposition, au Metropolitan Museum of Art, de la garde-robe de sa mère, qui connut un immense succès. L'exposition se déplaça ensuite à Washington, puis en France. Lors du vernissage au musée des Arts décoratifs de Paris, Caroline apparut dans une magnifique robe Chanel, coiffée dans un style qui n'était pas sans rappeler celui de Jackie.

« Elle est à la fois majestueuse et décontractée, raconte une invitée. Elle a lu son discours en français et, au moment de se rasseoir, elle a jeté un coup d'œil à son mari Ed Schlossberg en lui adressant un petit signe du pouce. La foule était folle d'enthousiasme. Comme sa mère il y a quarante ans quand elle est venue rendre visite au président de Gaulle à l'Elysée, Caroline a conquis Paris. »

Qu'en est-il des autres Kennedy ?

Quelqu'un m'a décrit un jour la génération actuelle comme la queue d'une comète dont le flamboiement initial serait passé. Et en effet, les jeunes Kennedy sont nombreux à avoir récemment disparu de la scène publique.

Joseph Kennedy II s'est retiré de la politique après que sa réputation eut été mise à mal par un divorce fracassant. Max Kennedy, le benjamin de ses frères, a renoncé à la campagne qu'il menait pour conquérir un siège au Congrès par suite de son effondrement dans les sondages. William Kennedy Smith a brièvement envisagé de se présenter à Chicago, puis s'est ravisé. Andrew Cuomo, mari de Kerry Kennedy, la sœur de Joseph, a renoncé à sa campagne pour la primaire démocrate à l'élection du gouverneur de New York. Mark Kennedy Shriver a été battu lors d'une primaire démocrate dans le huitième district du Maryland. Et Kathleen Kennedy Townsend, la fille aînée de Bobby, un temps considérée comme une candidate potentielle à la vice-présidence, a perdu son pari de conquérir le gouvernorat du Maryland — essuyant au passage la première défaite de la famille dans une élection directe depuis 1922, année où Honey Fitz avait échoué à devenir gouverneur du Massachusetts. (Seule exception, Patrick Kennedy a réussi à se faire réélire à la Chambre des représentants dans sa minuscule circonscription de Rhode Island.)

Assistons-nous à une extinction politique ? Cela reste à voir. Mais une chose est certaine : les Kennedy continuent d'être exposés à de cruelles épreuves. Au cours de la seule décennie écoulée, neuf vies ont été détruites par la malédiction familiale.

En tant que prince héritier de la maison Kennedy, John-John a certainement dû s'interroger plus d'une fois sur la place qui lui revenait dans cette funeste saga. Maintenant qu'il n'est plus là, il ne nous reste qu'à nous interroger sur la prochaine victime de la malédiction des Kennedy.

REMERCIEMENTS

Mon beau-fils, Robertson Barrett, diplômé de la John F. Kennedy School of Government de l'université de Harvard, a contribué aux recherches, à la rédaction, et à la préparation de certaines parties de ce livre. Champion des médias, qu'ils soient anciens ou nouveaux, Rob est aussi doué pour l'écriture — et la pensée. Travailler avec un tel collaborateur a été pour moi un plaisir.

Mon agent, Robert Gottlieb, a conçu l'idée et le titre de ce livre. Son associé de Trident Media, Daniel Strone, a été une source de sagesse et d'encouragements tout au long des trois années qui m'ont été nécessaires pour mener à bien le projet.

Chez mon éditeur, St. Martin's Press, Sally Richardson, Matthew Shear, et Jennifer Weis m'ont fourni un bien rare de nos jours — une préparation aussi avisée qu'approfondie. Leurs coups de crayon ont amélioré la structure, la langue, et la substance de mon texte. Leur expérience de l'édition, associée au talent de marketing de John Murphy et à la direction artistique de Steve Snider, ont contribué à façonner l'apparence et le style de ce livre.

Maureen O'Brien a fait décoller le projet et m'a présenté à un certain nombre d'experts des affaires irlando-américaine qui méritent d'être cités individuellement pour leur généreuse contribution : Peter Quinn, Michael Coffey, Terry Golway, Malachy McCourt, Terry Moran, et Jay Tunney.

En Irlande, je suis tout particulièrement redevable à Kevin Whelan, Fintan O'Toole, Daithi O'Hogan, Pat Quilty, Patrick Cronin, Micky Furlong, Patrick Grenan, Cormac O'Grada, et Anthony et Robbyn Summers.

Pour m'avoir aidé à sonder les esprits de cinq générations de Kennedy, j'exprime ma gratitude au Dr Peter Neubauer et au Dr Werner Muensterberger, ainsi qu'à Sue Erikson Bloland et au Dr Mitchell Rosenthal.

Pour l'aide précieuse qu'ils m'ont apportée dans mes longues recherches, je tiens à adresser mes remerciements à Candace Trunzo, à Christopher Carberry, et à Robin Rizzuto.

Melissa Goldstein a prêté son œil d'artiste et ses instincts de détective à l'acquisition, l'organisation, la sélection, et la mise en page des photographies.

Mes enfants — Karen et Alec Klein — et ma belle-fille, Melissa Barrett Rhodes, m'ont toujours généreusement encouragé. Et, bien sûr, rien de tout cela n'aurait été possible sans les tendres attentions de ma femme, Dolores Barrett, qui m'a soutenu d'un bout à l'autre de ces longs mois de création.

SOURCES

INTERVIEWS MENÉES PAR L'AUTEUR

Floyd Abrams, Lou Adler, Rachel Altein, Jack Anderson, Joe Armstrong, Dr Bob Arnot, Hélène Arpels, Jules Asher, Dr Jiei Atacama, Dr Michael Baden, Evan Balaban, Peter Beard, Dr Jonathan Benjamin, Arthur Bennett, Michael Beschloss, Sue Erikson Bloland, Dr Susan Blumenthal, Capitaine Greg Brown, Hamilton Brown, Edward Burns Sr., Scan Carberry, David Chalmers, Dr Robert Cloninger, Michael Coffey, Doug Cohn, Tim Pat Coogan, David Crawford, Susan Crimp, Donald Crocker, Patrick Cronin, Rabbi Schlomo Cunin, Capitaine Sam DeBow, Linda Degh, Lisa DePaulo, Persi Diaconis, Sante D'Orazio, Dr Larry Dossey, Keith Estabrook, Dr Richard Evans, Michael Ferrara, Burt Fisher, Steve Florio, Dr Bruce Forester, Peter Foskin, Sergent William Freeman, Tony Frost, Micky Furlong, Nicholas Gage, Edward Galvin, Barbara Gamarekian, Barbara Gibson, Jean-Louis Ginibre, Terry Golway, Doris Kearns Goodwin, Andrew Greeley, Vartan Gregorian, Patrick Grenan, William F. Halsey III, Nigel Hamilton, Patricia Hardy, Pr Michael Harper, Capitaine Mark Helmkamp, Robert Haydon Jones, Kelly Kapicka, Sheila Rauch Kennedy, Joseph Kopechne, Alexandra Kotur, Barry Krischer, Dr Richard Kurin, Dr Eugene Mahon, Mick Maloney, Capitaine Burt Marsh, Kerry McCarthy, Malachy

McCourt, Pat McKenna, Terry Moran, Robert Morgenthau, Dr Robert Moyzis, Dr Werner Muensterberger, Dr Peter Neubauer, Willie Newsome, Cathy Nolan, Cormac O'Grada, Daithi O'Hogan, Fintan O'Toole, Ion Milai Pacepa, David Pecker, lady Patricia Pelham, Richard Andrew Pierce, Pat Quilty, Peter Quinn, Dr Chit Ranawat, Neville Raymond, Sean Reidy, John Richardson, Terry Rioux, Ellen Roberts, Robert Scally, John Scanlon, Mark Scheiner, Hank Searls, Kevin Selvig, Lyndal L. Shaneyfelt, Dr David Skinner, Liz Smith, Thom Smith, le révérend Lawrence Solan, Christine Stapleton, Jocelyn Stern, Lynn Tesoro, Brett Tjaden, Michael Tomarra, Candace Trunzo, Peter Tufo, Jay Tunney, Roy Wachtel, Leon Wagner, Lieutenant Commander David Waterman, John Weber, Pr Kevin Whelan, Darrell Whiteman, Paul Wilmot, Garrett Yount, Helena Zimny.

DOCUMENTS

Deposition of Patrick H. Barry. Fifteenth Judicial Circuit, Criminal Division, Palm Beach County, Florida. Fink & Carney Computerized Reporting Services, New York, April 30, 1991.

Deposition of Stephen P. Barry. Fifteenth Judicial Circuit, Criminal Division, Palm Beach County, Florida. Fink & Carney Computerized Reporting Services, New York, April 30, 1991.

Bludworth, David H. State Attorney. *Petition for Writ of Prohibition*. Fifteenth Judicial Circuit, District Court of Appeals of the State of Florida, Fourth District, September 10, 1991

Statements of Patricia Bowman. Palm Beach Police Department, March 30-April 25, 1991.

Statement of Michele Cassone. Palm Beach Police Department, April 5, 1991.

Corcoran Gallery of Art. *Jacqueline Kennedy : The White House Years*. Washington, D.C., March 13, 2002.

Deposition of Chuck Desiderio. Fifteenth Judicial Circuit, Criminal Division, Palm Beach County, Florida. Fink & Carney Computerized Reporting Services, New York, April 30, 1991.

Statement of Chuck Desiderio. Palm Beach Police Department, April 30, 1991.

Glynn, Joseph Martin, Jr., ed. *Manual for Irish Genealogy*. Newton, Mass. : Irish Family Historical Society, 1979.

Deposition of Dr. Lynn Gulledge. Fifteenth Judicial Circuit of Florida. Tyler, Eaton, Morgan & Nichols, Court Reporters, October 26, 1991.

Statement of Dr. Lynn Gulledge. Office of the State Attorney, Palm Beach, Florida, July 21, 1991.

Hamilton, Nigel. Interview avec James A. Rousmaniere et Martha Reed. Nigel Hamilton Collection, Massachusetts Historical Society, April 6, 1989.

——. Interview avec Frank Waldrop. Nigel Hamilton Collection, Massachusetts Historical Society, May 15, 1989.

——. Interview avec John Hersey. Nigel Hamilton Collection, Massachusetts Historical Society, May 26, 1991.

——. Interview avec Fred Good. Nigel Hamilton Collection, Massachusetts Historical Society, December 1991.

The Historical Research Center, Inc. *Family Name History : Fitzgerald*. The Historical Research Center, Inc., 2001.

Holmes, Warren D. Letter to Sergeant Keith A. Robinson. Palm Beach Police Department, April 26, 1991.

Irish Department of Foreign Affairs. *Folklore in Ireland*. Dublin, April 1995.

Irish Genealogical Society International. *Families in Ireland from the 11 th to the End of the 16 th Century*. Philip MacDermott, M.D., ed.

James, Ann. *The Kennedy Family Scandals and Tragedies*. Lincolnwood, Ill. : Publications International, Ltd., 1991.

John Fitzgerald Kennedy Trust. *Dunbrody : Rebirth of an Emigrant Ship, 1845-2001*. New Ross, Co. Wexford, Ireland, February 11, 2001.

Deposition of Edward M. Kennedy. Fifteenth Judicial Circuit, Criminal Division, Palm Beach County, Florida. Fink & Carney Computerized Reporting Services, New York, May 1, 1991.

Kennedy, Kathleen. Letter to John F. Kennedy. JFK Personal Papers, John F. Kennedy Library, December 22, 1944.

———. Letters to family. JFK Personal Papers, John F. Kennedy Library, February 11, 17, and 22, 1944.

Deposition of Patrick J. Kennedy. Fifteenth Judicial Circuit, Criminal Division, Palm Beach County, Florida. Fink & Carney Computerized Reporting Services, New York, May 3, 1991.

Landmark Preservation Commission (Palm Beach, Florida). *1095 North Ocean Boulevard : Designation Report*. April 20, 1990.

Deposition of Lisa J. Lattes. Fifteenth Judicial Circuit, Criminal Division, Palm Beach County, Florida. Fink & Carney Computerized Reporting Services, New York, October 5, 1991.

Statement of Lisa Lattes. Office of the State Attorney, Palm Beach, Florida, July 20, 1991.

Statement of Anne Mercer. Palm Beach Police Department, April 29, 1991.

Deposition of Leonard Mercer. Fifteenth Judicial Circuit, Criminal Division, Palm Beach County, Florida. Mudrick, Witt, Levy & Consor Reporting Agency, Inc., West Palm Beach, Florida, October 17, 1991.

Miller, Herbert J., Jr. Letter to State Attorney David H. Bludworth. May 2, 1991.

New Mexico Board of Examiners. *Application for Approval to Practice as a Resident Physician : William K. Smith.* June 24, 1991.

O'Dowd, Niall. *John F. Kennedy Junior's Irish Legacy.* Irish American Social Club of Sacramento, California, July 25, 1999.

Office of the State Attorney, Florida Fifteenth Judicial Circuit. « Senator Edward Kennedy Chronology », March 31, 1991.

Statement of Lieutenant Thomas M. Perry. Palm Beach Police Department, August 1, 1991.

Statement of Detective Christine E. Rigolo. Palm Beach Police Department, May 8, 1991.

Deposition of Detective Christine Ellen Rigolo. Fifteenth Judicial Circuit, Criminal Division, Palm Beach County, Florida. Fink & Carney Computerized Reporting Services, New York, July 23, 1991.

Rousmaniere, James A. *John F. Kennedy Project.* Oral History Research Office, Columbia University, 1977.

Statement of Stephen Michael Scott. Office of the State Attorney, Palm Beach, Florida, July 2, 1991.

Deposition of Amanda Smith. Fifteenth Judicial Circuit, Criminal Division, Palm Beach County, Florida. Fink & Carney Computerized Reporting Services, New York, April 30, 1991.

Deposition of Jean K. Smith. Fifteenth Judicial Circuit, Criminal Division, Palm Beach County, Florida. Fink & Carney Computerized Reporting Services, New York, April 30, 1991.

ARTICLES

« London Reports Kathleen Kennedy Will Be Married Next Saturday », *The Boston Globe*, May 1, 1944.

« Kathleen Kennedy Soon to Marry Eldest Son of Duke of Devonshire », *The Boston Globe*, May 4, 1944.

267

« Kathleen Kennedy, 24, to Wed British Lord », *Boston Herald*, May 4, 1944.

« Mrs. Kennedy in Hospital Here ; Condition Good », *The Boston Globe*, May 5, 1944.

« Fitz Backs Granddaughter's Choice but Bogs Down on Wedding Details », *Boston Herald*, May 5, 1944.

« Kennedy Daughter Weds in London », *The Boston Globe*, May 6, 1944.

« Mrs. J.P. Kennedy Quits Hospital Today », *The Boston Globe*, May 6, 1944.

« Mrs. Kennedy Leaves Hospital as Daughter Weds in England », *Boston Herald*, May 6, 1944.

« Mrs. Kennedy Leaves Boston by Plane », *The Boston Globe*, May 6, 1944.

« Miss Kennedy Becomes Bride of Titled Briton », *The Boston Globe*, May 7, 1944.

« War Bars Cable to Kennedys as Daughter Is Wed in London », *Boston Herald*, May 7, 1944.

« Earl Killed in Plane Crash », *Boston American*, May 14, 1948.

« Rep. Kennedy Grief-Stricken in Washington », *The Independent* (Boston), May 14, 1948.

« Kennedy Girl, Peer Die in Plane Crash », *Traveler* (Boston), May 14, 1948.

« Chance Meeting Led to Death of Kathleen », *Boston American*, May 15, 1948.

« Kennedys at Hyannis », *Boston Herald*, May 15, 1948.

« Body of Kennedy's Daughter Is Taken to Town from Crash Scene », *The Independent* (Augusta, Me.), May 15, 1948.

« Kennedy Home in Sorrow », *Sunday Post* (Boston), May 15, 1948.

« Kennedy Asks to Be Executor of Sister's Estate », *The Boston Globe*, June 29, 1949.

Lotham, Arnold. « Can't Rest Beside Him », *Photoplay*, December 1970.

Radcliffe, Donnie. « Keeper of the Clan : The Tough Warmth of Ethel Kennedy », *The Washington Post*, June 4, 1981.

Prial, Frank J. « Of Sex, a Senator and a Press Circus », *The New York Times*, April 6, 1991.

Butterfield, Fox. « Views of the Kennedy House : Poignant Past, Busy Present », *The New York Times*, April 8, 1991.

McConagha, Alan. « Kennedy Media Control Slipping », *Washington Times*, April 11, 1991.

« Who's Who in the Palm Beach Rape Case », *The Palm Beach Post*, April 14, 1991.

« The Soul of the Kennedys », *Washington Times*, April 18, 1991.

« Hints of Favoritism Still Swirl Around '84 Kennedy Probe », *Palm Beach Post*, April 21, 1991.

Pallesen, Tim. « Pro-Kennedy Charges Again Haunt State Attorney », *Palm Beach Post*, April 21, 1991.

« "New York Times" Regrets Action in Kennedy Rape Case », Associated Press, April 26, 1991.

Mailander, Jodi. « Gumshoes Seek Tale of Sleaze to Discredit Kennedy Accuser », *Palm Beach Post*, April 28, 1991.

« Naming the Victim », *Newsweek*, April 29, 1991.

Morrow, Lance. « The Trouble with Teddy », *Time*, April 29, 1991.

Donnelly, John, and Dave von Drehle. « Kennedy Kin Faces Rape Count », *The Miami Herald*, May 10, 1991.

Jordan, Mary. « Willy Smith, the "Independent" Kennedy, Anonymous No More », *The Washington Post*, May 10, 1991.

Goldberg, Karen, and Joe Dimaola. « Lawyers : Acquittal Probable », *Fort Lauderdale Sun-Sentinel*, May 16, 1991.

« Spotlight on the Senator : What Did Teddy Know ? » *Newsweek*, May 27, 1991.

Carlson, Margaret. « When in Doubt, Obfuscate », *Time*, May 27, 1991.

Kacoha, Margie. « Miller a Longtime Lawyer for Kennedys », *Palm Beach Daily News*, June 9, 1991.

Zeman, David. « Smith Switches Attorneys in Rape Defense », *The Miami Herald*, June 25, 1991.

« Maid Disputes Kennedy Friend's Story », *The Miami Herald*, June 26, 1991.

Zeman, David. « Witness Disputes Kennedy », *The Miami Herald*, July 17, 1991.

Clifford, Timothy, « Smith Rape Defense to Focus on Woman's Sexual History », *News-day*, July 19, 1991.

Stapleton, Christine. « Evidence of Similar Crimes Can Devastate a Defense », *Palm Beach Post*, July 24, 1991.

— . « Smith Assault Statements Similar », *Palm Beach Post*, July 24, 1991.

Ellicott, Val, and Christine Stapleton. « Kennedy Lawyer Tried to Contact '88 Accuser », *Palm Beach Post*, August 10, 1991.

Stapleton, Christine. « Smith Attorney : Woman Is Mentally Ill », *Palm Beach Post*, August 10, 1991.

Zeman, David. « Smith Defense : Alleged Victim Resents Men », *The Miami Herald*, August 10, 1991.

Treen, Joe. « Maximum Moira », *People*, August 12, 1991.

Stapleton, Christine. « Doctor Backs Story Claiming '88 Rape Try by Smith », *Palm Beach Post*, August 22, 1991.

Dionne, E. J. « Changes for Kennedy : Friends See Toll from Palm Beach Incident », *The Washington Post*, August 28, 1991.

« Psychologist Says Smith, Accuser Have Serious Emotional Problems », Associated Press in *Palm Beach Post*, October 6, 1991.

Jordan, Mary. « The Prosecutor Never Rests : Moira Lasch, Building the Case Against William Kennedy Smith », *The Washington Post*, October 30, 1991.

White, Diane. « Willie's Lawyers Dress Down Accuser », *New York Daily News*, November 10, 1991.

Ellicott, Val. « Will' Smith Strikes a Pose at Photographers'Request », *Palm Beach Post*, November 11, 1991.

Brock, Pope. « Hot on the Trial », *People*, December 16, 1991.

Hiltbrand, David. « Picks & Pans », *People*, December 23, 1991.

Treen, Joe. « The Most Famous Woman Never Seen », *People*, December 23, 1991.

Dunne, Dominick. « The Verdict », *Vanity Fair*, March 1992.

Cerabino, Frank. « Twists, Tangles in Kennedy Case », *Palm Beach Post*, April 14, 1992.

Perry, Tony. « San Diego at Large : He Leaves No Trash Can Unturned in Digging Up Dirt on Rich, Famous », *Los Angeles Times*, December 6, 1992.

Brozan, Nadine, « Chronicle », *The New York Times*, April 27, 1993.

Gleick, Elizabeth, « Fighting Words », *People*, November 8, 1993.

« In Loving Memory : Jacqueline Bouvier Kennedy Onassis : 1929-1994 », *Town & Country*, July 1994.

« Remembering Jackie », *Life : Special Commemorative Edition*, July 15, 1994.

« Love and the Law », *People*, March 6, 1995.

Marvel, Mark. « Life & Liberty », *Interview*, December 1995.

Klein, Edward. « The Man He Might Have Become », *Parade*, August 25, 1996.

Bumiller, Elisabeth. « The Newest Kennedy, Poised for the Part », *The New York Times*, September 29, 1996.

Conroy, Sarah Booth. « JFK Jr., Hitched to Tradition », *The Washington Post*, September 30, 1996.

Collins, James. « By George, He Got Married ! » *Time*, October 7, 1996.

Mead, Rebecca. « Caroline, Meet Carolyn. » *New York*, October 7, 1996.

« JFK's Wedding : Special Collector's Edition », *National Enquirer*, October 8, 1996.

« Sexy Past of JFK Bride », *Globe*, October 8, 1996.

Gerhart, Ann. « Myth America », *The Washington Post*, October 9, 1996.

« The 25 Most Intriguing People of the Year ! » *People*, December 30, 1996.

« Breaking Ranks », *People*, June 25, 1997.

« The Kennedys : The Third Generation. » *Life* special issue, July 7, 1997.

Adams, Cindy. *New York Post*, October 19, 1998.

« Jackie's Gift », *People*, October 26, 1998.

O'Brien, Tim. « Forestry to Fund Ship's US Voyage », *Irish Times*, November 9, 1998.

McCarthy, Michael J. « America Saw Itself in DiMaggio, and It Liked What It Saw », *The Wall Street Journal*, March 9, 1999.

« Quote of the Week », *People*, March 29, 1999.

Belkin, Douglas. « A Kennedy Curse ? » *The Palm Beach Post*, July 23, 1999.

Kennedy, Edward. Eulogy for John F. Kennedy Jr. in *New York Post*, July 24, 1999.

James, Caryn. « Generating Significance to Apply to Celebrity », *The New York Times*, July 24, 1999.

« Special Report : John F. Kennedy Jr., 1960-1999 », *Time*, July 26, 1999.

« Prince of the City », *New York*, August 2, 1999.

« Lost in the Night », *People*, August 2, 1999.

« Remembering John F. Kennedy Jr. », *People*, August 2, 1999.

« Special Report : Ask Not... » *Time*, August 2, 1999.

« Hour of Loss », *People*, August 9, 1999.

Peretz, Evgenia. « The Private Princess », *Vanity Fair*, September 1999.

Nickell, Joe. « Curses : Foiled Again », *Skeptical Inquirer*, November 1, 1999.

« JFK's Secret Lover », *National Enquirer*, January 18, 2000.

Weinraub, Bernard. « Just One of the Gals », *McCall's*, May 2000.

« JFK : Heartbreaking Autopsy Secret », *National Enquirer*, July 18, 2000.

« To Have and to Hold », *People*, July 24, 2000.

« Crash Photos : JFK Wreckage Reveals His Final Act of Heroism », *National Enquirer*, July 25, 2000.

Marin, Rick. « Men Are Crazy for Women Who Are, Too », *The New York Times*, February 12, 2001.

« JFK Jr.'s Jeep Sold on eBay », Associated Press, March 23, 2001.

« Farewell Issue », *George*, May 2001.

« JFK Jr.'s Troubled Last Days », *Globe*, January 22, 2002.

Fee, Gayle, and Laura Raposa. « Inside Track », *Boston Herald*, August 14, 2002.

Orin, Deborah. « Clan Baked : Another Kennedy Pol Falters », *New York Post*, August 19, 2002.

Duin, Julia. « Oh Lordy : 40 ; Baby Boomers Find Life Goes on in Middle Age », *Washington Times*, August 22, 2002.

Brouwer, Julian. « We Need Caroline : Plea to JFK's Girl Over Family Crisis », *Sunday Mirror*, August 25, 2002.

« The Fading Lure of Camelot », *The Economist*, August 31, 2002.

« Magical History Tour : A Busload of Kennedys Pay Homage to the Past — Their Own — on a Summer Road Trip », *People*, September 2, 2002.

Dart, Bob. « Kennedy Mystique Enlivens Maryland Races », *Palm Beach Post*, September 8, 2002.

Espo, Dave. « Campaign Notebook : Republicans Concerned About Gekas Re-election in Pennsylvania », Associated Press, September 9, 2002.

« Inside Track », *Boston Herald*, September 11, 2002.

Barker, Jeff. « For Shriver, Kennedy Ties Not Enough in 8th District ; Voters Saw Van Hollen as Stronger vs. Morella », *Baltimore Sun*, September 12, 2002.

« Page Six : Kennedy's Loss Tolls Darkly », *New York Post*, September 13, 2002.

Boyer, Dave. « Shriver's Loss Suggests Kennedy Dynasty Fades ; Still, Liberal Followers Say the Younger Generation Can Look to Having a Role in Politics », *Washington Times*, September 15, 2002.

Schlesinger, Arthur. « JFK Revisited », *Cigar Aficionado*, date unknown.

Clines, Francis X. « In Maryland, a Blowout Becomes a Nail-Biter », *The New York Times*, September 15, 2002.

Quinn, Peter. « Looking for Jimmy », *The World of Hibernia*, date unknown.

OUVRAGES

Aalen, F.H.A., Kevin Whelan and Matthew Stout, eds. *Atlas of the Irish Rural Landscape*. Cork, Ireland : Cork University Press, 1997.

Anderson, Christopher : *John-John ou la Malédiction des Kennedy*, éditions Jean-Claude Lattès, 2000.

Ash, Jennifer. *Private Palm Beach : Tropical Style*. New York : Abbeville Press, 1992.

Beatty, Jack. *The Rascal King : The Life and Times of John Michael Curley, 1874-1958*. Cambridge, Mass. : Da Capo Press, 1993.

Berlitz, Charles : *Le Triangle des Bermudes*, éditions Flammarion, 1975.

Beschloss, Michael R. *Kennedy and Roosevelt : The Uneasy Alliance*. New York : W.W. Norton, 1980.

Bourke, Angela. *The Burning of Bridget Cleary*. New York : Viking, 1999.

Bowen, Croswell. *The Curse of the Misbegotten : A Tale of the House of O'Neill*. New York : McGraw-Hill, 1959.

Bryant, Traphes, with Frances Spatz Leighton. *Dog Days at the White House : The Outrageous Memoirs of the Presidential Kennel Keeper*. New York : Macmillan, 1975.

Cahill, Thomas. *How the Irish Saved Civilization*. New York : Doubleday, 1995.

Campbell, Lily B. *Shakespeare's Tragic Heroes : Slaves of Passion*. Gloucester, Mass. : Peter Smith, 1973.

Carter, Howard, et Mace, A.C. : *La Fabuleuse Découverte de la tombe de Toutankhamon*, éditions Pygmalion, 1978.

Chowdhury, Bernie. *The Last Dive : A Father and Son's Fatal Descent into the Ocean's Depths*. New York : HarperCollins, 2000.

Clinch, Nancy Gager. *The Kennedy Neurosis : A Psychological Portrait of an American Dynasty*. New York : Grosset Dunlap, 1973.

Clymer, Adam. *Edward M. Kennedy : A Biography*. New York : William Morrow, 1999.

Coffey, Michael, and Terry Golway, eds. *The Irish in America*. New York : Hyperion, 1997.

Collier, Peter et Horowitz, David : *Les Kennedy*, éditions Payot, 1992.

Colman, Terry. *Going to America*. Baltimore : Genealogical Publishing Co., 1998.

Cowman, Des, ed. *The Famine in Waterford, 1845-1850*. Dublin : Geography Publications, 1995.

Cronin, Mike. *A History of Ireland*. New York : Palgrave, 2001.

Cronin, Patrick J. *Aubrey de Vere : The Bard of Curragh Chase*. County Limerick, Ireland : Askeaton Civic Trust, 1997.

———. *Eas Cead Tine :* « *The Waterfall of the Hundred Fires.* » County Limerick, Ireland : Askeaton Civic Trust, 1999.

Davies, Robertson : *Un homme remarquable,* éditions Payot, 1990.

Davis, John H. *The Kennedy Clan : Dynasty and Disaster 1848-1984.* London : Sidgewick & Jackson, 1985.

Demaria, Robert. « *That Kennedy Girl* » : *A Biographical Novel.* Port Jefferson, N.Y. : Vineyard Press, 1999.

Dinneen, Joseph F. *The Kennedy Family.* Boston : Little, Brown, 1959.

Dobrynin, Anatoly. *In Confidence : Ambassador to America's Six Cold War Presidents.* Seattle : University of Washington Press, 1995.

Dossey, Dr Larry : *Le Surprenant Pouvoir de la prière,* éditions La Maisnie-Tredaniel, 1998.

Dossey, Dr Larry : *La Médecine réinventée,* éditions Vivez Soleil, 2002.

Duncliffe, William J. *The Life and Times of Joseph P. Kennedy.* New York : McFadden-Bartell, 1965.

Eldredge, John : *Indomptable, le Secret de l'âme masculine,* éditions Farel, 2002.

Ellis, Peter Berresford. *A History of the Working Class.* New York : George Braziller, 1973.

———. *Dictionary of Celtic Mythology.* Oxford : Oxford University Press, 1992.

Erikson, Erik, *Luther avant Luther,* éditions Flammarion, 1968.

Evans, E. Estyn. *The Personality of Ireland : Habitat, Heritage and History.* Dublin : Lilliput Press, 1992.

———. *Ireland and the Atlantic Heritage : Selected Writings.* Dublin : Lilliput Press, 1996.

Finneran, Richard J., ed. *The Collected Poems of W.B. Yeats.* New York : Scriber, 1996.

Fowler, Marian. *Hope : Adventures of a Diamond.* New York : Ballantine Books, 2002.

Gage, Nicholas : *Onassis et la Callas, une tragédie grecque des temps modernes*, éditions Robert Laffont, 2000.

Gatti, Arthur. *The Kennedy Curse*. Chicago : Henry Regnery Company, 1976.

Gibson, Barbara. *Life with Rose Kennedy : An Intimate Account*. New York : Warner Books, 1986.

Gibson, Barbara, and Ted Schwarz. *The Kennedys : The Third Generation*. New York : Kensington, 1999.

——. *Rose Kennedy and Her Family : The Best and Worst of Their Lives and Times*. New York : Carol Publishing Group, 1995.

Giglio, James. *The Presidency of John F. Kennedy*. Lawrence, Kan. : The University Press of Kansas, 1992.

Gilligan, Carol. *The Birth of Pleasure*. New York : Alfred A. Knopf, 2002.

Golway, Terry. *The Irish in America*, edited by Michael Coffey. New York : Hyperion, 1997.

Goodwin, Doris Kearns. *The Fitzgeralds and the Kennedys : An American Saga*. New York : Simon & Schuster, 1987.

——. *No Ordinary Time : Franklin and Eleanor Roosevelt : The Home Front in World War II*. New York : Simon & Schuster, 1994.

Graham, Katherine. *Personal History*. New York : Vintage, 1998.

Gregory, Lady. *Irish Myths and Legends*. Philadelphia : Courage Books, 1998.

Halberstam, David : *Les Fifties*, éditions du Seuil, 1995.

Hamer, Dean, and Peter Copeland. *Living with Our Genes : Why They Matter More Than You Think*. New York : Doubleday, 1998.

Hamilton, Edith : *La Mythologie*, éditions Marabout, 1979.

——. *The Greek Way*. New York : Time, Inc., 1963.

Hamilton, Nigel : *JFK : une jeunesse insouciante*, éditions du Seuil, 1996.

Handlin, Oscar. *Boston's Immigrants 1790-1880*. Cambridge : Harvard University Press, 1991.

Hersh, Seymour, *La Face cachée du clan Kennedy*, éditions de l'Archipel, 2000.

Higham, Charles. *Rose : The Life and Times of Rose Fitzgerald Kennedy*. New York : Pocket Books, 1995.

Hollett, David. *Passage to the New World : Packet Ships and Irish Famine Emigrants 1845-1851*. Gwent, Great Britain : P.H. Heaton Publishing, 1995.

Jones, January. *Oh, No... Jackie-O ! : The Unspeakable Is Spoken ! A Theory*. P.J. Publishing, 1998.

Jung, C.G. : *Synchronicité et Paracelsica*, éditions Albin Michel, 1988.

Kappel, Kenneth. *Chappaquiddick Revealed : What Really Happened*. New York : Lamplight Publications, 1989.

Kenneally, Thomas. *The Great Shame*. New York : Doubleday, 1998.

Kennedy, Brian Patrick. *The Irish Kennedys : The Story of the « Rebellious O'Kennedys. »* Brisbane, Australia : Gaeltachta Publishers, 1998.

Kennedy, Joseph. *I'm for Roosevelt*. New York : Reynal and Hitchcock, 1936.

Kennedy, Rose : *Le Temps du souvenir*, éditions Stock, 1994.

Kennedy, Sheila Rauch. *Shattered Faith : A Woman's Struggle to Stop the Catholic Church from Annulling Her Marriage*. New York : Henry Holt, 1997.

Kennedy, William : *Jack « Legs » Diamond*, éditions Belfond, 1988.

Keough, Daire, and Nicholas Furlong, eds. *The Mighty Wave : The 1798 Rebellion in Wexford*. Dublin : Four Courts Press, 1996.

Kernberg, Dr Otto : *Les Troubles Limites de la personnalité*, éditions Dunod, 1997.

Kessler, Ronald : *Les Péchés du père,* éditions Albin Michel, 1996.

Kibberd, Declan. *Inventing Ireland.* Cambridge : Harvard University Press, 1995.

Koskoff, David E. *Joseph P. Kennedy : A Life and Times.* Englewood Cliffs, N.J. : Prentice-Hall, 1974.

Krock, Arthur. *Memoirs : Sixty Years on the Firing Line.* New York : Funk and Wagnalls, 1968.

Kusche, Larry : *Le Triangle des Bermudes, la solution du mystère,* éditions l'Etincelle, 1976.

Lasch, Christopher. *The Culture of Narcissism : American Life in An Age of Diminishing Expectations.* New York : W.W. Norton, 1991.

Laxton, Edward : *The Famine Ships : The Irish Exodus to America.* New York : Henry Holt, 1996.

Leamer, Laurence. *The Kennedy Men : 1901-1963.* New York : HarperCollins, 2001.

——. *Les Femmes Kennedy,* éditions Grasset, 1996.

Leigh, Wendy. *Prince Charming : The John F. Kennedy Jr. Story.* New York : Penguin Books, 1994.

Lichte, Shannon McMahon. *Irish Wedding Traditions.* New York : Hyperion, 2001.

Lieberson, Goddard, ed. *John Fitzgerald Kennedy... As We Remember Him.* New York : Atheneum, 1965.

Lowe, Jacques. *JFK Remembered : An Intimate Portrait by His Personal Photographer.* New York : Gramercy Books, 1993.

Lowen, Alexander, M.D. *Narcissism : Denial of the True Self.* New York : Collier Books, 1985.

Macken, Walter. *The Silent People.* Dublin : Pan Books, 1978.

Madsen, Axel. *Gloria and Joe : The Star-Crossed Love Affair of Gloria Swanson and Joe Kennedy.* New York : William Morrow, 1988.

Malinowski, Bronislaw. *Magic, Science and Religion, and Other Essays*. Westport, Conn. : Greenwood Press, 1984.

Marvin, Richard. *The Kennedy Curse*. New York : Belmont Books, 1969.

McCormick, Donald. *The Hell-Fire Club*. London : Jarrolds Publishers, 1958.

McCourt, Malachy. *A Monk Swimming : A Memoir*. New York : Hyperion, 1998.

McTaggart, Lynne. *Kathleen Kennedy : Her Life and Times*. New York : Holt, Rinehart, and Winston, 1983.

Morash, Christopher. *Writing the Irish Famine*. Oxford : Oxford University Press, 1995.

O'Brien, Edna. *Mother Ireland : A Memoir*. New York : Penguin Putnam, 1999.

O'Connor, Peter. *Beyond the Mist : What Irish Mythology Can Teach Us About Ourselves*. London : Victor Gollancz, 2000.

O'Connor, Thomas H. *The Boston Irish : A Political History*. Boston : Back Bay Books, 1995.

O'Flaherty, Liam. « Going into Exile », in Roland Hindmarsh, ed., *Waiting and Other Modern Stories*. Cambridge : Cambridge University Press, 1979.

O'Hanlon, Thomas J. *The Irish : Portrait of a People*. London : Andre Deutsch, 1976.

O'Muirithe, Diarmaid, and Deirdre Nuttall, eds. *Folklore of County Wexford*. Dublin : Four Courts Press, 1999.

Olsen, Jack. *Aphrodite : Desperate Mission*. New York : G.P. Putnam's Sons, 1970.

Onassis, Jacqueline, and Lee Radziwill. *One Special Summer*. New York : Delacorte Press, 1974.

Osbourne, Claire, ed. *Jackie : A Legend Defined*. New York : Avon Books, 1997.

Patch, Susanne Steinem. *The Story of the Hope Diamond*. New York : Harry N. Abrams, 1999.

Pierce, John W. *The Kennedys Who Left and the Kennedys Who Stayed*. Dunganstown, Ireland : The Kennedy Homestead, 2000.

Pottker, Jan : *Jackie et Janet*, éditions Jean-Claude Lattès, 2002.

Rachlin, Harvey. *The Kennedys : A Chronological History 1823-Present*. New York : World Almanac, 1986.

Radin, Dean : *La Conscience invisible*, éditions Presses du Châtelet, 2000.

Reedy, George. *From the Ward to the White House : The Irish in American Politics*. New York : Charles Scribner's Sons, 1991.

Rees, Jim. *Surplus People : The Fitzwilliam Clearances 1847-1856*. Cork, Ireland : Collins Press, 2000.

Reeves, Richard. *President Kennedy : Profile of Power*. New York : Simon & Schuster, 1993.

——. *President Nixon : Alone in the White House*. New York : Simon & Schuster, 2001.

Reeves, Thomas C. *A Question of Character : A Life of John F. Kennedy*. New York : Macmillan, 1991.

Roosevelt, James. *My Parents : A Differing View*. Chicago : Playboy Press, 1976.

Rose, Norman. *The Cliveden Set : Portrait of an Exclusive Fraternity*. London : Pimlico, 2001.

Ryan, Dennis P. *A Journey Through Boston Irish History*. Charleston, S.C. : Arcadia Publishing, 1999.

Scally, Robert James. *The End of Hidden Ireland : Rebellion, Famine and Emigration*. New York : Oxford University Press, 1995.

Schrier, Arnold. *Ireland and the American Emigration, 1850-1900*. Chester Springs, Penn. : Dufour Editions, Inc. 1997.

Searls, Hank. *The Lost Prince : Young Joe, the Forgotten Kennedy*. New York : Harcourt, Brace, 1969.

Shriver, Maria. *What's Heaven ?* New York : St. Martin's Press, 1999.

Smith, Amanda, ed. *Hostage to Fortune : The Letters of Joseph P. Kennedy.* New York : Viking Penguin, 2001.

Specter, Arlen, with Charles Robbins. *Passion for Truth.* New York : HarperCollins, 2001.

Sullivan, Gerald, and Michael Kenney. *The Race for the Eighth.* New York : Harper and Row, 1987.

Swanson, Gloria : *Gloria Swanson par elle-même,* éditions Stock, 1981.

Taraborelli, J. Randy. *Jackie Ethel Joan : Women of Camelot.* New York : Warner Books, 2000.

Targ, Russell, and Jane Katra, Ph. D. *Miracles of Mind.* Novato, Calif. : New World Mind, 1998.

Taylor, Lawrence J. *Occasions of Faith : An Anthropology of Irish Catholics.* Dublin : Lilliput Press, 1995.

Thomas, Evan. *Robert Kennedy : His Life.* New York : Simon & Schuster, 2000.

Truman, Margaret. *First Ladies.* New York : Random House, 1995.

Whalen, Richard J. *The Founding Father : The Story of Joseph P. Kennedy.* Toronto : New American Library, 1964.

Whelan, Kevin. *Fellowship of Freedom : The United Irishmen and 1798.* Cork, Ireland : Cork University Press, 1998.

Whelan, Ronald E., ed. *Historical Materials in the John F. Kennedy Library.* Boston : John F. Kennedy Library, 2000.

Wills, Garry. *The Kennedy Imprisonment : A Meditation on Power.* New York : Pocket Books, 1981.

Yeats, W. B., ed. *Fairy and Folk Tales of Ireland.* New York : Galahad Books, 1996.

NOTES

INTRODUCTION
Une maison maudite

Les citations attribuées à John Kennedy Jr. proviennent d'un de ses plus vieux amis, qui a été une des sources directes de l'*Introduction*. Cet ami a eu un long entretien téléphonique avec John-John le 14 juillet 1999, c'est-à-dire deux jours avant l'accident d'avion fatal de celui-ci. L'auteur l'a interviewé peu de temps après l'accident, alors que le souvenir de cette conversation était encore frais dans son esprit, et à la condition que son anonymat soit préservé.

D'autres amis de John-John ont fourni des informations concordantes sur l'état de désintégration de son mariage avec Carolyn Bessette Kennedy et les problèmes causés par l'usage que celle-ci faisait de la cocaïne. Plusieurs de ces amis savaient de première main que Carolyn se droguait. Il convient de noter que la consommation de drogue de Carolyn était un secret de polichinelle dans les cercles de la mode new-yorkais.

Les informations concernant les constantes intrusions de Carolyn dans l'activité éditoriale de *George*, qui ont contribué à envenimer les relations entre John-John et Michael Berman, sont tirées d'interviews d'amis de Carolyn, d'ex-membres de la rédaction de *George*, et de Jean-Louis Ginibre, l'ancien directeur éditorial de Hachette.

Les détails de la brouille de Carolyn avec Caroline Kennedy Schlossberg ont été fournis par des personnes qui ont assisté au mariage de John-John sur l'île de Cumberland et qui connaissaient bien Carolyn.

Toutes les citations attribuées à Jacqueline Kennedy Onassis, de même que l'interprétation avancée par l'auteur de son attitude vis-à-vis de ses enfants et de ses amis, proviennent des conversations personnelles de l'auteur avec Jackie, étalées sur plus d'une douzaine d'années. Le contenu de ces entretiens a été consigné par l'auteur, à l'époque où ils ont eu lieu, dans ses carnets de journaliste.

Les ouvrages utilisés dans l'*Introduction* comprennent : Anderson, *John-John ou la Malédiction des Kennedy* ; Berlitz, *Le Triangle des Bermudes* ; Bowen, *The Curse of the Misbegotten : A Tale of the House of O'Neill ;* Carter et Mace, *La Fabuleuse Découverte de la tombe de Toutankhamon* ; Chowdhury, *The Last Dive : A Father and Son's Fatal Descent into the Ocean's Depths* ; Clinch, *The Kennedy Neurosis : A Psychological Portrait of an American Dynasty* ; Clymer, *Edward M. Kennedy : A Biography* ; Collier et Horowitz, *Les Kennedy* ; Davis, *The Kennedy Clan : Dynasty and Disaster, 1848-1984* ; Dossey, *Le Surprenant Pouvoir de la prière* ; Gage, *Onassis et la Callas, une tragédie grecque des temps modernes* ; Gatti, *The Kennedy Curse* ; Hamer and Copeland, *Living with Our Genes : Why They Matter More Than You Think* ; Hamilton, *La Mythologie* ; Handlin, *Boston's Immigrants 1790-1880* ; Kernberg, *Borderline Conditions and Pathological Narcissism* ; Kessler, *Les Péchés du père* ; Kessler, *Le Triangle des Bermudes, la solution du mystère* ; Lasch, *The Culture of Narcissism : American Life in an Age of Diminishing Expectations* ; Leigh, *Prince Charming : The John F. Kennedy Jr. Story* ; Lowen, *Narcissism : Denial of the True Self* ; Malinowski, *Magic, Science and Religion, and Other Essays* ; Marvin, *The Kennedy Curse* ; Patch, *The Story of the Hope Diamond* ; Radin, *La Conscience invisible* ; Thomas, *Robert Kennedy : His Life* ; and Wills, *The Kennedy Imprisonment : A Meditation on Power.*

L'auteur a également mené des interviews avec Lou Adler, Rachel Altein, Joe Armstrong, Dr Bob Amot, Dr Jiei Atacama,

Dr Michael Baden, Peter Beard, Dr Jonathan Benjamin, Michael Beschloss, Sue Erikson Bloland, Capitaine Greg Brown, Dr Robert Cloninger, Rabbi Schlomo Cunin, Capitaine Sam DeBow, Lisa DePaulo, Dr Larry Dossey, Steve Florio, Dr Bruce Forester, Sergent William Freeman, Nicholas Gage, Barbara Gibson, Jean-Louis Ginibre, Andrew Greeley, Capitaine Mark Helmkamp, Capitaine Burt Marsh, Robert Morgenthau, Dr Robert Moyzis, Dr Werner Muensterberger, Dr Peter Neubauer, Dr Chit Ranawat, John Scanlon, Lyndal L. Shaneyfelt, Dr David Skinner, Jocelyn Stern, Brett Tjaden, Candace Trunzo, Lieutenant Commander David Waterman, Paul Wilmot, et Garrett Yount.

CHAPITRE 1

PATRICK KENNEDY
Le crime involontaire

Le récit des derniers jours de Patrick Kennedy en Irlande pendant la Famine et la description de ses racines irlandaises, de son voyage et de son séjour à Liverpool, puis de sa traversée vers l'Amérique et de ses années à Boston, sont issus d'un grand nombre de sources publiées. Parmi celles-ci, les livres et opuscules suivants :

R.A. Pierce, « Patrick Kennedy of Dungastown, Co. Wexford, Great-Grandfather of the President » ; J.A. Pierce, « The Kennedys Who Left and the Kennedys Who Stayed » ; Herman Melville, *Redburn : His First Voyage* ; O'Grada, *The Great Irish Famine* ; Quinn, « The Tragedy of Bridget Such-a-One » ; Cronin, *A History of Ireland* ; Coffey et Golway, *The Irish in America* ; Hollet, *Passage to the New World : Packet Ships and Irish Famine Emigrants, 1845-1851* ; Trevelyan, *The Irish Crisis* ; Morash, *Writing the Irish Famine* ; Mitchel, *The Last Conquest of Ireland (Perhaps)* et « To the "Surplus Population" of Ireland » ; O'Brien, *Mother Ireland : A Memoir* ; Davies, *What's Bred in the Bone* ; Landry Preteseille, « The Irish Emigrant Trade to North

285

America — 1845-1855 » ; Miller et Wagner, *Out of Ireland : The Story of Irish Emigration to America* ; Scally, *The End of Hidden Ireland : Rebellion, Famine and Emigration ; Triumph and Tragedy : The Story of the Kennedys*, par les auteurs, photographes et éditeurs de l'Associated Press ; Kraehenbuehl, « The American Wake as a "Rite of Passage" » ; O'Flaherty, « Going Into Exile », in *Waiting and Other Modern Stories* ; O'Muirithe et Nuttall, *Folklore of County Wexford* ; Schrier, *Ireland and the American Emigration, 1850-1900* ; Brian Patrick Kennedy, *The Irish Kennedys : The Story of the « Rebellious O'Kennedys »* ; Peter O'Connor, *Beyond the Mist : What Irish Mythology Can Teach Us About Ourselves* ; Lenon, « The Kennedy Sept, Part III, » the *Irish Independent* ; Kevin Whelan, *Fellowship of Freedom : The United Irishmen and 1798* ; Macken, *The Silent People* ; the *Illustrated London News*, July 6, 1850 : Reese, *A Fairewell to Famine* ; Nathaniel Hawthorne, *The English Notebooks* ; Landry Preteseille, « Gone to Look for America » ; Davis, *The Kennedy Clan : Dynasty and Disaster, 1948-1984* ; « Papers Relative to the Emigration to the British Provinces in North America » ; « Report of the Committee of Internal Health on the Asiatic Cholera (Boston, 1849) » ; Handlin, *Boston's Immigrants 1790-1880* ; et Collier et Horowitz, *The Kennedys : An American Drama.*

L'auteur a en outre consulté les documents suivants : Glynn, *Manual for Irish Genealogy* ; The Historical Research Center, *Family Name History : Fitzgerald* ; Irish Department of Foreign Affair, *Folklore in Ireland* ; Irish Genealogical Society International, *Families in Ireland from the 11 th to the End of the 16 th Century* ; John Fitzgerald Kennedy Trust, *Dunbrody : Rebirth of an Emigrant Ship, 1845-2001* ; et O'Dowd, *John F. Kennedy Junior's Irish Legacy.*

L'auteur a également mené des interviews avec Sean Carberry, Michael Coffey, Tim Pat Googan, Patrick Cronin, Linda Degh, Micky Furlong, Terry Golway, Patrick Grenan, Patricia Hardy, Robert Haydon Jones, Malachy McCourt, Pat McKenna, Terry Moran, Cormac O'Grada, Daithi O'Hogan, Fintan O'Toole, Richard Andrew Pierce, Pat Quilty, Peter Quinn, Robert Scally, John Scanlon, Jay Tunney, et Kevin Whelan.

CHAPITRE 2

JOHN FRANCIS FITZGERALD
Le fils préféré

Les sources publiées incluent Thomas H. O'Connor, *The Boston Irish : A Political History* ; Handlin, *Boston Immigrants 1790-1880* ; Davis, *The Kennedy Clan : Dynasty and Disaster, 1948-1884* ; Coffey et Golway, *The Irish in America* ; Ryan, *A Journey Through Boston Irish History* ; O'Donovan-Rossa, *Rossa's Recollections 1838 to 1898* ; Ainley, *Boston Mahatma : Martin Lomasney* ; Goodwin, *The Fitzgeralds and the Kennedys : An American Saga* ; McCormick, *The Hell-Fire Club* ; Hashimoto, « Blather, 1998 » ; Beatty, *The Rascal King : The Life and Times of John Michael Curley, 1874-1958* ; et Lowen, *Narcissism : Denial of the True Self*.

L'auteur a mené des interviews avec Michael Coffey, Terry Golway, Patricia Hardy, Robert Haydon Jones, Malachy McCourt, Terry Moran, Peter Quinn, Robert Scally, John Scanlon, et Jay Tunney. En Irlande, l'auteur s'est entretenu avec Tim Pat Coogan, Patrick Cronin, Patrick Grenan, Pat McKenna, Cormac O'Grada, Daithi O'Hogan, Fintan O'Toole, Pat Quilty, et Kevin Whelan.

CHAPITRE 3

JOSEPH PATRICK KENNEDY
La langue de son temps

L'auteur s'est essentiellement servi des sources publiées suivantes : Beschloss, *Kennedy and Roosevelt : The Uneasy Alliance* ; Kessler, *Les Péchés du père* ; Collier et Horowitz, *Les Kennedy* ; Goodwin, *The Fitzgeralds and the Kennedys : An American Saga* ; Koskoff, *Joseph P. Kennedy : A Life and Times* ; Krock, *Memoirs : Sixty Years on the Firing Line* ; Hersh, *The Dark Side of Camelot* ; Roosevelt, *My Parents : A Differing*

View ; Wills, *The Kennedy Imprisonment : A Meditation on Power* ; Leamer, *The Kennedy Men : 1901-1963* et *Les Femmes Kennedy* ; Clinch, *The Kennedy Neurosis : A Psychological Portrait of an American Dynasty* ; Whalen, *The Founding Father* ; Madsen, *Gloria and Joe : The Star-Crossed Love Affair of Gloria Swanson and Joe Kennedy* ; Rose Kennedy, *Le Temps du souvenir* ; Krock, article publié dans *The New York Times*, December 8, 1927, Arthur Krock Papers, Princeton University ; Smith, *Hostage to Fortune : The Letters of Joseph P. Kennedy* ; Higham, *Rose : The Life and Times of Rose Fitzgerald Kennedy* ; Plaice, « The British Fifth Column That Never Was », *BBC History Magazine*, December 2000 ; Amelan, « Appeasement, Anyone ? » *Jerusalem Post*, February 4, 2001 ; Rose, *The Cliveden Set : Portrait of an Exclusive Fraternity* ; Smith, *Hostage to Fortune : The Letters of Joseph P. Kennedy* ; William Manchester, *The Last Lion : Alone : 1932-1940* ; Hamilton, *JFK : une jeunesse insouciante* ; Smith, *Hostage to Fortune : The Letters of Joseph P. Kennedy* ; Lewis B. Lyons, article publié dans *The Boston Globe*, November 10, 1940 ; Gore Vidal, article intitulé « Eleanor » dans *The New York Review of Books*, November 18, 1971.

CHAPITRE 4

KATHLEEN KENNEDY
Fi de toute prudence

La description de la verrière de la gare Saint Pancras est tirée de l'ouvrage de Trachtenberg et Hyman, *Architecture : From Prehistory to Post-Modernism*. On y lit notamment : « La transparence squelettique de la voûte de fer et de verre ajoutait une dimension futuriste et magique à ce volume stupéfiant, d'autant que la voûte jaillissait au niveau même des quais où se tenaient les passagers. »

Par ailleurs, l'auteur s'est inspiré des ouvrages suivants : Smith, *Hostage to Fortune : The Letters of Joseph P. Kennedy* ;

Leamer, *Les Femmes Kennedy* ; McTaggart, *Kathleen Kennedy : Her Life and Times* ; Collier et Horowitz, *Les Kennedy* ; « Kathleen Kennedy, 24 ; to Wed British Lord, » *Boston Herald*, May 4, 1944 ; « Fitz Backs Granddaughter's Choice but Bogs Down on Wedding Details, » *Boston Herald*, May 5, 1944 ; « Mrs. Kennedy in Hospital Here ; Good Condition, » *The Boston Globe*, May 5, 1944 ; « Kennedy Daughter Weds in London, » *The Boston Globe*, May 6, 1944 ; Rose Kennedy, *Le Temps du souvenir* ; « Mrs. Kennedy Leaves Boston by Plane, » *The Boston Globe*, May 6, 1944, « War Bars Cable to Kennedys as Daughter Is Wed in London, » *Boston Herald*, May 7, 1944 ; Hamilton, *JFK : une jeunesse insouciante* ; Goodwin, *The Fitzgeralds and the Kennedys : An American Saga* ; Whalen, *The Founding Father : The Story of Joseph P. Kennedy* ; « Earl Killed in Plane Crash, » *Boston American*, May 14, 1948 ; Klein, *All Too Human* ; Gibson et Schwarz, *Rose Kennedy and Her Family : The Third Generation*.

CHAPITRE 5

JOHN FITZGERALD KENNEDY
Le chemin de Dallas

Les citations attribuées au président Kennedy viennent de Dave Powers, un des plus proches collaborateurs du président, qui a été une source essentielle de ce chapitre. Powers a accompagné JFK pendant les deux derniers jours de sa vie et a été témoin à la fois des ébats présidentiels dans la piscine de la Maison-Blanche avec Fiddle et Faddle, et de l'attentat de Dallas. L'auteur l'a interviewé en avril 1997.

L'auteur a également interviewé Jay Tunney, Helen O'Donnell, Sue Erikson Bloland, Hamilton Brown, Paul « Red » Fay, Lyndal L. Shaneyfelt, and Anthony Sherman.

Sources publiées utilisées pour ce chapitre : Clinch, *The Kennedy Neurosis : A Psychological Portrait of an American Dynasty* ; Thomas Reeves, *A Question of Character : A Life of*

John F. Kennedy ; Manchester, *The Death of the President* ; Beschloss, *The Crisis Years* and *Kennedy v. Khrushchev* ; William Latham, « The Dark Side of the American Dream, » *Rolling Stone*, August 5, 1982 ; Richard Reeves, *President Kennedy : Profile of Power* ; Bryant, *Dog Days at the White House : The Outrageous Memoirs of the Presidential Kennel Keeper* ; Lawford, *The Peter Lawford Story* ; Giglio, *The Presidency of John F. Kennedy* ; Race, article publié dans *The New York Times*, July 29, 2002 ; Hersh, *The Dark Side of Camelot* ; Lewis H. Lapham, « Edward Kennedy and the Romance of Death », *Harpers*, December 1979 ; « JFK and the Mobsters' Moll », *Time*, December 29, 1975 ; Davis, *The Kennedy Clan ; The Warren Commission Report* ; MacNeil, *The Way We Were : 1963 — The Year Kennedy Was Shot* ; « Revealed : How Irish-Americans Held the Power in John F. Kennedy's White House, *The* (London) *Sunday Times*, May 26, 2002 ; White, *In Search of America* ; Collier et Horowitz, *Les Kennedy*.

CHAPITRE 6

WILLIAM KENNEDY SMITH
Le crepuscule des dieux

Des interviews ont été menées avec Floyd Abrams, Barbara Gamarekian, Barry Krischer, Pat McKenna, Ellen Roberts, Mark Scheiner, Kevin Selvig, Christine Stapleton, David Pecker, and Mike Edmonson.

L'auteur s'est presque toujours inspiré des dépositions sous serments, témoignages, et autres documents du procès de William Kennedy Smith pour viol en 1991. Parmi eux : *Deposition of Patrick H. Barry ; Deposition of Stephen P. Barry* ; David H. Bludworth, *Petition for Writ of Prohibition ; Statements of Patricia Bowman* to the Palm Beach Police Department ; *Statement of Michele Cassone ; Deposition of Chuck Desiderio ; Statement of Chuck Desiderio ; Statement of Dr. Lynn Gulledge ; Deposition of Dr. Lynn Gulledge* ; Warren D. Holmes's Letter to Sergeant Keith A. Robinson ; *Deposition of Edward M. Kennedy ; Deposition of Patrick J. Kennedy* ; Landmark Preservation Commission's *1095 North Ocean Boulevard : Designation Report ; Statement of Lisa Lattes ; Deposition of Lisa J. Lattes ; Statement of Anne Mercer ; Deposition of Leonard Mercer* ; Herbert J. Miller Jr., Letter to State Attorney David H. Bludworth ; New Mexico Board of Examiners, *Application for Approval to Practice as a Resident Physician : William K. Smith* ; Office of the State Attorney, « Senator Edward Kennedy Chronology » ; *Statement of Lieutenant Thomas M. Perry ; Statement of Detective Christine E. Rigolo ; Deposition of Detective Christine E. Rigolo ; Statement of Stephen Michael Scott ; Deposition of Amanda Smith ; et Deposition of Jean K. Smith.*

L'auteur s'est également inspiré des articles suivants : Fox Butterfield, « Views of the Kennedy House : Poignant Past, Busy Present », *The New York Times*, April 8, 1991 ; Alan McConagha, « Kennedy Media Control Slipping », *Washington Times*, April 11, 1991 ; « Who's Who in the Palm Beach Rape Case », *The Palm Beach Post*, April 14, 1991 ; « The Soul of the Kennedys », *Washington Times*, April 18, 1991 ; « Hints of Favoritism Still Swirl Around '84 Kennedy Probe », *The Palm Beach Post*, April 21, 1991 ; Tim Pallesen, « Pro-Kennedy Charges Again Haunt State Attorney », *The Palm Beach Post*, April 21, 1991 ; « New York Times'Regrets Action in Kennedy Rape Case », Associated Press, April 26, 1991 ; Jodi Mailander, « Gumshoes Seek Tale of Sleaze to Discredit Kennedy Accuser », *The Palm Beach Post*, April 28, 1991 ; « Naming the Victim », *News-week*, April 29, 1991 ; Lance Morrow, « The Trouble with Teddy », *Time*, April 29, 1991 ; John Donnelly et Dave von Drehle, « Kennedy Kin Faces Rape Count », *The Miami Herald*, May 10, 1991 ; Mary Jordan, « Willy Smith, the "Independent" Kennedy, Anonymous No More », *The Washington Post*, May 10, 1991 ; Mary Jordan, « The Prosecutor Never Rests : Moira Lasch, Building the Case Against William Kennedy Smith », *The Washington Post*, October 30, 1991 ; Karen Goldberg et Joe Dimaola, « Lawyers : Acquittal Probable », Fort Lauderdale *Sun-Sentinel*,

May 16, 1991 ; « Spotlight on the Senator : What Did Teddy Know ? » *Newsweek*, May 27, 1991 ; Margaret Carlson, « When in Doubt, Obfuscate », *Time*, May 27, 1991 ; Margie Kacoha, « Miller a Longtime Lawyer for Kennedys », *Palm Beach Daily News*, June 9, 1991 ; David Zeman, « Smith Switches Attorneys in Rape Defense », *The Miami Herald*, June 25 1991 ; David Zeman, « Smith Defense : Alleged Victim Resents Men », *The Miami Herald*, August 10, 1991 ; « Maid Disputes Kennedy Friend's Story », *The Miami Herald*, June 26, 1991 ; David Zeman, « Witness Disputes Kennedy », *The Miami Herald*, July 17, 1991 ; Timothy Clifford, « Smith Rape Defense to Focus on Woman's Sexual History », *Newsday*, July 19, 1991 ; Christine Stapleton, « Evidence of Similar Crimes Can Devastate a Defense », *The Palm Beach Post*, July 24, 1991 ; Christine Stapleton, « Smith Assault Statements Similar », *The Palm Beach Post*, July 24, 1991 ; Christine Stapleton, « Smith Attorney : Woman Is Mentally Ill », *The Palm Beach Post*, August 10, 1991 ; Christine Stapleton, « Doctor Backs Story Claiming '88 Rape Try by Smith », *The Palm Beach Post*, August 22, 1991 ; Val Ellicott and Christine Stapleton, « Kennedy Lawyer Tried to Contact '88 Accuser », *The Palm Beach Post*, August 10, 1991 ; Joe Treen, « Maximum Moira », *People*, August 12, 1991 ; E. J. Dionne, « Changes for Kennedy : Friends See Toll from Palm Beach Incident », *The Washington Post*, August 28, 1991 ; « Psychologist Says Smith, Accuser Have Serious Emotional Problems », Associated Press in *The Palm Beach Post*, October 6, 1991 ; Diane White, « Willie's Lawyers Dress Down Accuser », *New York Daily News*, November 10, 1991 ; Val Ellicott, « "Will'Smith Strikes a Pose at Photographers" Request », *The Palm Beach Post*, November 11, 1991 ; Pope Brock, « Hot on the Trial », *People*, December 16, 1991 ; David Hiltbrand, « Picks & Pans », *People*, December 23, 1991 ; Joe Treen, « The Most Famous Woman Never Seen », *People*, December 23, 1991 ; Dominick Dunne, « The Verdict », *Vanity Fair*, March 1992 ; Frank Cerabino, « Twists, Tangles in Kennedy Case », *The Palm Beach Post*, April 14, 1992.

Les livres utilisés incluent : Ash, *Private Palm Beach : Tropical Style* ; Clymer, *Edward M. Kennedy : A Biography* , Gibson et Schwarz, *The Kennedys : The Third Generation* et *Rose Kennedy and Her Family* ; et *Les Femmes Kennedy*.

CHAPITRE 7

JOHN FITZGERALD KENNEDY JR.
Taillé dans le même bois

La scène du rendez-vous galant de Carolyn Bessette Kennedy à Greenwich Village a été décrite par un proche ami et collaborateur professionnel du petit ami de Carolyn, qui se trouvait dans l'appartement quand celle-ci a sonné. L'auteur a interviewé cette source, qui a tenu à garder l'anonymat, en avril 2002.

La scène de la conversation entre Lauren Bessette, sa sœur Carolyn et John Kennedy Jr. a été relatée par Lauren à un ami, qui a répété ses propos à l'auteur peu après le crash fatidique.

La majorité des sources utilisées dans ce chapitre sont les mêmes que pour l'*Introduction*.

L'auteur s'est notamment inspiré des articles suivants : Edward Kennedy, Eulogy for John F. Kennedy Jr. in *New York Post*, Saturday, July 24, 1999 ; Caryn James, « Generating Significance to Apply to Celebrity », *The New York Times*, July 24, 1999 ; « Special Report : John F. Kennedy Jr., 1960-1999 », *Time*, July 26, 1999 ; « Remembering John F. Kennedy Jr. », *People*, August 2, 1999 ; « Special Report : Ask Not... », *Time*, August 2, 1999 ; « Lost in the Night », *People*, August 2, 1999 ; « Prince of the City », *New York*, August 2, 1999 ; « Hour of Loss », *People*, August 9, 1999 ; Evgenia Peretz, « The Private Princess », *Vanity Fair*, September 1999 ; « To Have and to Hold », *People*, July 24, 2000 ; Rick Marin, « Men Are Crazy for Women Who Are, Too », *The New York Times*, February 12, 2001 ; « Farewell Issue », *George*, May 2001.

La chute de la maison Kennedy

Le geste de l'ami de Carolyn retirant sa réserve de cocaïne du réfrigérateur a été relaté par une source qui a assisté à la scène et a demandé à garder l'anonymat.

Par ailleurs, l'auteur a mené des interviews avec Dr Bob Arnot, Dr Michael Baden, Capitaine Greg Brown, Capitaine Sam DeBow, Dr Richard Evans, Sergent William Freeman, Capitaine Mark Helmkamp, Capitaine Burt Marsh, Jocelyn Stern, Candace Trunzo, Roy Wachtel, et Leon Wagner.

Rose Schlossberg a été vue par l'auteur en train de tirer la langue aux caméras.

L'auteur s'est également inspiré des articles suivants : Julian Brouwer, « We Need Caroline : Plea to JFK's Girl Over Family Crisis », *Sunday Mirror*, August 25, 2002 ; « The Fading Lure of Camelot », *The Economist*, August 31, 2002 ; « Magical History Tour : A Busload of Kennedys Pay Homage to the Past — Their Own — on a Summer Road Trip », *People*, September 2, 2002 ; Bob Dart, « Kennedy Mystique Enlivens Maryland Races », *The Palm Beach Post*, September 8, 2002 ; Dave Espo. « Campaign Notebook : Republicans Concerned About Gekas Re-election in Pennsylvania », Associated Press, September 9, 2002 ; « Inside Track », *Boston Herald*, September 11, 2002 ; Jeff Barker, « For Shriver, Kennedy Ties Not Enough in 8th District ; Voters Saw Van Hollen as Stronger vs. Morella », *Baltimore Sun*, September 12, 2002 ; Page Six : « Kennedy's Loss Tolls Darkly », *New York Post*, September 13, 2002 ; Dave Boyer, « Shriver's Loss Suggests Kennedy Dynasty Fades ; Still, Liberal Followers Say the Younger Generation Can Look to Having a Role in Politics », *Washington Times*, September 15, 2002 ; Francis X. Clines, « In Maryland, a Blowout Becomes a Nail-Biter », *The New York Times*, September 15, 2002.

Impression réalisée sur CAMERON par

BUSSIÈRE CAMEDAN IMPRIMERIES

GROUPE CPI

à Saint-Amand-Montrond (Cher)
en juillet 2003

Composé par Nord Compo
à Villeneuve-d'Ascq

N° d'édition : 7099. — N° d'impression : 033044/ı.
Dépôt légal : août 2003.

Imprimé en France